Kleine Menschen – Große Kunst

Kleine Menschen – Große Kunst

Kleinwuchs aus künstlerischer und medizinischer Sicht

Herausgegeben von
Alfred Enderle
Dietrich Meyerhöfer
Gerd Unverfehrt

Artcolor Verlag

Die Drucklegung dieses Buches
wurde freundlicherweise unterstützt
durch die Firmen
Pfrimmer Kabi GmbH & Co. KG
8420 Erlangen
und
Lilly Deutschland GmbH
6380 Bad Homburg

© Artcolor Verlag, D 4700 Hamm, 1992
Layout, Produktion und Gesamtherstellung:
WAS Media Productions, D 4700 Hamm
Printed in Germany 1992
ISBN 3-89261-322-2

Inhalt

Zum Geleit

Das Besondere hat schon immer die Menschen interessiert, und sie stellen es in ihren Bildern und Skulpturen dar.

Dieser Katalog zeigt eine Sammlung von Bildern und Skulpturen von Menschen mit einer ungewöhnlichen Körpergröße. Die genauere Betrachtung zeigt, daß Künstler mehr die körperliche Erscheinung interessierte. So wie sie auch im Gewöhnlichen das Besondere zu entdecken vermögen, so vermitteln uns viele Bilder über die besondere Körperlichkeit hinaus Schicksale. Durch Ausdruck, Haltung, Kleidung berichten sie von kleinen Menschen, von ihrem Leben, ihrem Verhältnis zu anderen und von der Einstellung der Gesellschaft zu ihnen. Die Bilder fordern uns auf, uns in die besondere Situation des kleinen Menschen hineinzudenken, ihn in seinem Anderssein zu verstehen und uns zu relativieren.

So ist diese Sammlung lebendige Sozialgeschichte, Erinnerung und Aufforderung zugleich. Wir sollen uns mit einem Problem auseinandersetzen, das viele erst wahrnehmen, wenn sie daran erinnert werden. Das Problem heißt: anders zu sein als die meisten. Zu diesem Anderssein muß man sich bekennen. Und dies gelingt, wenn es einem nicht zu schwergemacht wird.

Das vorliegende Buch hilft uns, zu verstehen und Wege zu suchen, daß wir es einander nicht zu schwermachen.

Prof. Dr. Jürgen Spranger
Direktor der Universitäts-Kinderklinik Mainz

Vorwort

Kleinwuchs, eine von der Öffentlichkeit selten wahrgenommene Krankheit – Behinderung für die Betroffenen – begleitet uns als Eltern und vor allem unsere Kinder ein Leben lang. Dies ist auch der Grund, warum wir uns als Elterngruppe an der Herausgabe dieses Buches beteiligt haben, es mitangeregt haben und mit einem erheblichen finanziellen Risiko für unseren Verein auf den Weg brachten. Die Veröffentlichung soll deutlich machen, daß kleinwüchsige Menschen in allen Epochen der Geschichte zum kulturellen Leben dazugehörten.

Wie haben Menschen zu anderen Zeiten über Abweichungen von der Norm gedacht? Welche Anerkennung, welches Unverständnis ist den kleinwüchsigen Menschen im Laufe der Jahrtausende begegnet? Welche soziale Stellung hatten Kleinwüchsige? Wie erging es ihnen in ihrem Leben?

Der »Zwerg« hat in Deutschland ein negativ besetztes Image, im alten Ägypten aber wurde er als Gottheit hochgeachtet und verehrt. Hier wird die Ambivalenz des Themas deutlich.

Gehen die Menschen in dieser angeblich so aufgeklärten Zeit mit unseren Kindern, den Betroffenen, wirklich so viel besser um als in all den Jahrhunderten zuvor? Haben wir immer noch nicht gelernt, das »Anderssein«, das »Außerhalb-der-Norm-liegen« anzunehmen und anzuerkennen und damit etwa 100.000 betroffene kleinwüchsige Menschen in der Bundesrepublik in unserer Mitte als Gleichberechtigte aufzunehmen, sie zu integrieren?

Unsere Gesetze und Verordnungen schreiben Rehabilitation vor und verpflichten uns zur Integration! Sind unsere Herzen schon so weit?

1989 zeigte Herr Dr. Enderle von der Orthopädischen Abteilung der Universitätsklinik Göttingen Interesse an der Zusammenarbeit mit unserer Elterngruppe. Beiläufig erwähnte er, daß er ein »paar Bilder« von kleinwüchsigen Menschen gesammelt habe. Er bot an, uns diese Bilder einmal zu zeigen. Ein halbes Jahr verging, ehe sich die Familie Klingebiel nach

Göttingen auf den Weg machen konnte. Sie erlebte eine große Überraschung: Circa 1200 Darstellungen von kleinwüchsigen Menschen hat Herr Enderle in sechs Jahren gesammelt und katalogisiert.

Uns war sofort klar: Wenn wir die psychologischen Barrieren überwinden helfen wollen, muß dieses Material qualifiziert veröffentlicht werden. Mit der Georg-August-Universität Göttingen haben wir einen außerordentlich kompetenten Partner und Unterstützer des Projektes gefunden, der letztendlich auch die Hauptarbeit getragen hat. Daher gilt unser Dank den drei Herausgebern, Herrn Dr. Unverfehrt, Herrn Priv.-Dozent Dr. Enderle und Herrn Meyerhöfer, M.A., im ganz besonderen für ihre Arbeit. Außerdem möchten wir der Leitung des kunsthistorischen Seminars und der medizinischen Fakultät danken, die in so großzügiger Weise dieses Projekt mitunterstützt haben. Schließlich brauchten wir einen Verlag, der mit einer Elterngruppe arbeitet und ihr dabei die nötige Unterstützung zukommen läßt. Auch diesen haben wir im Artcolor-Verlag, Hamm, gefunden.

Danken möchten wir darüber hinaus allen, die sich unentgeltlich, mit viel Engagement für eine Arbeit zur Verfügung gestellt haben, von der wir glauben, daß sie außerordentlich gelungen ist und die für unsere Kinder und alle betroffenen Kleinwüchsigen sehr hilfreich werden kann.

In den verschiedenen Beiträgen werden Begriffe wie »Zwergwuchs« und »Minderwuchs« an einigen Stellen noch verwendet. Dies geschieht in Zusammenhang mit medizinischen oder historischen Fachausdrücken. Es bleibt zu hoffen, daß auch diese Begriffe in absehbarer Zukunft durch den Begriff »Kleinwuchs« ersetzt werden.

Wir als Eltern wissen, daß es in Deutschland erneut eine intensive Diskussion innerhalb der Betroffenen und der Elternschaft über den im Text so häufig verwendeten Begriff »Zwerg« geben wird, und darüber, warum ausgerechnet wir als Elterngruppe ein Buch mit herausgeben, in dem dieser Begriff eine wesentliche Rolle spielt. Wir stellen uns dieser Diskussion.

Die Medizin bitten wir, bei dem jetzt gültigen Begriff »Kleinwuchs« zu bleiben. Das Wort »Minderwuchs« paßt heute ebensowenig in die Zeit wie der Begriff »Zwerg« oder »Liliputaner«. Weder für die Betroffenen noch für die Eltern ist es zumutbar, daß Kleinwüchsige als »minder« bezeichnet werden.

Wir haben Kinder, die eine Knochenknorpelstörung haben, Kinder, denen es an Wachstumshormonen mangelt, die familienbedingt kleiner bleiben oder an einer der vielen anderen Ursachen einer Wachstumsstörung leiden.

In diesem Sinne hoffen wir auf Diskussionen und freundliche Beachtung. Gleichzeitig erbitten wir Ihre Unterstützung in materieller und ideeller Hinsicht für unsere vielfältige Arbeit, für eine in der offiziellen Behindertenpolitik fast vergessene, wenig beachtete Gruppe von Menschen, die sich selbst helfen will, aber doch der Unterstützung aller bedarf.

Ulrich Schwarz, 1. Vorsitzender
Karl-Heinz Klingebiel, Geschäftsführer

Dank der Herausgeber

Ziel und Wunsch der Herausgeber ist es, einen Überblick über die Darstellung von Kleinwüchsigen in der Kunst über Jahrhunderte hinweg zu geben. Wir wollen mit diesem Buch dazu beitragen, daß die Akzeptanz der »Normalwüchsigen« gegenüber kleinen Menschen, aber auch das eigene Verständnis der Kleinwüchsigen für sich selbst wächst. Wir wollen bei der Befreiung von Vorurteilen mithelfen, da es uns wichtig erscheint aufzuzeigen, daß kleine Menschen keine Personen aus Mythologie oder Märchen sind.

Da die Belege aus vielen Kulturen der Welt stammen, konnte dieses Buch nur interdisziplinär erarbeitet werden. Wir fanden Hilfe von allen möglichen Seiten. Innerhalb der Georg-August-Universität Göttingen, waren Frau Petra Bruns, M. A., Archäologisches Institut, Herr Dr. Jens-Uwe Hartmann, Seminar für Indologie, Frau Antje Spliethoff-Laiser und Frau Sybille Wolkenhauer, Institut für Völkerkunde, sowie Herr Harald Wolter-von dem Knesebeck, Kunstgeschichtliches Seminar, sofort bereit, Katalognummern für uns zu bearbeiten. Für mannigfache Hilfe danken wir Herrn Dr. Jochen Wagner, Kunstgeschichtliches Seminar.

Auch außerhalb der Georgia-Augusta konnten Autoren gefunden werden: Herr Prof. Dr. Günther Georg Bauer, Alt-Rektor der Hochschule »Mozarteum« in Salzburg, schrieb einige Katalognummern, und Frau Dipl. Psych. Gabriele Brinkmann, Mainz, verfaßte einen Artikel über den psychologischen Aspekt des Kleinwuchses. Wir sind Herrn Prof. Dr. Lutz Röhrich, Freiburg, zu besonderem Dank verpflichtet, da er uns den volkskundlichen Gesichtspunkt des Zwergs in Sage und Erzählung in einem knappen Überblick zur Verfügung gestellt hat.

Ohne die finanzielle Unterstützung durch die Georg-August-Universität Göttingen, vertreten durch ihren Präsidenten, Herrn Prof. Dr. Norbert Kamp, und durch den Vorsitzenden des Vereins zur Förderung der Orthopädie e.V., Göttingen, Herrn Prof. Dr. Hans-Georg Willert, hätte dieses Buch nicht geschrieben werden können. Für die Bereitstellung der Mittel für das Abbildungsmaterial und den Druck des Buches danken wir dem Geschäftsführer der Elterngruppe Kleinwüchsiger Kinder e.V., Herrn Karl-Heinz Klingebiel.

Alfred Enderle, Dietrich Meyerhöfer, Gerd Unverfehrt

Kleinwuchs in der Kunst

Dieser kurze Prolog kann keine »Kunstgeschichte des Kleinwuchses« bieten. Aber es ist hier der Ort, anhand der Katalogbeiträge einen knappen Überblick über einige sozialhistorische Faktoren zu geben, die durch die Jahrhunderte hinweg die Darstellung von kleinen Menschen in der Kunst mitbestimmt haben.*

Es ist kaum zufällig, daß es bis ins späte 19. Jahrhundert hinein christliche Religiosität und adeliges Standesdenken gewesen sind, die darüber entschieden, in welchem Zusammenhang und in welcher Rolle ein Kleinwüchsiger dargestellt wurde. Aber bemerkenswert ist, daß als Sprachrohr der sie tragenden gesellschaftlichen Mächte nicht nur – wie selbstverständlich – die Institution Kirche und der Adel beziehungsweise der »Normalwüchsige«, sondern auch der kleine Mensch selbst auftritt. Dieser verhält sich nicht etwa oppositionell, sondern ist mit dem Geist seiner Zeit in eindeutiger Übereinstimmung.

Die christliche Religiosität hat sich besonders Themen aus der Passion Christi gewählt, um Zwerge in der Rolle von Dienern oder Narren darstellen zu lassen. In vielen Fällen treten sie hier zusammen mit Affen auf, die von den Kleinwüchsigen an der Leine gehalten werden. Es sind die Szenen »Christus vor Pilatus« oder »Christus vor Herodes« (Nr. 16, 25, 26), die besonders ins Auge fallen. Der Affe wird dabei von H. W. Janson (1952, S. 150f.) als das Symbol des Teufels interpretiert. Auch der Zwerg ist demgemäß im übertragenen, symbolischen Sinne zu lesen und kann auf die weltliche Macht gedeutet werden, die Jesus Christus zum Tode verurteilt.

Bei anderen Bildthemen von hohem frömmigkeitsgeschichtlichem Rang zählen die Kleinwüchsigen ebenfalls zum unerläßlichen Personal. Beim Besuch der Königin von Saba am Hofe Salomos (Nr. 18), beim Tanz der Salomé (Nr. 22) oder beim Disput der Hl. Katharina (Nr. 29) verrichten Zwerge am Hofe von Königen und Kaisern ihren Dienst – so, wie sie in der Anbetung der Könige (Nr. 15, 19, 27) das Gefolge der drei morgenländischen Weisen schmücken.

---

* Die in Klammern gesetzten Zahlen verweisen auf die Nummern des Kataloges.

Diese Darstellungen leiten in den Bereich der profanen Ikonographie über, durch die das feudale Standesdenken adliger Auftraggeber anschaulich wird. Es fallen hier zunächst die Doppelportraits ins Auge, in denen kleine Menschen in der höchst respektablen Rolle von Hofzwergen die Selbstdarstellungsabsichten der Adligen unterstützen. Diese Bildgattung war seit dem 16. Jahrhundert in ganz Europa populär. Auffällig ist die Geste, die der Normalwüchsige mit seiner Hand vollzieht: Er läßt sie auf dem Kopf des Zwerges ruhen. Dieses Auflegen der Hand ist nicht, wie der heutige Betrachter meinen könnte, als Demonstration von Herrschaftsausübung und Unterdrückung zu verstehen, vielmehr ist es eine Geste der Fürsorglichkeit und des Schutzes, den Herr beziehungsweise Herrin dem Zwerg oder der Zwergin in besonderem Maße angedeihen lassen (Nr. 37, 40, 49, 57). Es ist aber nicht nur allein der Kleinwüchsige, der in diesem Kompositionstyp neben der Herrschaft Platz findet, sondern es werden genauso normalwüchsige Diener oder Sklaven oder seltene und von ihren Besitzern hochgeschätzte Tiere als an dieser Stelle darstellungswürdig angesehen (s. a. Nr. 47, wo verschiedene Liebhabereien eines Adligen abgebildet sind).

Ähnlich verhält es sich bei Gruppenportraits oder Illustrationen von Ereignissen, die an den Adelshöfen stattfanden. Der Hofstaat des Herrschers oder der Herrscherin wird in einer vielfigurigen Szene vorgeführt, in der selbstverständlich Kleinwüchsige in der Rolle von Hofzwergen ihren Platz haben (Nr. 23, 32, 42, 43, 54, 65).

Seit dem 16. Jahrhundert finden sich ebenfalls Einzelportraits von Kleinwüchsigen. Nach Lorne Campbell (1990, S. 104) sind die Posen, in denen die Kleinwüchsigen am Hofe dargestellt werden, den Haltungen der Fürsten nachempfunden und sollen hier einen burlesk-komischen Sinn haben. An dieser Stelle sei auf das Portrait von Stanislaus, des Hofzwergs von Kardinal Granvella, mit Hund verwiesen (Nr. 31).

Besondere Aufmerksamkeit gilt seit jeher den Hofzwergen der spanischen Könige. So hatte zum Beispiel Diego de Acedo, genannt »El primo« (Nr. 63), eine wichtige Position am Hofe – er war königlicher Hofbeamter und hatte die Vertrauensstellung eines Kuriers inne. Die Akten der Hofhaltung verdeutlichen, daß der spanische König und seine Familie sehr vielen Kleinwüchsigen Lebensunterhalt gewährten. Einer der Gründe, weshalb so viele kleine Menschen bei Hofe dienten, könnte vielleicht in der Tatsache zu finden sein, daß die spanische Hofetikette als die strengste in ganz Europa galt. Weder der König noch seine Familienmitglieder konnten sich diesen Regeln entziehen. Für sie bestand die einzige Möglichkeit, eine engere menschliche Bindung zu finden, darin, ihrem Hofstaat am politischen Ränkespiel nicht beteiligte Personen einzureihen (s. Nr. 63). Zu diesen Vertrauenspersonen zählten beispielsweise Hofzwerge; so war Magdalena Ruiz eine enge Vertraute der Infantin Isabella Clara Eugenia (Nr. 37), und König Philipp II. war, wie Briefe zeigen, um das Wohlergehen der Zwergin besorgt; ähnliches gilt für Miguel Soplillo, der das Vertrauen und die Freundschaft des spanischen Königs Philipp IV. genoß (Nr. 57).

Auch am Hofe der Medici in Florenz lebten viele Kleinwüchsige. Eine der herausragenden Persönlichkeiten war hier der Hofzwerg Pietro Barbino, genannt Morgante, der oft dargestellt wurde (Nr. 34-36, 56).

In der Kunst der Nördlichen Niederlande werden Kleinwüchsige im 17. Jahrhundert meist in burlesk-komischen Zusammenhängen gezeigt; die Gemälde des Genremalers Jan Miense Molenaer bieten hierfür gute Beispiele (Nr. 58-60). Da in den Nördlichen Niederlanden der Adel als Auftraggeber nicht von großem Gewicht war, sind die Gemälde Molenaers wohl für den florierenden Kunstmarkt des bürgerlichen Holland hergestellt worden.

Bis zum Ende des 17. Jahrhunderts erfahren wir, bis auf wenige Ausnahmen, aus den Hofberichten oder ähnlichem nur wenig über das Leben und Wirken der Kleinwüchsigen. Die Quellen beleuchten immer nur kurze Abschnitte aus dem Leben der kleinen Menschen. Dies ändert sich im 18. Jahrhundert. Nicht nur nehmen die Anzahl der Portraits kleinwüchsiger Menschen und der Umfang an schriftlichen Nachrichten über sie beträchtlich zu (Nr. 80, 81, 84, 88-92, 94-98); auch die medizinische Wissenschaft beginnt, dem Kleinwuchs ihr Interesse zuzuwenden. Hervorzuheben ist in diesem Zusammenhang Nicholas Ferry, genannt Bébé (Nr. 91, 92), der während seines Lebens am Hofe des polnischen Königs die Aufmerksamkeit der Ärzte auf sich zog. Ans Licht der Öffentlichkeit traten auch Persönlichkeiten wie Peter Prosch (Nr. 89) oder Graf Joseph Boruwlaski (Nr. 98), die sich nicht nur als Kleinwüchsige porträtieren ließen, sondern sich als Verfasser von Autobiographien auch dem literarischen Publikum vorstellten.

Die Kleinwüchsigen des 17. und 18. Jahrhunderts sind, wie anhand der Beispiele gezeigt wird, aus der Anonymität herausgetreten und haben gesellschaftliche Anerkennung errungen (Nr. 76, 79, 80, 81, 88-92, 94-98). Bis zur Mitte des 19. Jahrhunderts trifft man berühmte und auch vermögende Kleinwüchsige an (s. Nr. 108). Aufgrund der gesellschaftlichen Veränderungen, die durch die industrielle Revolution in Gang gesetzt wurden, geht den Kleinwüchsigen die Möglichkeit, sich auszuzeichnen und dadurch hervorzutreten, verloren. Nun werden sie nur noch von Schaustellern auf Jahrmärkten gezeigt, oder sie können sich als Zirkusclowns verdingen (Nr. 109). Sie werden in den Randbereich der Kuriositäten abgedrängt und büßen Lebenschancen dadurch ein, daß sie vor dem Publikum mit Sensationen und Absonderlichkeiten aller Art konkurrieren müssen.

Die Kunst des 20. Jahrhunderts verweigert dem Kleinwüchsigen eigenen Wert. Er tritt noch als Symbol oder als Verweis auf etwas anderes, z. B. den Zirkus, auf (Nr. 114, 115). Der Gegenwartskunst des ausgehenden Jahrhunderts ist er nur noch Erinnerung an eine Tradition oder an Lebensformen, die längst vergangen sind (Nr. 116).

Die Karikatur pflegt die verschiedenen Menschentypen durch die ihnen jeweils eigentümlichen Unzulänglichkeiten zu charakterisieren. Wird einer Figur hingegen eine zwergenhafte Erscheinung verliehen, dann gerät die damit verbundene burleske Komik des Spottbilds auf eine Gesellschaft, die sich selbst als »normal« verstanden wissen will. Aber in dieser Funktion tritt das Erscheinungsbild des Kleinwuchses lediglich gleichberechtigt neben Riesenwuchs, Dickwanstigkeit und Klapperdürre. Fallen die Großen der Gesellschaft dem Spott anheim, dann müssen sie es sich gefallen lassen, als Zwerge vorgeführt zu werden (Nr. 102). Der englische Karikaturist Cruikshank übersetzt die Gewinn- und Verlustrechnung einer wirtschaftlichen Spekulation in lange, dicke, dürre und kurze Gestalten (Nr. 103). In beiden Fällen bezieht sich die Zwergenhaftigkeit der Figuren nicht auf die körperliche Eigenart kleinwüchsiger Menschen, sondern ist ein Kunstmittel, durch Übertreibung Kritik zu üben.

Von Henri de Toulouse-Lautrec gibt es einige Selbstkarikaturen, die meist nicht für die Öffentlichkeit bestimmt waren (Nr. 113). Der kleinwüchsige Künstler stellt sich in diesen Zeichnungen mit bissiger Selbstironie noch kleiner oder verkrüppelter dar, als er tatsächlich gewesen ist, wie z. B. Maurice Guiberts Photomontage (Nr. 111) oder Edouard Vuillards Portrait (Nr. 112) beweisen.

Kleinwüchsige Menschen fanden zuweilen im Bereich der Künste die Möglichkeit, sich ihren Lebensunterhalt zu erarbeiten. Auf einige davon macht dieser Katalog aufmerksam.

Auf dem Galeriebild David Teniers (Nr. 71) steht links vor dem Tisch der Hofkaplan Jean Antoine van der Baren, der unter anderem als Blumenmaler bekannt geworden ist. Andreas von Behn (Nr. 79) und Richard Gibson (Nr. 97) sind als Miniaturisten in ihrer Zeit sehr geschätzt worden. Ein weiterer berühmter kleiner Mensch war der Maler Adolph Menzel (Nr. 105, 106). Wie erwähnt, war der Künstler Henri de Toulouse-Lautrec ein Kleinwüchsiger (Nr. 110-113). Aber nicht nur in der Malerei sind kleine Menschen bekannt geworden. So war zum Beispiel Joseph Stranitzky als Schauspieler eine berühmte Persönlichkeit (Nr. 81), und Jacob Ries (Nr. 80) oder Graf Joseph Boruwlaski (Nr. 98) reisten in ganz Europa von Ort zu Ort, um ihr Können zu demonstrieren.

Dietrich Meyerhöfer

Kleinwuchs – medizinisch betrachtet

Zwerg-, Minder- oder Kleinwuchs sind die Begriffe, die im medizinischen Sprachgebrauch für Menschen mit sehr kleiner Statur gebraucht werden. Im deutschsprachigen Raum hat man in den letzten Jahren versucht, den Begriff Zwergwuchs aus psychologischen Gründen mit Rücksicht auf die Betroffenen und deren Eltern zu meiden.

Das Längenwachstum ist ein gesetzmäßiger biologischer Vorgang, der im Kindesalter bis zum abschließenden Jugendalter abläuft und an bestimmte anatomische Strukturen am knöchernen Skelett, die sogenannten Wachstumsfugen, gebunden ist. Der Wachstumsvorgang selbst ist von verschiedenen Faktoren abhängig. Solche wirken sich bereits in der Embryonalperiode im Mutterleib aus, wobei zum Beispiel schädigende Einflüsse, welche die Mutter treffen oder von ihr ausgehen, auf das embryonale Wachstum Auswirkung haben können. Nach der Geburt sind es Faktoren wie das Zusammenspiel verschiedener Hormone, eine ausreichende Ernährung, die Vermeidung chronischer Erkrankungen und nicht zuletzt ein stabiles psychosoziales Umfeld, die auf die körperliche Entwicklung Einfluß haben. Für ein normales Wachstum ist nicht nur das Wachstumshormon STH aus der Hirnanhangsdrüse (Hypophyse-Hypothalamus) verantwortlich, sondern es spielen auch Schilddrüsen-, Geschlechtsdrüsen-, Nebenschilddrüsen- und Nebennierenrindenhormone einschließlich Vitamin D eine wichtige wachstumsregulierende Rolle. Ist einer dieser Faktoren gestört, kann ein Kleinwuchs resultieren (PRADER 1978). Ist ein hormoneller Ausfall (Insuffizienz) im Spiele, ist es ein **hormoneller Minderwuchs**.

Daneben gibt es noch einen großen Teil von Kleinwuchsformen, die genetisch bedingt sind. Es handelt sich meistens um Neumutationen, die ohne sonstigen erkennbaren Einfluß in Erscheinung treten. Dies sind angeborene Entwicklungsstörungen des Skeletts oder Skelettsystemerkrankungen, bei denen man Hypoplasien, Dysplasien und Dysostosen unterscheidet (SPRANGER 1985).

Zu den **Hypoplasien** gehört zum Beispiel der primordiale Minderwuchs, der bereits im Mutterleib entsteht und gekennzeichnet ist durch eine Verkleinerung aller Knochen und der übrigen Organe, wobei diese eine normale Form und Struktur besitzen.

Die generalisierten Dysplasien sind Entwicklungsstörungen an der Wachstumsfuge, sogenannte Osteochondrodysplasien. Ganz selten gehen sie mit Mineral- und Eiweißstoffwechselstörungen einher. Die inzwischen über 100 verschiedenen, aber äußerst seltenen Formen, sind in ihrer Erscheinung sehr mannigfaltig. Bis vor kurzem hat man sie noch unter Begriffen wie Chondrodystrophien oder enchondrale Dysostosen zusammengefaßt. In diesem Sammeltopf unterschiedlicher Krankheitsbilder sind sie sowohl in der älteren medizinischen als auch in der Literatur mit kunstgeschichtlichem Bezug immer noch zu finden. Die verschiedenen Entitäten weisen außer dem domierenden Kleinwuchs noch andere auffällige Skelettveränderungen auf. Solche sind zum Beispiel Wirbelsäulenverkrümmungen (Kyphosen und Skoliosen), Gliedmaßenverbiegungen im Sinne eines O- oder X-Beines (Varus-Valgusfehlstellung), Gelenkverrenkungen oder -versteifungen oder Fehlstellungen an Händen und Füßen wie zum Beispiel ein Klumpfuß. Die Festigkeit der Knochen kann beeinträchtigt sein, so daß es zu häufigen Knochenbrüchen kommt (Kat. Nr. 110 bis 113). Aber auch außerhalb des Bewegungsapparates können noch andere Begleitdefekte, wie Störungen an Augen, Ohren, Herz, Nieren und Geschlechtsorganen, vorhanden sein. Die geistige Entwicklung ist bei diesen Kleinwüchsigen in der Regel normal. Bei anderen Formen hingegen, wie hormonell und stoffwechselbedingten Störungen, kann auch ein geistiger Defekt hinzukommen, der bis zu hochgradigem Schwachsinn reichen kann.

Die **Dysostosen** sind Wachstums- und Entwicklungsstörungen einzelner Knochen an den Skelettabschnitten des Schädels, der Wirbelsäule, der Rippen und der Gliedmaßen. Hierbei ist der Kleinwuchs weniger deutlich ausgeprägt. Ein Beispiel dafür sind unter anderem die Dysmelien.

Bei den genannten Wachstumsstörungen kommt es nicht nur zu einer verminderten Körpergröße, sondern auch die **Körperproportion** kann mehr oder weniger stark gestört sein, was bedeutet, daß das Größenverhältnis zwischen Kopf, Rumpf und Gliedmaßen von der Norm abweicht (disproportionierter Kleinwuchs). Dies führt nicht selten zu einem grotesken äußeren Erscheinungsbild. Beim hypophysären Kleinwuchs bleibt die Proportion gewahrt, weil sich die Störung an der übergeordneten Wachstumsdrüse auf alle Skelettabschnitte gleich reduzierend auswirkt. Auch beim »primordialen Minderwuchs« kommt ein proportionierter Kleinwuchs zustande. Die Osteochondrodysplasien hingegen gehen in der Regel mit einem disproportionierten Kleinwuchs einher, da sich der genetische Defekt an den einzelnen Wachstumsfugen unterschiedlich auswirkt. Nun hängt aber die Körperproportion nicht nur von einer unterschiedlichen Wachstumsleistung ab, sondern sie verändert sich je nach dem, ob und in welchem Maß eine Wirbelsäulen- oder Gliedmaßenverbiegung im Laufe der Zeit zunimmt oder auch aufgetretene Knochenbrüche zu Verkürzungen und Verbiegungen der Knochen führen.

Die Proportion des Kleinwuchses bestimmt letztlich die Reaktion der Mitmenschen auf den Kleinwüchsigen und somit auch die psychische Belastung desselben. Denn der Wohlproportionierte wirkt eher gefällig, ja sogar anziehend. Der Disproportionierte löst bei seinem Gegenüber eher eine abstoßende Reaktion aus.

Die Frage, ab welcher **Körpergröße** man von Kleinwuchs sprechen kann, ist medizinisch nicht einheitlich und klar definiert. Dies hängt auch damit zusammen, daß geschlechtsspezifische, konstitutionell familiäre und rassische Eigenheiten bestehen. Wissenschaftlich wird das Größendefizit in Standardabweichungen (S.D.) unter dem Mittelwert der Altersgruppe angegeben. Dabei wäre ein Hinweis auf Kleinwuchs, wenn das Größendefizit 2 S.D. überschreitet und die Körpergröße unterhalb der 3. Perzentile liegt. Als grober praktischer Hinweis könnte die Größe von kleiner als 150 cm gelten.

Die Feststellung, also die **Diagnose des Kleinwuchses**, geschieht in der Kindheit. Manche Kleinwuchsformen sind bereits während der Fetalentwicklung im Mutterleib zu diagnostizieren. Andere sind bei der Geburt in dieser Hinsicht auffällig, und wieder andere entwickeln sich erst im Laufe der frühen Kindheitsjahre, obwohl auch bei ihnen das Leiden als angeboren gilt. In der äußeren Erscheinungsform kann eine verminderte Körpergröße, ein Abweichen in der Körperproportion, eine Verkrümmung der Wirbelsäule oder der Gliedmaßen oder eine abweichende Kopfgröße oder -form auffallen. Eine genauere diagnostische Abklärung und Einordnung unter die zahlreichen Formen des Kleinwuchses (weit über 100!) läßt sich nur mittels des Röntgenbildes durchführen. Damit ist es möglich, kleinste Form- und Strukturveränderungen am Skelett entweder festzustellen oder auszuschließen. Bei hormonell bedingten und mit Stoffwechselstörungen einhergehenden Kleinwuchsformen kann eine laborchemische Untersuchung bei der diagnostischen Abklärung noch weiterführen.

Angaben über die **Häufigkeit des Kleinwuchses** können nur annähernd gemacht werden. Manche Formen kommen häufiger vor, manche sind extrem selten. Auf einem Wachstumshormon-Symposium im Jahre 1983 in Baltimore wurde die Zahl der Kinder, deren Körpergröße unter der 3. Perzentile liegt, weltweit mit 1,8 Millionen angegeben. Unter den hormonell bedingten Wachstumsstörungen ist der hypophysäre, proportionierte Kleinwuchs, von dem es auch wieder mehrere Formen gibt, am häufigsten und wird derzeit weltweit auf 24000 Kinder geschätzt. Bei den Osteochondrodysplasien schwankt die geschätzte Häufigkeit zwischen 2,4 und 4,7 auf 10000 Geburten (ORIOLI et al. 1986). In dieser Gruppe ist die Achondroplasie mit 1:25000 die bei weitem am häufigsten vorkommende Kleinwuchsform. Sie ist durch eine disproportionierte Körperform gekennzeichnet mit annähernd normalem Rumpf (sog. Sitzriese) und kurzen Gliedmaßen (sog. Stehzwerg), auffallend großem Kopf mit vorspringender Stirn und eingezogener Nasenwurzel. Die Beine sind meistens im O-Sinne etwas verbogen. Das Gesäß ist prominent und vorspringend. Die Schultern sind breit, und die gesamte Muskulatur ist überproportional entwickelt. Ferner kann eine sogenannte Dreizackhand bestehen. Bei den genetischen Kleinwuchsformen ist das sogenannte Turner-Syndrom relativ häufig. Es kommt bei Mädchen infolge einer Störung an den Geschlechtschromosomen vor. Geschätzt wird eine Häufigkeit von 1 auf 3000 Mädchengeburten. Die Betroffenen haben im wesentlichen neben Minderwuchs einen auffallend kurzen Hals, die äußeren Geschlechtsmerkmale fehlen, und die Menstruation bleibt aus. Die Häufigkeit der einzelnen Kleinwuchsformen hat sich in den vergangenen Jahren auch geändert. Der früher häufiger vorkommende rachitische Zwergwuchs wird heute nur noch selten angetroffen, da die Rachitis beim Kleinkind jetzt mit Vitamin D verhindert oder entsprechend behandelt werden kann. Bei Kleinwuchsformen mit Hormonmangel kann heutzutage das fehlende Hormon ersetzt werden. Damit ist der schilddrüsen- und hypophysenbedingte Kleinwuchs schon im Kindesalter behandelbar und beim Erwachsenen nicht mehr manifest. Das gleiche gilt für den endemischen Kretinismus. Durch Anreicherung des Trinkwassers mit Jod in Gebirgsländern wie Österreich und der Schweiz konnte diese Erkrankung und damit auch der kretinische Zwergwuchs zum Aussterben gebracht werden. Dies ist zweifellos dem medizinischen Fortschritt zuzuschreiben. Auf der anderen Seite führt dieser Fortschritt aber auch dazu, daß Kinder mit angeborenen Defekten heute eher am Leben erhalten werden als zu früheren Zeiten, wo Erkrankte mit Kleinwuchs, kombiniert mit anderen körperlichen Schäden, bereits bei der Geburt oder im frühen Säuglingsalter verstorben sind.

Aus medizinischer Sicht ist der **Kleinwuchs als Krankheit** zu betrachten und nicht etwa nur als Variante eines normalen Wachstums. Dies gebieten schon die vielfältigen zusätzlichen Krankheitssymptome sowohl am Skelett als auch an anderen Organen. Die Erkrankten brauchen ein Leben lang ärztliche Hilfe (ENDERLE et al. 1984). So müssen zum Beispiel Veränderungen an der Wirbelsäule unter Umständen operiert werden, um Sekundärschäden am Rückenmark und an den Nerven zu vermeiden. Verbiegungen an der Wirbelsäule und an den Gliedmaßen können operativ begradigt und Verkürzungen der Gliedmaßen verlängert werden. Bei Hormonmangel kann das entsprechende Hormon ersetzt werden, so daß der Kleinwuchs ausbleibt oder abgeschwächt wird. Begleitdefekte außerhalb des Knochens bestimmen nicht selten die Prognose des Leidens, und diese kann durch eine Behandlung derselben entsprechend verbessert werden. Aber nicht nur die körperlichen Gebrechen bedürfen einer ärztlichen Behandlung. Heute erkennt man mehr und mehr, daß eine psychologische Betreuung genauso wichtig ist. Da diese Leiden, wie bereits erwähnt, nicht selten erbbedingt sind, bedarf es auch einer humangenetischen Beratung. Eine weitere wichtige ärztliche Betreuung ist die während der Schwangerschaft einer Kleinwüchsigen. Das heranwachsende Kind kann im Mutterleib bereits darauf untersucht werden, ob bei ihm auch ein Kleinwuchs vorliegt. Kommt es dann zur Geburt, muß eine solche Patientin tunlichst durch Kaiserschnitt entbunden werden, da ein Mißverhältnis zwischen dem zu entbindenden Kind und dem kleinen mütterlichen Becken besteht (TYSON et al. 1970, ALLANSON u. HALL 1986). Müssen Kleinwüchsige sich einer Operation unterziehen, ist es sehr schwierig, das richtige Narkoseverfahren zu wählen und evtl. Komplikationen vorauszusehen (BERKOWITZ et al. 1990).

Die Frage, ob die **Lebensdauer bei Kleinwüchsigen** gemindert ist oder ob sie auch ein hohes Alter erreichen können, ist so generell nicht zu beantworten. Dies hängt von der Art des Minderwuchses und den Begleitsymptomen ab. Entsprechend gibt es Kleinwuchsformen, die mit dem Leben nicht vereinbar sind, und die Kinder kommen entweder tot auf die Welt oder sterben in den ersten Lebenswochen. Aus älterer Literatur wissen wir aber, daß Kleinwüchsige durchaus auch ein hohes Lebensalter erreichen können. WOOD hat 1868 in seinem Buch »Giants and Dwarfs« biographische Daten von über 200 mehr oder weniger berühmten Zwergen zusammengetragen, die vorwiegend zwischen dem 15. und der Mitte des 19. Jahrhunderts gelebt haben. Seine Informationen entnahm er aus Gemälden, Zeichnungen, Magazinen und Tageszeitungen der damaligen Zeit oder aus Flugblättern, Eintrittskarten und Ankündigungen auf Handzetteln für Schaustellungen auf Jahrmärkten. Von diesen über 200 teils namentlich erwähnten Zwergwüchsigen haben einige ein außergewöhnlich hohes Alter erreicht. So erfahren wir von William Emerson mit äußerst geringer Körpergröße von 38 cm, daß er 1575 im Alter von 92 Jahren gestorben ist. Der bekannte Höfling und Miniaturenmaler Richard Gibson (116 cm) starb 1690 mit 75 Jahren (Kat. Nr. 97), während seine Frau Anne Shepherd (ebenfalls 116 cm) ihn bis 1709 mit 89 Jahren überlebte. Gomme Lapone (71 cm) soll Mitte des 17. Jahrhunderts 110 Jahre erlangt haben. Anne Clowes aus Matlock in Großbritannien war 114 cm groß und verstarb 1784 im Alter von 103 Jahren. Der bekannte Hofzwerg Joseph Boruwlaski (95,5 cm), der noch zwei kleinwüchsige Geschwister hatte, ist 98 Jahre alt geworden und verstarb 1837

(Kat. Nr. 98). Der 1858 im herzoglichen Dienst stehende Richebourg (58 cm) ist 90 Jahre alt geworden. Mary Jones, genannt »The Shropshire Dwarf« (81 cm), hat das 100. Lebensjahr erreicht. Und schließlich erfahren wir aus dem Guinness-Buch der Rekorde, daß die in Ungarn geborene und 101 cm große Susanne Bokoyni (»Prinzessin Susanne«) 1984 in den USA im Alter von 105 Jahren gestorben ist.

Gemessen an der geringeren Lebenserwartung der damaligen Zeit, sind diese Angaben als erstaunlich zu betrachten. Man kann allerdings davon ausgehen, daß Kleinwüchsige damals schon im Kindesalter viel häufiger verstarben als heute.

Auch über die **Körpergröße** erfahren wir aus den biographischen Angaben von WOOD. Aus Größenangaben von 84 männlichen und 49 weiblichen Kleinwüchsigen, die sich von 15-18 inches (38-45 cm) bis maximal 4 Fuß 3 inches (119,4 cm) belaufen, errechnet sich eine durchschnittliche Größe von 2,75 Fuß (74 cm). Dies ist ein Körpermaß, welches unter den heute gemessenen Kleinwuchsmaßen liegt. Für die Achondroplasie, der häufigsten Kleinwuchsform, wird heute eine mittlere Erwachsenengröße bei Männern von 131 ± 5,6 cm und bei Frauen von 124 ± 5,9 cm angegeben. Die meisten der bekannten Kleinwuchsformen liegen bei einer Körpergröße zwischen 130 und 160 cm. Es gibt nur ganz wenige, die 100 cm in sehr seltenen Fällen unterschreiten, zum Beispiel die Morquio'sche Erkrankung, der diastrophische Minderwuchs, die Pseudoachondroplasie und die angeborene spondyloepiphysäre Dysplasie (SPRANGER et al. 1974).

Während bei WOOD die kleinste Körpergröße einiger Individuen bei 15 bis 18 inches (38-45,7 cm) zu finden ist, wird im Guinness-Buch der Rekorde für die kleinste Frau der Welt die ärztlich dokumentierte Größe bei Pauline Musters oder »Prinzessin Pauline« (1876–1895) mit 59 cm angegeben. ZANDER (1904) erwähnt hingegen noch einen 37jährigen Zwerg von 43,3 cm Körperlänge. Solche Größenangaben bei Erwachsenen sind um so erstaunlicher, wenn man bedenkt, daß die Körperlänge eines normalen Neugeborenen 49-52 cm beträgt. In Deutschland lebte Walter Boehmig (1907–1955) mit einer Größe von 57 cm. Zur Zeit ist der kleinste Mensch der Inder Gul Mohammed (geb. 1957) mit 57,15 cm, und in Australien lebt Madge Bester (geb. 1963) mit 65 cm, wobei ihre Mutter auch nur 70 cm groß ist. Die kleinsten Zwillinge waren Matjus und Bela Matina (geb. 1903) aus Budapest. Beide kamen auf je 76 cm Körpergröße; sie verbrachten ihre letzte Zeit in den USA. Die kleinsten lebenden Zwillinge sind John und Greg Rice (geb. 1952) aus Florida; sie messen jeweils 86,3 cm.

Der Grund, warum die damals gemessenen Körpermaße niedriger lagen als die heutigen, ist einmal darin zu suchen, daß in früheren Zeiten eine weniger eiweißreiche Nahrung zur Verfügung stand als heute und eine körperliche Akzeleration heutzutage auch bei Normalwüchsigen zu finden ist. Zum anderen muß man davon ausgehen, daß Angaben über Körpergrößen in der Zeit vor 100 Jahren, sofern es sich um Kleinwuchs handelte, durchaus zu klein angegeben worden sind. Dies gilt vor allem für die damals als Schauobjekte fungierenden Kleinwüchsigen, um deren Attraktivität bei ihren Ankündigungen zu erhöhen.

Man darf davon ausgehen, daß Kleinwüchsige, besonders solche mit Achondroplasie, erstaunliche **physische Leistungen** erbringen können. Viele von ihnen haben dies bei ihrem Einsatz im Zirkus bewiesen. Auch in den Jahrhunderten vor unserer Zeit waren sie sehr häufig als Schauobjekte, Schausteller und Artisten tätig, was alleine unter den damaligen erschwerten Reisebedingungen die körperlichen Strapazen nur noch ahnen läßt. Bei denen, die das Glück hatten, an Fürstenhöfen zu Hause zu sein, war weniger körperlicher

Einsatz als vielmehr **geistige Regsamkeit** gefragt. Nicht selten sind nun Kleinwüchsige von überdurchschnittlicher Intelligenz, und so nimmt es nicht wunder, daß wir unter den »berühmten Zwergen« der vergangenen Jahrhunderte auch Lehrer, Schauspieler, Musiker, Anwälte, Architekten, Priester, Bischöfe und den Premierminister eines lombardischen Königs finden.

Aber auch Könige und Heerführer selbst waren von kleinster Statur, so Attila der Hunnenkönig, Karl der III. von Neapel und Sizilien und Ladislaus der I. von Polen (FIEDLER 1978, S. 60).

Sehr häufig wird die Frage gestellt, **ob Zwerge Kinder bekommen können**, und wenn, ob diese dann auch kleinwüchsig seien. Um dies zu beantworten, können wir auch wieder zu der älteren Literatur zurückgehen (WOOD 1868), aus der wir erfahren, daß das Zwergenehepaar Richard Gibson und Anne Shepherd (Kat. Nr. 97), beide je 116,8 cm groß, fünf Kinder von normaler Größe hatten. Robert und Judith Skinner, 63,5 und 66 cm groß, hatten 14 normalwüchsige Kinder! Joseph Boruwlaski (Kat. Nr. 98), der polnische Hofzwerg, hatte hingegen zwei kleinwüchsige und drei normalwüchsige Geschwister, während die Eltern von mittlerer Größe waren. Die bekannte kleinwüchsige Diplompsychologin unserer Tage, Ortrun Schott, 1991 verstorben, stammte aus einer Bonner Professorenfamilie. Sie hatte noch fünf Geschwister, von denen zwei Brüder kleinwüchsig waren (SCHOTT und SCHOTT 1983).

Daraus geht also hervor, daß kleinwüchsige Menschen sehr wohl zeugungsfähig sind. Damit ist die irrige Meinung, sie seien generell steril, wie sie aus Pär Lagerkvist's Erzählung »Der Zwerg« entsteht, widerlegt. Ausnahmen bestehen natürlich dann, wenn eine Wachstumsstörung auf hormoneller Insuffizienz beruht und dabei besonders die Sexualdrüsen befallen sind.

In diesem Zusammenhang muß einer weitverbreiteten Ansicht, Zwerge seien besonders potent und sexuell triebhaft, was schon auf Äußerungen von ARISTOTELES und auf Zwergstatuen mit übergroßem Phallus aus der hellenistischen und römischen Periode zurückgehen mag (SCHAPIRO 1984), entgegengetreten werden. In der Regel, falls nicht eine ausnehmende hormonelle Konstellation vorliegt, ist ihr sexuelles Empfinden nicht anders als beim Normalwüchsigen.

Ob der Kleinwuchs weitervererbt wird, hängt von der Art der Erkrankung ab. Denn die zahlreichen Unterarten, vor allem des genetisch bedingten Minderwuchses, haben unterschiedliche Vererbungsgänge, von denen die Häufigkeit der erkrankten Nachkommen abhängt. Dabei ist aber zu beachten, daß es sich bei den meisten Kleinwüchsigen um sogenannte Neumutationen handelt, also um genetische Defekte, die bei den Vorfahren noch nicht vorhanden sind und bei den Betroffenen zum ersten Mal auftreten. Daß ein Kleinwüchsiger sein krankes Erbgut weitergibt, ist nur in geringem Ausmaß zu erwarten. Denn die humangenetische Beratung, eine wichtige Maßnahme für die Betroffenen und deren Eltern, hebt darauf ab, dies tunlichst zu verhindern.

Ist eine medizinische Diagnostik auf bildlichen und plastischen Darstellungen möglich? Für den Arzt ist es natürlich äußerst reizvoll, bei den in der darstellenden Kunst sowie in der Literatur vorkommenden Kleinwüchsigen eine möglichst genaue Diagnose zu stellen. Daraus ließe sich zum Beispiel ableiten, wie häufig die unterschiedlichen Formen von Wachstumsstörungen in früheren Zeiten vorkamen. Dies wäre somit eine bedeutende Aussage zum Beitrag über den Wandel von Krankheiten im Laufe der Zeit. Denn Krankheitsbilder können ihr Gesicht ändern, oder sie können verschwinden, und neue können entstehen.

In gleichem Maße mag es für den Kunsthistoriker von Interese sein, inwieweit der Künstler mit seiner Beobachtungsgabe es vermochte, kleine Nuancen zu erkennen und herauszuarbeiten und damit zwischen einzelnen Kleinwuchsformen zu differenzieren. Und weiter kann man der Frage nachgehen, ob und wie sich dieser Scharfblick und das Verständnis des Künstlers für die Natur und seine entsprechende Wiedergabe im Laufe verschiedener Kunstepochen geändert hat.

In diesem Katalog wird der Versuch unternommen, die auf Bildern und Plastiken dargestellten Kleinwüchsigen einer medizinischen Analyse zu unterziehen und einer definierten Kleinwuchsform zuzuordnen. Einem solchen differentialdiagnostischen Vorgehen sind im Vergleich zur medizinischen Praxis natürlich Grenzen gesetzt. Es ist lediglich die Inspektion der äußeren Gestalt möglich. Das Röntgenbild, eine der wichtigsten Untersuchungsmethoden bei diesen Manifestationen krankhafter Symptome am Skelett, fehlt hier natürlich. Ebenso stehen keine Angaben über die medizinische Vorgeschichte (bis auf einige wenige Ausnahmen: Kat. Nr. 91, 98) zur Verfügung, geschweige denn Informationen aus Labor- oder humangenetischen Untersuchungen. Dann ist die Betrachtung der Kleinwüchsigen nicht immer in voller Größe möglich. Entweder sie sind teilweise verdeckt oder vielleicht nur von hinten zu sehen. Beim Letzteren fehlt dann die sehr wichtige Beurteilung der Physiognomie und der Kopfform. Die Kleidung läßt meistens keine sichere Beurteilung der Proportionen zu und verdeckt diskrete Krankheitszeichen am Körper. Die Einschätzung der Körpergröße ist nur möglich, wenn die betreffende Figur zu anderen Personen, Tieren oder Mobiliar in Beziehung gesetzt werden kann. Schon aufgrund dieser Unzulänglichkeiten ist es meistens nicht möglich, bei der breitgefächerten Symptomatik der zahlreichen Kleinwuchsformen eine eindeutige und enge Eingrenzung des betreffenden Krankheitsbildes zu vollziehen.

Bereits MEIGE hat sich 1896 mit diesen Schwierigkeiten auseinandergesetzt und gleichfalls erkannt, daß allenfalls eine Annäherung an ein bestimmtes Krankheitsbild erreicht werden kann. Da sich die Skelettsystemerkrankungen nach verschiedenen Gesichtspunkten in Gruppen einteilen lassen, bedeutet diese Annäherung die Zuordnung zu einer solchen Gruppe. Ein Beispiel möge dies verdeutlichen: Unter den disproportionierten Kleinwuchsformen kann man nach morphologischen (gestaltlichen) Gesichtspunkten diejenigen mit langem Rumpf und kurzen Gliedmaßen von denen mit kurzem Rumpf und verhältnismäßig längeren Gliedmaßen unterscheiden. Zu den ersten gehört die Achondroplasie als die häufigste Erscheinung überhaupt, mit einer typischen Kopf- und Gesichtsform (vorgewölbte Stirn, eingesunkene Nasenwurzel, prominentes Kinn). Ist diese Kopf- und Gesichtssymptomatik nicht vorhanden, aber alle anderen Achondroplasiesymptome, handelt es sich um eine Pseudoachondroplasie. Von ihr kommen mehrere Unterformen vor, die nur am Röntgenbild differenziert werden können. Mit der Möglichkeit der Inspektion der Abbildung können wir, falls das Gesicht sichtbar ist, also nur zwischen Achondroplasie und Pseudoachondroplasie unterscheiden. Die Formen mit kurzem Rumpf hingegen können als Gruppe der spondyloepiphysären Dysplasien zusammengefaßt werden. Sie umfaßt noch zahlreiche Untergruppen, die zum Teil nur röntgenologisch auseinandergehalten werden können. Ein anderer Teil (z. B. Mukopolysaccharidosen und Lipidosen) ist nur mit komplizierten Labormethoden zu differenzieren. Bei den hier gegebenen Umständen ist also allenfalls die Obergruppe der spondyloepiphysären Dysplasie zu bestimmen.

Manchmal war es nicht einmal möglich, sich auf eine solche Gruppendiagnose definitiv festzulegen. Es mußten mehrere Möglichkeiten in Betracht gezogen werden. Die am ehesten in Frage kommende Diagnose ist durch Fettdruck hervorgehoben.

Wir haben uns außerdem bemüht, Darstellungen von Buckligen, sofern ihre Wirbelsäulenverbiegung (Kyphose und Skoliose) nicht mit Kleinwuchs vergesellschaftet zu sein scheint, nicht in die Studie miteinzubeziehen. Dies ist insofern schwierig, als zahlreiche Wuchsstörungen eben doch mit Wirbelsäulenveränderungen, also Buckelbildung, einhergehen (ENDERLE und WILLERT 1990).

Weitere Schwierigkeiten der diagnostischen Eingrenzung begegnen uns in der Darstellungsweise der Künstler. Dies beinhaltet unter anderem die Bedeutungsperspektive (z.B. klein dargestellte Stifterfiguren; Kat. Nr. 1) und auch die körperlich-räumliche Perspektive, was sich je nach Gepflogenheit der entsprechenden Epoche ändert. Schwer machen es einem skizzenhafte Darstellungen und insbesondere Karikaturen mit ihren grotesken Übertreibungen (Kat. Nr. 102, 103). Bei manchen Künstlern ist die Darstellung von Gestalten ins Monströs-Phantastische gesteigert, so wie zum Beispiel bei Hieronymus Bosch (Kat. Nr. 24). Unter seinen zahlreichen Figuren finden sich immer wieder solche, die eindeutig Zeichen definierter Kleinwuchsformen aufweisen. Da sie sich mit Animalischem vermischen, kann man sie nicht der Wirklichkeit zuordnen.

Auch in der Darstellungsweise uns fremder Figuren, so wie in der präkolumbianischen oder schwarzafrikanischen Kunst, begegnet man Figuren, die alle Merkmale eines Kleinwuchses zeigen, wobei diese aber ohne pathologische Bedeutung sind, sondern dem Stil dieser Epoche und dieses Kulturkreises entsprechen. Daneben gibt es aber auch dort echte zwerghafte Darstellungen (Kat. Nr. 3, 4). Es fällt schwer, sie zu unterscheiden, geschweige denn, sie zu klassifizieren.

Bei einer solchen diagnostischen Abgrenzung müssen die Kleinwüchsigen auch von Kindern, Mohrenknaben, Putten- und Bacchantendarstellungen ebenfalls unterschieden werden. Auch rassische Merkmale sind differentialdiagnostisch miteinzubeziehen.

Die medizinische Analyse der Abbildungen dieses Kataloges ergab nun bei allen Vorbehalten, daß dies aus oben besprochenen Gründen überhaupt machbar ist, folgende Verteilung der Krankheitsbilder:

Achondroplasie (25), spondyloepiphysäre Dysplasie (23), hypophysärer Minderwuchs (13), Pseudoachondroplasie (7), Mukopolysaccharidose (6), primordialer Minderwuchs (4), Osteogenesis imperfecta (4), Kretinismus (3), Dysmelie (2) und Rachitis, konstitutioneller Minderwuchs, metaphysäre Chondrodysplasie, Osteomalazie, Mongolismus, LERI-WEILL-Syndrom, metatropischer Minderwuchs, Mandibulo-faciale Dysplasie und Pyknodysostose (je 1). Bei zehn Bildern konnte keine auch nur annähernde Aussage gemacht werden.

Die Achondroplasie ist damit am häufigsten diagnostiziert worden, was der Wirklichkeit entspricht. Die breitgestreute Gruppe der spondyloepiphysären Dysplasien folgt als nächstes. Würde man die Mukopolysaccharidose zu den spondyloepiphysären Dysplasien rechnen, was sie ihrer Morphologie nach auch ist, stünde diese Gruppe mit 29 noch vor der Achondroplasie. Dies bedeutet, daß der Kleinwuchs mit kurzem Rumpf und eventueller Buckelbildung für die Künstler, vor allem der Zeitepochen nach den Ägyptern und dem klassischen Altertum, offenbar ein sehr attraktives Modell dargestellt hat, was realiter nicht ganz so häufig existiert. Überraschend ist, daß die Rachitis, welche früher sicher häufiger als heute existiert hat, nur einmal erkannt werden konnte. Dasselbe gilt für den Kretinismus mit seinen drei Vorkommnissen. Ein heutzutage relativ häufig diagnostiziertes Krankheitsbild, das TURNER-Syndrom, konnte auf keiner bildlichen Darstellung erkannt werden.

So fragwürdig eine solche statistische Betrachtung auch sein mag, so ist die Verteilung der verschiedenen Kleinwuchsformen insofern als repräsentativ anzusehen, als die vorgestellten Bilder und Skulpturen nicht nach medizinischen, sondern kunsthistorischen Gesichtspunkten ausgesucht wurden.

Alfred Enderle

Psychologische Aspekte des Kleinwuchses

Wie dieser Katalog zeigt, haben sich die Rollen, die kleinwüchsige Menschen innehatten, im Laufe der Geschichte verändert. In frühester Zeit wurden kleine Menschen als Gottheiten dargestellt, zum Beispiel der »kleine Gott des glücklichen Zufalls« oder der »Gott der Geburtshilfe«. Später verloren kleine Menschen ihre Position unter den Göttern, und statt Weisheit, Glück und Schutz zu geben, bekamen sie eine andere Rolle zugeteilt: nämlich die Rolle, das Publikum zu belustigen, etwa als Gladiatoren im alten Rom oder als sogenannte Hofnarren in Herrscherhäusern. Diese letztgenannte Rolle ist ihnen manchmal noch geblieben. Auch in unserer Zeit kennen viele Menschen kleinwüchsige Personen nur aus Filmen oder dem Zirkus. Ortrun Schott, selbst kleinwüchsig und Psychologin, hat sich jahrzehntelang und oft vergeblich dagegen gewehrt, daß kleinwüchsige Menschen in den Medien häufig nur in Rollen als »Trolle, Zwerge oder Bösewichter« zu sehen waren.

Im Jahre 1957 geschah etwas Neues: Kleinwüchsige Menschen wurden aktiv, schlossen sich zusammen und begannen gegen Dummheit und Vorurteile zu kämpfen. In Amerika gründeten sie die Vereinigung »Little People of America«, in Deutschland 1968 zunächst den »Club der Kleinen«, der ab 1971 dann als »Vereinigung Kleiner Menschen e.V.« ihre Interessen vertrat. 1988 erhielten sie Unterstützung von den »Großen«, nämlich den Eltern kleinwüchsiger Kinder, die sich ebenfalls zu einem Verein zusammenschlossen. In vorbildlicher Weise wird jetzt von beiden Vereinen eine Öffentlichkeitsarbeit betrieben, die unter anderem zum Ziel hat, die Mystifikationen, denen kleine Menschen häufig auch heute noch unterliegen, zu berichtigen.

Warum ist eine Öffentlichkeitsarbeit für kleine Menschen überhaupt notwendig?

Für die meisten Menschen ist das Sehen der wichtigste Sinn. Wir orientieren uns an der Statur und dem physischen Aussehen eines Menschen und schließen daraus auf sein Alter oder seine geistige Reife. Es ist fast unmöglich, bei einer Person nicht auf ihr Aussehen zu reagieren – und die Größe ist ein wichtiger Teil des Aussehens.

Nach Angaben des Statistischen Bundesamtes in Wiesbaden liegt die Durchschnittsgröße der Männer bei 175 cm und die der Frauen bei 165 cm. Wären wir alle klein, hätten kleine Menschen keine besonderen Probleme. Die meisten kleinwüchsigen Menschen empfinden sich auch nicht als behindert. In unserer Untersuchung mit kleinwüchsigen Jugendlichen im Alter von 14 bis 20 Jahren, mit Größen zwischen 85 und 150 cm, schätzen sich 85 Prozent als nicht behindert ein. Sehr kleine Menschen erleben Einschränkungen im täglichen Leben, weil sie an Lichtschalter, Fahrstuhlknöpfe, Waschbecken oder Ladentheken nicht heranreichen, aber diese Funktionsbehinderungen können durch praktische Hilfsmittel und Kreativität zumindest verringert werden. Viel folgenreicher und schwerer auszuhalten ist die »soziale Behinderung«: die Stigmatisierung aufgrund der abweichenden Körpergröße.

Stellen Sie sich vor, Sie würden auf die Straße gehen und die anderen Leute würden sich fast reflexartig nach Ihnen umdrehen und Sie anstarren, weil Sie auffallend klein sind. Sie würden automatisch im Mittelpunkt der Aufmerksamkeit stehen – und das ständig, sobald Sie sich unter Menschen begeben: auf der Straße, im Restaurant, in öffentlichen Verkehrsmitteln, überall. Da, wo Sie wohnen, sind Sie und Ihre Familie allen bekannt. Die Reaktionen, denen Sie begegnen, reichen von erstauntem, unsicherem, betont unauffälligem, mitleidigem, spöttischem bis hin zu bösartigem Verhalten, je nach menschlicher Reife des Betrachters. Es scheint also so zu sein, daß in unserer Gesellschaft die Körpergröße ein außerordentlich wichtiges Merkmal ist. Ein Grund dafür ist die Verbindung zwischen Körpergröße und sozialem Status.

Astrid Schumacher, Anthropologin aus Hamburg, führte 1981 eine Untersuchung durch über den Zusammenhang von kleiner und großer Körperhöhe mit Eigenschaften, die ihnen zugeordnet werden. Das Ergebnis war, daß ein großgewachsener Mensch als gesünder, kräftiger, interessanter, ernster, aktiver, sicherer, härter und offener eingeschätzt wurde als ein kleiner Mensch. Dieses Muster von Eigenschaften wird gemeinhin auch erfolgreichen Menschen zugeschrieben.

Andreas Bernau, Orthopäde in Tübingen, hat 1978 die Berufe von 136 kleinwüchsigen Menschen aufgelistet. Es fanden sich 49 kaufmännische und Verwaltungsangestellte, 27 ungelernte Arbeiter, 18 Angehörige von handwerklich-technischen Berufen, 14 »andere« Berufe und 5 Personen, die einen Studienabschluß hatten (23 keine Antwort).

In Deutschland gibt es leider keine neueren Untersuchungen über die beruflichen Chancen kleinwüchsiger Menschen. Wir wissen jedoch, daß sie erhebliche Probleme haben, einen Ausbildungsplatz oder eine Arbeitsstelle zu finden. Es scheint so zu sein, daß sie als weniger belastbar angesehen werden und daß der Eindruck vorherrscht, man müsse mit kleinwüchsigen Menschen immer vorsichtig umgehen, weil sie angeblich so empfindlich seien.

Es scheint so zu sein, daß es in unserer Gesellschaft häufiger hochgewachsenen Menschen gelingt, sozial gehobene Positionen zu erreichen. Diese Vermutung soll aber nicht besagen, daß ein sozialer Aufstieg für kleinere Menschen unmöglich ist, während er für großgewachsene Menschen sozusagen automatisch erfolgt. Es wird aber vermutet, daß der Aufstieg für einen Menschen erleichtert wird, »wenn er dem sozialen Stereotyp des Erfolgreichen auch in bezug auf die Körperhöhe entspricht«.

Was muß ein kleinwüchsiger Mensch auf den unterschiedlichen Entwicklungsstufen aufgrund seiner kleinen Größe Besonderes leisten?

Für die Eltern eines kleinwüchsigen Kindes beginnt die Auseinandersetzung mit der Krankheit kurz nach der Geburt. Keines der uns bekannten Elternpaare rechnete damit, daß ihr Kind kleinwüchsig sein würde. Ihre Hoffnung auf ein gesundes Kind wurde enttäuscht. Nur der Hälfte der uns bekannten Elternpaare wurde die Diagnose gemeinsam mitgeteilt. Beide Eltern gleichzeitig zu informieren ist aber wichtig, um die Verantwortung und die Zuständigkeit für das Kind von Anfang an auf beide Eltern zu übertragen. Häufig finden sich gerade auf seiten der Mutter starke Selbstvorwürfe, an der Erkrankung des Kindes schuld zu sein, etwa durch ein vermutetes fehlerhaftes Verhalten während der Schwangerschaft. Nach der Diagnoseeröffnung berichten viele Eltern von ganz ähnlichen Reaktionen wie Schock, Verzweiflung, Wut, Verleugnung der Wahrheit oder Angst vor der Zukunft. Alle diese Gefühle sind natürlich und in dieser Krisenzeit normal. Sich dies einzugestehen ist die Voraussetzung dafür, über sie zu reden und sich mit ihnen auseinanderzusetzen.

In einer solchen Lebenskrise hilft die Unterstützung vom Partner und von Personen innerhalb und außerhalb der Familie. Gespräche, die bei dem persönlichen Trauerprozeß helfen, ermöglichen neue praktische und weltanschauliche Blickwinkel. In dieser ersten Zeit sind besonders Eltern aus dem Elternverein eine sehr große Stütze. Denn sie haben den Schock, den die Geburt eines behinderten Kindes auslöst, erlebt und haben gelernt, über die damit verbundenen Gefühle zu reden.

In ganz früher Kindheit wird der Stellenwert des prognostizierten Kleinwuchses auf die Persönlichkeitsentwicklung des Kindes vor allem durch die Haltung der Eltern und näheren Verwandten geprägt. Dieser Stellenwert kann sehr unterschiedlich sein, je nachdem auch, welche Rolle der Kleinwuchs für das Selbstwertgefühl der Eltern spielt. Diese Auswirkungen wiederum werden ein unterschiedliches Gewicht haben, je nach den elterlichen Vorstellungen über Erziehung und Entwicklung einer reifen und sozial erfolgreichen Persönlichkeit. Die Auseinandersetzung mit der körperlichen Besonderheit wird für die Eltern und die betroffenen Menschen selbst nicht zu einem endgültigen Ergebnis führen, sondern eher prozeßhaft verlaufen und, je nach psychischer Grundstimmung und Situation, mal einen alles überragenden, mal angemessenen oder mal völlig nebensächlichen Platz im Leben einnehmen.

Eltern haben ungefähr vier Jahre Zeit, sich mit der kleinen Größe ihres Kindes auseinanderzusetzen, bevor das Kind selbst beginnt, Fragen zu stellen. Häufig ist der Eintritt in den Kindergarten die Zeit, in der das Kind sich seines Körpers bewußter wird und den Größenunterschied zu Gleichaltrigen wahrnimmt. Die Kinder beginnen, erste Erfahrungen mit den Reaktionen anderer auf ihr körperliches Anderssein zu machen. Entweder in Form von Hänseleien und Kränkungen oder durch Erstaunen, wie denn von einem so kleinen Kind schon so unerwartet kluge Äußerungen kommen können. Diese Erfahrungen können bei dem Kind zu Irritation und Verunsicherung führen und die soziale und psychische Entwicklung stören. Das Vorschulkind hat wenig Möglichkeiten, die Ursache des Kleinwuchses zu verstehen. Was es bedeutet, daß der Kleinwuchs auch die Folge einer Spontanmutation ist, begreifen die Kinder erst kurz vor oder während der Pubertät.

Fast alle Kinder, die wir kennen, besuchen oder besuchten einen Regelkindergarten. Ergebnisse von Forschungen und unsere Erfahrungen zeigen, daß es während der Kindergartenzeit mit anderen Kindern wegen der Körpergröße keine großen Probleme gibt. Wichtig ist, daß ein Kind in dieser Zeit lernt, mit anderen Kindern umzugehen, auf sie zuzugehen und selbst Spielvorschläge einzubringen. Je mehr ein Kind ermuntert wird, auf seine Umgebung zuzugehen, desto rascher gelingt die Anpassung.

Der nächste große Schritt ist die Einschulung. Häufig werden Kinder, die zu klein sind, ein Jahr zurückgestellt. Dies ist aber nicht notwendig, wenn das Kind die altersentsprechende intellektuelle und soziale Reife besitzt. Geringere Größe hat nichts mit geringerer Intelligenz zu tun. Kleinwüchsige Kinder sind genauso klug oder weniger klug als andere Kinder auch. Da sich die körperlichen Voraussetzungen in einem zusätzlichen Jahr auch nicht wesentlich verändert haben werden, ist es viel wichtiger, daß ein Kind zusammen mit seinen Spielkameraden aus dem Kindergarten eingeschult wird, damit es schon eine feste Bezugsperson hat. Bei der Einschulung wird dem Kind wieder besonders auffallen, daß es kleiner ist als andere Kinder. Die Reaktionen der Mitschüler werden kränkender werden. Statt Ablehnung kann dem Kind aber auch das Gegenteil begegnen: zuviel Entgegenkommen. Kleinwüchsige Kinder können die Hilfsbereitschaft der anderen Kinder und der Erwachsenen ausnutzen und lieber unselbständig bleiben. Das Selbständigwerden ist aber für kleinwüchsige Menschen von besonderer Bedeutung, weil eine kleine Körpergröße bei anderen ein Beschützen-Wollen und umgekehrt bei den Betroffenen ein Beschützen-Lassen auslöst. Dieser »psychosoziale Reflex« kann lebenslang aufrechterhalten werden und die Entwicklung von Eigenverantwortung behindern.

In der Zeit zwischen sechs und neun Jahren begreift das Kind, daß dieses »Anderssein nicht weggeht«. In dieser Zeit kann es zu depressiven Stimmungen kommen, die Wochen oder länger andauern. Diese Zeit wird von Eltern und Lehrern häufig als schwere Krise betrachtet und weniger als eine Zwischenstufe im persönlichen Wachstum eines Menschen, der sich mit seinem Kleinwuchs auseinandersetzt. Denn bei den betroffenen Kindern ist eine Trauerperiode ebenso notwendig wie bei den Eltern. Eine mögliche Folge ist, daß sich die Bereitschaft entwickelt, die kleine Körpergröße als einen Teil seiner selbst anzunehmen und damit zu beginnen, sie in das Leben zu integrieren. Mit zunehmendem Alter wird die ehrliche Aufklärung über die zu erwartende Größe immer wichtiger, damit ein Mensch sein Leben realistisch planen kann. Ausweichende oder nicht wahrheitsgetreue Antworten auf Fragen können beim Kind große Unsicherheit und Angst hervorrufen und zu unrealistischen Phantasien führen. Denn eine Krankheit, über die man nicht mal zu sprechen wagt, ist viel furchterregender als eine, die man ruhig beim Namen nennen kann. Durch offene Gespräche zwischen Eltern und Kind wird die Annahme und die Achtung vor dem Kind, seinen jetzigen und zukünftigen Möglichkeiten, aber auch Einschränkungen erlebbar. Wichtiger als das »Beschützen« vor der Wahrheit ist der sichere Rückhalt in der Familie.

Jugendliche haben viele Aufgaben zu lösen: die beginnende Loslösung vom Elternhaus, Einschränkungen der beruflichen Perspektive, das Erkennen von zukünftigen Problemen hinsichtlich einer späteren Partnerschaft, Auseinandersetzung mit dem eigenen Körperbild, eine hohe psychische Belastung durch die Gewißheit, immer klein zu bleiben, und Minderwertigkeitsgefühle im Rahmen der sexuellen Möglichkeiten. Gerade in der Pubertät wird außerhalb der Familie auf die Probe gestellt, was in der Familie mit Eltern und Geschwistern geübt wurde: im Umgang mit anderen seine Stärken und Schwächen nicht zu übersehen, sondern zu ihnen zu stehen. Hat ein Kind aufgrund seiner Größe ein negatives Selbstbild, wird es in erster Linie Botschaften anderer Menschen aufnehmen und speichern, die es in seiner Auffassung über die Wertlosigkeit seiner Person bestätigen. Eine Anpassung an die kleine Körpergröße kann dadurch erreicht werden, daß sie als eine unter mehreren Eigenschaften akzeptiert wird.

Im Laufe der Entwicklung vom Kind zum Jugendlichen wird das Selbstbild zunehmend durch die Bewertung der Umwelt beeinflußt. Jugendliche bevorzugen dann Bindungen an Personen gleichen Alters. Ein Konformitätszwang setzt ein. Die Adoleszenz ist wahrscheinlich für die meisten kleinwüchsigen Menschen die schwierigste Zeit. Spätestens hier müssen sie ihre geheime Hoffnung aufgeben, jemals die volle Erwachsenengröße erreichen zu können. In dieser wichtigen Phase der Identitätsbildung ist es besonders schwer, sich mit einer deutlichen Begrenzung für das weitere Leben abzufinden. Die Bewältigung dieser Phase ist abhängig von der individuellen Biographie, der bisherigen Lernerfahrung und der aktuellen Situation des Jugendlichen. Sie ist aber auch der Ausgangspunkt für die sehr unterschiedlichen Verarbeitungsformen des Kleinwuchses im Erwachsenenalter.

Nach A. Weber (1971) sind drei mögliche Reaktionsformen kleinwüchsiger Kinder und Jugendlicher auf Umwelteinwirkungen zu finden:

1. »Ich bleibe klein«.
   Einige kleinwüchsige Menschen fühlen sich in ihrer kindlichen Rolle recht wohl. Sie lassen sich gern verwöhnen und vermeiden dadurch eine selbständige Lebensgestaltung.
2. »Ich bleibe allein«.
   Andere kleinwüchsige Kinder und Jugendliche resignieren, sobald sie auf Widerstände stoßen. Der Kontakt mit anderen Menschen wird nicht gesucht und beschränkt sich so auf ein Minimum.
3. »Ich wehre mich«.
   Kleinwüchsige Menschen setzen sich kräftig zur Wehr gegen die Angriffe der Umwelt im Sinne eines »tapferen Verhaltens«. Sie verleugnen nicht, daß sie kleiner sind, sondern stehen dazu.
   Zu dieser dritten Gruppe gehören häufig Menschen, die aus Familien kommen, die das kleinwüchsige Kind nicht verwöhnen, weil es klein ist, sondern altersentsprechende Anforderungen stellen.

Es gibt bisher nur wenig gesichertes Wissen über die Lebensqualität kleinwüchsiger Erwachsener. Nach einer Untersuchung von Stace und Danks, 1981 in Australien, heiraten 30 Prozent der kleinwüchsigen Menschen, im Vergleich zu 75 Prozent der Bevölkerung. Der Wunsch zu heiraten scheint jedoch größer zu sein als die Aussichten. Von den Jugendlichen unserer Untersuchungsgruppe möchten 63 Prozent ganz sicher heiraten und 26 Prozent eventuell, nur 11 Prozent wollen lieber ledig bleiben. Der Wunsch, einen normalgroßen Partner zu bekommen, ist vorherrschend, wahrscheinlich in der Hoffnung, dann eher zur Gruppe der »Normalen« zu gehören.

Die schwierigste Aufgabe kleinwüchsiger Menschen ist: Im Gegensatz zu den Normalwüchsigen müssen sie damit umgehen lernen, daß ihnen für ihr ganzes Leben ein für jeden sofort sichtbares Zeichen für »Klein-Sein« anhaftet. Dieses Zeichen macht sie in den Augen der anderen »klein«, auch wenn sie häufig innerlich überhaupt nicht klein sind und sich auch nicht so fühlen. Kleinwüchsige Menschen müssen außerdem auszuhalten lernen, daß sie immer wieder durch ihr äußeres Erscheinungsbild bei den meisten, mit denen sie zusammentreffen, Verunsicherung provozieren werden.

Das Bemühen kleinwüchsiger Menschen, sich den Leistungsnormen und Lebensgewohnheiten der Majorität der Normalgroßen anzupassen, stößt zudem auf mehr oder weniger bewußte Vorurteile innerhalb der Gesellschaft. Ein großer Teil der kleinwüchsigen

Menschen lebt in einer Randzone. Sie erleben sich im Konflikt zwischen zwei Gruppen, nämlich der Gruppe der Kleinwüchsigen, die ihrer äußeren Besonderheit wegen zur Minderheit gehört, und der Gruppe der Normalgroßen, mit der sie sich hinsichtlich Anerkennung und Leistung vergleichen.

Auf die Frage: »Glauben Sie, daß kleinwüchsige Menschen anders sind als normalgroße?« antworteten etwa ein Drittel der befragten gesunden beziehungsweise diabetischen Jugendlichen mit Ja und zwei Drittel mit Nein. Die Begründungen der Ja-Antworten lauteten:

»Wenn die anderen Leute toleranter wären, kämen sie zurecht.«

»Weil sich kleine Menschen mit ihrer Größe und Position auseinandersetzen und zurechtfinden müssen.«

»Wegen Einschränkungen im sportlichen Bereich.«

»Kleine Menschen sind weniger vertrauensvoll, weil sie oft zurückgewiesen werden.«

Aber auch: »Sie sind anpassungsfähiger aufgrund der täglichen Probleme.«

Die Begründungen für die Nein-Antworten (Beispiele) lauteten:

»Nur weil sie kleiner sind, müssen sie doch nicht anders sein. Die haben halt eine Krankheit, auch nicht schlimmer als Diabetes.«

»Es sind halt kleine Menschen, also ich weiß nicht, was da anders sein soll. Ich glaube jeder Mensch ist ja anders, so sind die halt auch anders, halt kleiner.«

»Vom Innerlichen her kaum – kommt darauf an, wie sie damit fertig werden. Wenn sie starke Persönlichkeiten sind, dann sind sie nicht anders.«

»Egal, ob 140 oder 170 cm, man wird nur von anderen dazu gebracht, was schön, gut und richtig ist.«

Wir, die wir zu den »Normalgroßen« gehören, können nicht ermessen, was es bedeutet, kleinwüchsig zu sein. Wir können nur versuchen, anhand eigener schwerwiegender Lebensereignisse die Trauer und Wut kleinwüchsiger Menschen über das eigene Schicksal in Ansätzen nachzuvollziehen. Dennoch zeigen uns die Erfahrungen und Lebensberichte kleiner Menschen, daß ein glückliches und zufriedenes Leben durchaus möglich ist, wenn die Größe nicht zum Mittelpunkt der Lebenszufriedenheit gemacht wird. Dabei ist es wahrscheinlich nicht entscheidend, wie groß die Abweichung von der Norm ist, sondern wie sie bewertet wird: Wenn sie für den betroffenen Menschen selbst zum hervorstechendsten negativen Merkmal seiner Person wird, wird er alle seine Fähigkeiten und Persönlichkeitseigenschaften, die er besitzt, nicht wahrnehmen und infolgedessen auch nicht positiv in sein Selbstbild integrieren.

Um unempfindlicher gegenüber dem manchmal eigenartigen und kränkenden Verhalten von Mitmenschen zu werden, erscheint es sinnvoll, daß kleinwüchsige Menschen sich darüber bewußt sind, daß das Problem auch auf seiten der Normalgroßen liegt, daß – so paradox es klingt – diese es sind, die häufig Schwierigkeiten im Kontakt haben. Es scheint deshalb auch zu den Aufgaben kleiner Menschen zu gehören, durch ihr Verhalten die Unsicherheit der anderen zu verringern. Denn für die meisten ist die Begegnung mit einem Menschen, der anders aussieht, eine Ausnahmesituation. Viele werden sich wundern, daß es so kleine Menschen gibt. Es stellt sich bei ihnen ein Gefühl der Unsicherheit ein. Sollen sie so tun, als sähen sie die kleine Größe nicht, sollen sie betont mitleidig gucken, oder sollen sie Fragen stellen? Es stehen ihnen, aus Mangel an Erfahrung, wenig Verhaltensmuster zur Verfügung, die es ihnen ermöglichen, diese Begegnung als selbstverständlich anzusehen und entsprechend zu reagieren.

Und es ist die Aufgabe von Menschen mit Durchschnittsgröße, Toleranz und Sicherheit gegenüber Menschen zu entwickeln, die nicht in die so vielgepriesene Norm passen. Das Miterleben der besonderen Erfahrungen und Einsichten nicht »normgerechter« Menschen könnte unser Miteinander menschlicher machen, was somit allen zugute käme. Dieser Ansicht sind auch 70 Prozent der kleinwüchsigen, gesunden und diabetischen Jugendlichen aus unserer Untersuchung, die auf die Frage: »Wenn Sie zaubern könnten, wie würden Sie die Menschen und die Welt verändern?« zusammengefaßt zur Antwort gaben: »Wir würden die Menschen offener, freundlicher und rücksichtsvoller machen, damit alle miteinander leben können.«

Gabriele Brinkmann

Medizingeschichtliche Aspekte des Kleinwuchses

In diesem Exkurs in die Vergangenheit soll nicht die Geschichte der Zwerge behandelt werden. Diesbezüglich sei auf FLÖGEL (1789), WOOD (1868), GOULD und PYLE (1962), THOMPSON (1968), SCHEUGL (1974), FIEDLER (1978), und andere verwiesen. Hier soll, ohne den Anspruch auf Vollständigkeit zu erheben, der Frage nachgegangen werden, wann und wie sich das medizinische Interesse am Kleinwuchs entwickelt hat und welcher Nutzen daraus für die Betroffenen entstanden ist.

SCHRIFTLICHE ZEUGNISSE ÜBER KLEINWUCHS

Antike

In der Antike wurden alle angeborenen Anomalien und auffallenden Abweichungen der menschlichen Gestalt unter dem Begriff der »Monster« zusammengefaßt. Dieser Begriff fand auch in der medizinisch-naturwissenschaftlichen Abhandlung bis Anfang des 20. Jahrhunderts noch Anwendung. Der historische Abriß von NIPPERT (1986) über die angeborenen menschlichen Fehlbildungen, also die Monster der damaligen Zeit, kann als Ergänzung zu unserer Darstellung gelten, und es sei darauf verwiesen.

Während bei den Monstern Phantasie und Wirklichkeit kaum zu trennen waren, besaßen die Ägypter im Alten Reich (1. bis 8. Dynastie, um 3000–2134 v. Chr.) ein sicheres Wissen von einem pygmäenhaften Volk im Bereich der Nilquellen (GUSINDE 1962). Auch der griechische Geschichtsschreiber HERODOT (um 485 – um 425 v. Chr.) hatte bei seinen Reisen nach Ägypten die Überzeugung gewonnen, daß die zwerg- und gnomenhaften Fabelwesen der griechischen Dichter von den kleinwüchsigen echten Pygmäen abgesondert werden müßten. HOMER (geb. etwa 8. Jahrhundert v. Chr.) schuf in der Ilias das Bild vom Kampf der Kraniche mit den Pygmäen, wobei er die Bezeichnung »Pygmäe« einführte und sie vom Längenmaß Ellbogen-Fingerknöchel ableitete. Auch ARISTOTELES (384–322 v. Chr.) erwähnt die Kranich-Pygmäen-Sage und grenzt sie von den echten Pygmäen ab.

ARISTOTELES beschäftigte sich außerdem allgemein mit dem Zwergwuchs. Indem er nach seiner Ursache fragt, kann man darin den ersten wissenschaftlichen Ansatz erkennen. Die Erklärung auf seine Frage sieht er in einer zu kleinen Gebärmutter für den Embryo beziehungsweise einer unzureichenden Ernährung nach der Geburt. Auch mit den Körperproportionen des Zwergwuchses hat er sich auseinandergesetzt.

Mittelalter

Erst im Hochmittelalter hat der Dominikaner ALBERTUS MAGNUS (1193 oder 1206 bis 1280), der wissenschaftlichste Geist des Mittelalters – er verfügte über das gesamte Wissen seiner Zeit in Astronomie, Geographie, Botanik, Zoologie und Medizin –, sich wieder mit dem Zwergwuchs beschäftigt. Dabei konnte er auf die inzwischen ins Lateinische übersetzten Schriften des Aristoteles zurückgreifen. In der Rangordnung der Natur stellte er die Pygmäen zwischen Menschen und Affen (BALSS 1928). Ferner trennte er zwischen den Pygmäenrassen in Afrika und den chondrodystrophischen Zwergen. Er beschreibt den Fall eines zwergwüchsigen Mädchens, welches er in Köln gesehen hatte und das bei einem Alter von neun Jahren noch nicht die Größe eines einjährigen Knaben hatte; er führte die Mißbildung zugleich mit AVICENNA (980–1037) darauf zurück, daß vom Samen des Vaters nur ein geringer Teil in die Gebärmutter der Mutter gelangt sei.

16. und 17. Jahrhundert

Erst wieder im 16. und 17. Jahrhundert versuchten Ärzte, Mißgeburten und Monster systematischer zu untersuchen. Die Ansätze von RUEFF (De conceptu et generatione hominis, 1554), PARÉ (Des monstres et prodiges, 1573) und ALDROVANDI (Monstrorum historia, 1642) werden allerdings durch ihre unkritische Sammlung und Ordnung aller verfügbaren Fälle getrübt. Die Interpretation geschah entsprechend des biologisch-naturwissenschaftlichen Kenntnisstandes und der religiösen Ansichten dieser Verfasser. Dabei haben sie die auf griechische Quellen zurückgehenden ethnographischen Monster mit wirklichen Fehlbildungen gleichgestellt. Zeitgemäß haben die Autoren als eine der Hauptursachen für die Entstehung von Mißbildungen den Zorn Gottes angesehen (NIPPERT 1986). Dies würde bedeuten, daß im Jahrhundert des Humanismus wissenschaftliche Betrachtungen weit weniger fortschrittlich waren als zur Zeit von ARISTOTELES. Bei Ullisse ALDROVANDI (1522–1605), dem Naturforscher und Medizinprofessor aus Bologna, finden wir in seiner »Monstrorum historia« neben der Versammlung der damals als existent angesehenen Fabelwesen dann doch Ansätze einer Abtrennung des Zwergwuchses von denselben. Er beschreibt in seinem Werk drei Zwerge, die er dann auch abbildet (Abb. 1, 2). Die Beschreibung des Zwergs namens Michael Magnanus ist rein geschichtlicher Art. Über die beiden anderen Zwerge heißt es: »Dieser Zwerg mit Namen Sebastian, schon über 25 ½ Jahre alt, war kaum größer als 3 ½ Dodrantes (= 2,6 Fuß). Die Zwergin, seine Schwester Angelika, lebte schon im 23. Lebensjahr und war nur 3 Dodrantes und 2 Unzen (= 2,4 Fuß) groß. Außerdem waren beide wegen der eleganten Proportionen ihrer Gliedmaßen, kurz wegen ihrer ebenmäßigen Körperstatur zu bewundern. Deswegen schlagen wir dem Leser vor, auf diese beiden Punkte bei der Betrachtung ihrer Ebenbilder besonders das Augenmerk zu richten.« Indem der Verfasser auf die Körperstatur der beiden letzten Zwerge hinweist, können wir darin durchaus schon einen Beginn einer medizinischen Betrachtungsweise erkennen.

Abb. 1 Der Zwerg Sebastian aus »Monstrorum historia« von Aldrovandi, 1642.

In den Jahren 1602 bis 1606 hat der Baseler Arzt Felix PLATTER (1536–1614), nach dem heute das Felix-Platter-Spital in Basel benannt ist, sein Buch »Observationum in hominis affectibus plerisque corpori et animo (...) Beobachtungen zu den Krankheiten, die die Menschen an Körper und Seele heimsuchen (...)« herausgebracht. Das dreibändige Werk könnte nach unseren heutigen Vorstellungen als ein Lehrbuch oder Handbuch der Medizin betrachtet werden. In seinem dritten Buch, dem Kapitel über die Mißbildungen, schreibt er ganz nüchtern über Zwerge: »Ich habe Menschlein von kleiner Statur gesehen, die nicht einmal die halbe Höhe eines normalgebildeten Menschen erreichen, und dies nicht, weil sie etwa an einem gekrümmten Rückgrat oder an einem Buckel oder an verkrüppelten Füßen litten. Vielmehr sind sie von Geburt an mit geraden Gliedmaßen so aufgewachsen.« Damit weist Felix PLATTER auf die wichtige Beobachtung hin, daß neben echtem Kleinwuchs eine verminderte Körpergröße auch dadurch entstehen kann, daß die Wirbelsäule durch Verbiegung (Skoliose oder Kyphose) in sich zusammensinkt und damit der Rumpf zu kurz wird, oder indem die unteren Gliedmaßen durch Verbiegung relativ zu kurz werden können. Es werden dann weiterhin drei Zwerge beschrieben, die PLATTER selbst gekannt hat, wobei er vorwiegend auf die Statur der Betreffenden und deren Aktivitäten eingeht. Als Beispiel sei eine der drei Beschreibungen zitiert: »Den ersten Zwerg dieser Art, Johann von Estrix aus Mecheln, habe ich im November 1592 gesehen, als er von Basel kam, um in Flandern dem Herzog von Parma vorgeführt zu werden. Dieser Zwerg von 35 Jahren war wohl 3 Fuß hoch und mit einem langen Bart geschmückt. Er konnte keine Treppen steigen und sich noch weniger auf einen Stuhl setzen; stets mußte er von einem Diener hochgehoben werden. Er beherrschte drei Sprachen, war geistreich und arbeitsam. Zuweilen habe ich mich mit ihm zusammen beim Würfelspiel unterhalten.« Bei diesen drei »Fallbeschreibungen« hat Felix PLATTER kurz und prägnant all das erwähnt, was er beobachten konnte, ohne die betreffenden Zwerge einer körperlichen, heute würden wir sagen einer klinischen, Untersuchung zu unterziehen.

18. Jahrhundert

Im Vergleich zu ALDROVANDI kündigt die Beschreibung PLATTERS nun schließlich noch klarer vom anbrechenden Zeitalter der Aufklärung an der Wende vom 17. zum 18. Jahrhundert, einer Zeit, zu der unter anderen DESCARTES (1596–1650) ein methodisch neues wissenschaftliches Denken und Vorgehen proklamierte.

Im Jahre 1745 hatte Carl von LINNÉ (1707–1778), der schwedische Naturforscher und Professor für Medizin und Botanik an der Universität Uppsala, auf einer Forschungsreise die Gelegenheit, ein zwergwüchsiges Geschwisterpaar zu untersuchen. Dabei wurden die Körpergröße und das -gewicht festgestellt und mit den Maßen anderer normaler Kinder, einem gleichaltrigen und einem gleich großen und schweren verglichen. Die Mutter der beiden Kinder, eine arme Witwe, hatte für sich und die Kinder nicht genügend zu essen, wohl aber Alkohol, den sie auch den Kindern anstelle von Nahrung gab. LINNÉ vertrat die Ansicht, da sonst für den Zwergwuchs dieser Kinder keine Ursache, auch kein Anhalt für Rachitis erkennbar war, daß der Alkohol bei den Geschwistern zum verzögerten Wachstum geführt habe. Die These vertrat der Naturforscher aus seiner Erfahrung, die er aus seiner wissenschaftlichen Arbeit über Alkoholgenuß zog. Gleichsam warnte er vor der damals bestehenden Unsitte, Säuglingen und Kleinkindern zur Beruhigung mit Alkohol getränktes Brot zu geben (WALLGREN 1957).

Abb. 2 Die Zwergin Angelika, Schwester von Sebastian, aus »Monstrorum historia« von Aldrovandi, 1642.

Abb. 3 aus: Tautsch-Lateinisches Wörter-büchlein, 1703. Alle wesentlichen Symptome wie großer Kopf, Buckel, Klumpfuß, Kropf usw., die bei einem Kleinwuchs vorhanden sein können, sind in der linken Figur der Skizze aufgeführt.

Abb. 4 Sömmerring, 1791: Erste exakte medizinische Abbildung einer Achondroplasie bei einem Totgeborenen.

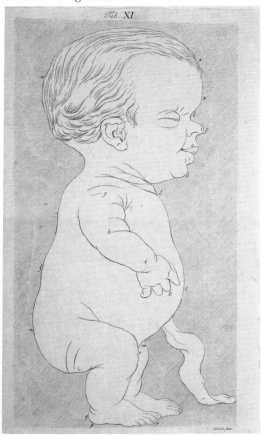

Zur Entwicklung neuer wissenschaftlicher Methoden gehörte nicht nur das Messen und Wiegen, sondern auch die exakte Dokumentation, also die bildliche Darstellung des zu untersuchenden Objekts und Subjekts. ALDROVANDI hat zwar 1642 in seiner »Monstrorum historia« neben seiner Beschreibung Zwergwüchsiger solche auch abgebildet. Sie sind aber in bekleidetem Zustand, was einer exakten wissenschaftlichen Vermittlung nicht genügen kann. Interessanterweise finden wir aus dem Jahre 1703 eine solche Abbildung in einem »Teutsch-Lateinischen Wörter Büchlein zum Nutz und Ergötzung zusammengetragen der Schuljugend und mit 6000 darzu dienlichen Bildern geziert« (Abb. 3) Die Illustration ist mit einer Legende versehen, die besagt: »Mißgeburten und Ungestalte sind die mit dem Leib abweichen von gemeiner Gestalt als da sind: der ungeheure Rieß (1), der wintzige Zwerg (2), der Zweybeleibte (3), der Zweykopf (4) und dergleichen Unformen. Zu diesen werden gezehlet: Der Großkopf (5), der Großnase (6), der Wurstmaul (7), der Paußback (8), der Schieler (9), der Krumhals (10), der Kropfichte (11), der Höckerichte (12), der Dollfuß (13), der Spitzkopf (14), setze hinzu den Kahlkopff (15).« Betrachten wir diese differenzierte Symptomatologie, so könnte dies aus einem neuzeitlichen Kompendium der Medizin stammen.

Die Abbildung eines lebenden Menschen von kleinem Wuchs in unbekleidetem Zustand war zu dieser Zeit, und sogar noch hineinreichend bis ins 19. Jahrhundert, in medizinischen Lehrbüchern kaum möglich. Die erste medizinische Abbildung eines Zwergwüchsigen zeigt ein totgeborenes Kind. Der Anatom und Physiologe Samuel Thomas SÖMMERRING (1755–1830) hat diesen 1791 in seinem Buch »Abbildungen und Beschreibungen einiger Misgeburten die sich damals auf dem anatomischen Theater zu Cassel befanden« so genau dargestellt, daß wir heute eine ganz sichere Diagnose stellen können (Abb. 4). Obwohl von SÖMMERRING noch als »fötale Rachitis« diagnostiziert, handelt es sich um das klassische Bild einer Achondroplasie. Er hat an diesem Kind auch eine Sektion vorgenommen und eine kurze Beschreibung eines Oberarmknochens, Ellenbogens und einer Speiche gegeben.

Obwohl die Sektion bereits im 16. Jahrhundert zur etablierten Methode für die Entdeckung des Sitzes der Krankheit und Erklärung ihrer Symptome geworden war, gab es im 18. Jahrhundert noch kaum pathologisch-anatomische Kenntnisse über den Zwergwuchs. Dies brachte Christian Friedrich LUDWIG, Professor zu Leipzig, in seiner Schrift »Grundriß der Naturgeschichte der Menschenspecies«, in der er ein Kapitel den Zwergen widmete, im Jahre 1796 so zum Ausdruck: »Ausmessungen von den einzelnen Knochen der Zwerge hat man nicht, wohl aber von dem ganzen Körper. Muskeln, Gefäße, Nerven, Eingeweide und Drüsen dieser kleinen Individuen sind auch noch nicht mit Ausführlichkeit untersucht worden.«

Was die Ärzte damals aber schon erkannten, waren die Probleme, die entstehen können, wenn eine zwergwüchsige Frau ein Kind zur Welt bringt. Der Göttinger Geburtshelfer Friedrich Benjamin OSIANDER (1759–1822) berichtete 1797 in seiner »Historia partus nanae« über die Entbindung einer Zwergin (Abb. 5a), die durch die ungünstige Lage des Beckens und des Fötus kompliziert worden ist (Abb. 5b). Die Geburt konnte auf natürliche Weise, wenn auch unter Anwendung ärztlicher Kunst und mit großen Mühen, zu Ende geführt werden, ohne daß ernsthafte Gefahren aufgetreten wären. Er geht auch darauf ein, daß diese Fälle häufig eines operativen Eingriffes, wie Kaiserschnitt und ähnliches erfordern. Trotzdem blieb die Entbindung einer Zwergin, vor allem bei rachitischem Zwergwuchs, ein großes Risiko für die Mutter, da zu dieser Zeit der Kaiserschnitt mit hoher Sterberate behaftet war. Dies änderte sich erst deutlich mit Anfang des 20. Jahrhunderts.

19. Jahrhundert

Isidore GEOFFROY SAINT-HILAIRE (1805–1861), der mit seinem Vater Étienne Geoffroy Saint-Hilaire (1772–1844), beide Zoologen in Paris, die moderne Teratologie (die Lehre von den Mißbildungen) begründete, hat in seinem vielbeachteten Beitrag »Histoire générale et particulière des anomalies de l'organisation chez l'homme et les animaux, des monstrosités, des variétés et vices de conformation« im Jahre 1832 ein Kapitel, abgetrennt von Monstrositäten und anderen Mißbildungen, nur dem Zwergwuchs gewidmet. Damit hat er das Zeichen gesetzt, daß dies ein eigener Forschungszweig zu sein hat. Neben einem historischen Abriß über den Zwergwuchs gab er in dieser Veröffentlichung eine der damaligen Zeit entsprechende wissenschaftliche Analyse der berühmten Zwerge Jeffrey Hudson (Kat. Nr. 61), Bébé (Kat. Nrn. 91, 92), Joseph Boruwlaski (Kat. Nr. 98) und anderer. Ferner machte er sich Gedanken über die verschiedenen Formen des Zwergwuchses und deren biologische Eigenheiten sowie die möglichen Ursachen.

Später war das gesamte 19. Jahrhundert gekennzeichnet durch weitere Analysen Zwergwüchsiger, die in europäischen Großstädten im Schaugeschäft ihr Geld verdienten. Die Ergebnisse dieser Untersuchungen wurden meist vor medizinischen und anthropologischen Gesellschaften in Berlin, München, Paris und London vorgetragen. Nicht selten wurden die Zwerge auch persönlich dort von namhaften Wissenschaftskapazitäten wie dem Pathologen und Anthropologen Rudolf VIRCHOW in Berlin selbst vorgestellt. Die Betroffenen mußten sich ausgiebigen Messungen einzelner Körperteile unterziehen, wobei die Ausmessung des Kopfes eine besonders große Rolle spielte (M. GEOFFROY SAINT-HILAIRE 1836; HECKER 1846, QUATREFAGES 1881; VIRCHOW 1882; SCHMIDT 1891-92; MAASS 1894, 1896; MANOUVRIER 1897). Die bekannt gewordenen Azteken-Zwerge, ein Geschwisterpaar, wurden von mehreren Autoren untersucht (WARREN 1851; MAYER 1857). Dies gilt auch für den sogenannten Vogelkopfzwerg Dubos Janos (VIRCHOW 1892; RIEGER 1895). Ein damals sehr bekanntes amerikanisches Zwergenpaar, Mr. F. J. Flynn (General Mite) und Miss Millie Edwards (Kat. Nr. 108), erregte wegen seiner geringen Körpergröße von 82,4 beziehungsweise 72 cm nicht nur allgemeine Aufmerksamkeit, sondern natürlich auch wissenschaftliches Interesse. General Mite stellte sich VIRCHOW 1883 und RANKE und VOIT 1885 zu einer Untersuchung zur Verfügung. Letzterer hat Stoffwechseluntersuchungen durchgeführt und dabei zum ersten Mal feststellen können, daß der Zwerg mehr Wärme bildet als ein erwachsener Arbeiter oder ein gleichaltriges Kind. Wie schwierig es damals noch für die Untersucher war, zur Dokumentation ein Bild vom Untersuchten im unbekleideten Zustand zu bekommen, geht aus der Schilderung von ORNSTEIN (1892) hervor. Erst nach jahrelangen Annäherungsversuchen mittels kleiner Geschenke und Zuredens war es dem Untersucher möglich, gegen ein griechisches Fünf-Franken-Stück von dem »Athener Zwerg« ein Foto im nackten Zustand zu erhalten.

Das Thema Zwergwuchs wurde in dieser Zeit auch sehr gerne im Rahmen von Dissertationen behandelt (Abb. 6; ARENDES 1886).

Neben Untersuchungen lebender Zwerge konnten nun auch des öfteren Erkenntnisse aus Sektionen Verstorbener gewonnen werden (SCHAAFFHAUSEN 1868 und 1882, von RECKLINGHAUSEN 1890). Dabei wurden die Skelette präpariert und konserviert. Viele

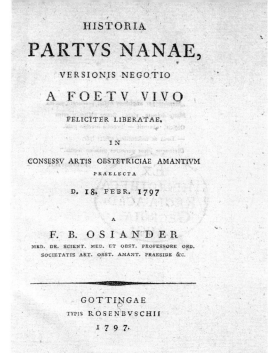

Abb. 5a Titelblatt eines Berichtes durch den Göttinger Geburtshelfer F. B. Osiander aus dem Jahre 1797 über die Entbindung einer Zwergin.

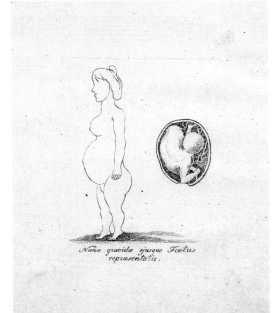

Abb. 5b Die Skizze aus Osianders Bericht zeigt die Schwangere und die Gebärmutter mit der pathologischen Kindslage mit vorangehendem Arm.

UEBER ZWERGBILDUNG.

INAUGURAL - DISSERTATION

ZUR

ERLANGUNG DER DOCTORWUERDE

IN DER

MEDICIN, CHIRURGIE UND GÉBURTSHUELFE

DER

HOHEN MEDICINISCHEN FACULTAET

DER

GEORG - AUGUST - UNIVERSITAET ZU GOETTINGEN

VORGELEGT VON

ADOLF ARENDES,

PRACTISCHEM ARZT AUS HEININGEN.

HELMSTEDT.
DRUCK VON J. C. SCHMIDT.
1886.

Abb. 6 Titelblatt einer Dissertation an der Universität Göttingen über den Zwergwuchs aus dem Jahre 1866.

sind heute noch in medizinischen Museen und anthropologischen und pathologisch-anatomischen Instituten erhalten, in denen sie oft neben dem Skelett eines Riesen stehen und zu bewundern sind. Um manches dieser auch zu Lebzeiten bekannten Skelette rankt sich nicht selten eine illustre Geschichte.

Das Skelett des berühmten Zwerges Bébé mit dem bürgerlichen Namen Nicholas Ferry (Kat. Nrn. 91, 92) ist neben dem eines Riesen im Musée de l'Homme in Paris zu sehen (GRACE 1980). Ein weiteres ist das des irischen Zwergs Owen Farrel, der zu Lebzeiten von mehreren Malern porträtiert worden ist. Obwohl nur 114 cm groß, war er bekannt für seine legendäre Kraft. Einige Zeit vor seinem Tode verkaufte er seinen Körper für eine wöchentliche Rente an einen Chirurgen, der nach dessen Tod im Jahre 1742 das Skelett präparierte. Dieses ist im Hunter'schen Museum in Glasgow aufbewahrt. Dort und im Hunter'schen Museum in London hängt je ein Gemälde dieses Zwergs. Im Museum des Norfolk und Norwich-Hospital in England befindet sich das Skelett des sogenannten Norwich-Zwergs. Es war ein 127 cm großer Mann, der wegen Mordes an seinem Kind und versuchten Mordes an seiner Ehefrau im Jahre 1819 hingerichtet wurde. Um die Klassifizierung dieses Skeletts entstand ein offener Streit. Der bekannte Londoner Arzt Sir Jonathan HUTCHINSON hat es 1889 als einen proportionierten, sogenannten echten Zwergwuchs angesehen, während der Chirurg Sir George HUMPHRY an der Universität Cambridge sich 1891 für die Diagnose einer Rachitis aussprach.

Eine geradezu tragische Folge hatte der Tod der neunjährigen Caroline Crachami, bekannt unter dem Namen »Sizilianische Zwergin«, im Jahre 1824. In Palermo geboren, kam sie mit ihren Eltern nach Dublin. Wegen ihrer sehr geringen Körpergröße von 46 cm erregte sie große Aufmerksamkeit. Ein Doktor Gilligan nahm das Kind auf eigene Kosten mit nach London, da er den Eltern einredete, das Klima in Dublin sei für Caroline ungesund. Er bat sich jedoch aus, das Mädchen ausstellen zu dürfen. Kurze Zeit danach starb sie. Aus Zeitungen erfuhr der Vater von ihrem Tod und reiste schnellstens nach London. Dort mußte er mit Bestürzung feststellen, daß Doktor Gilligan die sterblichen Überreste seiner Tochter bereits für 500 £ an die Königliche Akademie der Chirurgen verkauft hatte. Dort wurde sie seziert, und ihr Skelett ist heute neben den beiden Riesen Charles O'Brien und Charles Freeman im Hunter'schen Museum ausgestellt. Auch ihre winzig kleinen Schuhe und Strümpfe und ihr Fingerring sind zu sehen. Ein Ölbild von Alfred Edward Chalon zeigt die Zwergin von der Seite im Sitzen und von vorne im Stehen. Dabei fällt ein ausgesprochenes »Vogelgesicht« auf, was dem sogenannten Vogelkopfzwergwuchs zugeordnet werden könnte. Die ebenfalls vorhandene Totenmaske läßt diese ausgesprochene Vogelkopfkonfiguration jedoch nicht in dem Maße erkennen. GILFORD reiht diese Zwergwuchsform unter die Ateleiose ein, was dem heutigen hypophysären Kleinwuchs entspricht (DOBSON 1955). Betrachtet man aber das vorgealterte Gesicht und das Skelett genauer, könnte es sich auch um eine »Progerie« handeln, eine Kleinwuchsform mit Vergreisung im Kindesalter.

Obwohl die Einführung des Mikroskops zur Durchforschung der Organe durch Marcello MALPIGHI (1628–1694) und Antoni van LEEUWENHOEK (1632–1723) bereits im 17. Jahrhundert geschah, konnten beim Zwergwuchs über die nur augenscheinliche Betrachtung der äußeren Formen des Körpers und des knöchernen Skeletts hinaus erst Ende des 19. Jahrhunderts genaue Erkenntnisse über Strukturveränderungen an den Wachstumsfugen gewonnen werden. Dabei haben sich die Beobachtungen von Isidore GEOFFROY SAINT-

HILAIRE, daß verschiedene Zwergenarten bestehen, voll bestätigt und in detaillierter Form erweitern lassen. Bei dieser Erforschung spielt der Göttinger Pathologe Eduard KAUFMANN (1860–1931) eine besondere Rolle. Er konnte 1892/93 anhand solcher Untersuchungen feststellen, daß die damals noch vielfach als fötale Rachitis, von dem Franzosen PARROT (1878) jedoch schon als Achondroplasie bezeichnete disproportionierte Zwergwuchsform drei Unterarten aufweist, die Chondrodystrophia hyperplastica und hypoplastica und eine Mikromelia chondromalazica. Die erste bezeichnen wir heute als metatropischen Minderwuchs, und die zweite entspricht der Achondroplasie.

Ein weiterer Fortschritt auf diagnostischem Gebiet brachte die Entdeckung der Röntgenstrahlen im Jahre 1896 durch den Physiker Wilhelm Conrad RÖNTGEN (1845–1923). Damit konnte am Lebenden das knöcherne Skelett sichtbar gemacht werden, was alsbald auch in der Untersuchung Zwergwüchsiger eingesetzt werden konnte. Die ersten veröffentlichten Röntgenbilder dieser Art stammen von JOHANNESSEN (1898), JOACHIMSTHAL (1899) und SIMMONDS (1900; Abb. 7).

20. Jahrhundert

Mit diesem histologischen und röntgenologischen diagnostischen Rüstzeug konnten im 20. Jahrhundert vorwiegend durch Kinderärzte und Kinderröntgenologen bis heute annähernd 100 verschiedene Kleinwuchsformen differenziert werden. Mit zunehmendem Fortschritt in der Biochemie hat man dann auch entdeckt, daß einige dieser Formen ihre Ursachen in einer Stoffwechselstörung haben. Dieses sind sogenannte Speicherkrankheiten, wobei unterschiedliche Stoffe wie zum Beispiel Mukopolysaccharide im Gewebe krankhafterweise abgelagert werden (Mukopolysaccharidosen). Daraus resultiert ein Kleinwuchs mit kurzem deformiertem Rumpf und zum Teil schwerer körperlicher und geistiger Behinderung. Besonders auffällig sind die groben Gesichtszüge, bei denen man auch von einem Gargoylismus (Wasserspeiergesicht) gesprochen hat wegen der Ähnlichkeit mit mittelalterlichen Wasserspeierskulpturen, vor allem an Kirchen.

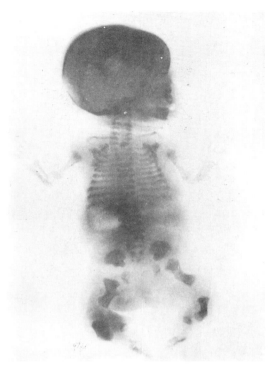

Abb. 7 Eines der ersten Röntgenbilder der Kleinwuchsform Achondroplasie von M. Simmonds aus dem Jahre 1900.

Der durchbrechende Fortschritt der Endokrinologie im 20. Jahrhundert, wobei die Wirkung der verschiedenen Hormone nach und nach erforscht wurde, hat auch den Zusammenhang verschiedener Hormondrüsen mit dem Wachstum enthüllt. Zu der Erkenntnis, daß bei Entfernung solcher Drüsen entsprechende körperliche Störungen entstehen, die durch Verabreichung des entsprechenden Hormons wieder gebessert werden können, trugen vor allem Tierversuche bei. So konnte ASCHNER (1909) nach Entfernung der Hirnanhangdrüse (Hypophyse) beim Tier zum ersten Mal zeigen, daß dadurch ein Zwergwuchs entsteht. Die Herstellung des Wachstumshormons durch EVANS und LONG (1922) eröffnete einen Weg zur Behandlung des hypophysären Minderwuchses. Er sollte bis heute eine der wenigen Kleinwuchsformen bleiben, bei denen medikamentös, also durch Hormongabe, das verzögerte Wachstum stimuliert werden und somit eine normale Körpergröße erreicht werden kann.

Im Jahre 1938 konnte TURNER das nach ihm benannte Syndrom klinisch genau umreißen. Es handelt sich um eine weitere hormonelle Wachstumsstörung mit funktionslosen rudimentären Eierstöcken und einer krankhaften Konstellation der Geschlechtschromosomen. Äußerlich fallen die Mädchen außer der kleinen Statur durch ein sogenanntes Sphinx-Gesicht, einen kurzen Hals mit Flügelfell, einen kleinen, schmalen Unterkiefer, deformierte Ohren und andere Symptome auf. Auch hier konnte eine Behandlung mit dem weiblichen Sexualhormon zu einer deutlichen Verbesserung des Wachstumsrückstandes führen.

Von den endokrinen Kleinwuchsformen ist der Kretinismus am längsten bekannt. PARACELSUS (1493–1541) wies als erster auf die Paarung von Kropf und Schwachsinn hin. Seine Beschreibung über die im Salzburger Land gemachte Beobachtung in seiner Schrift »De generatione stultorum« ist jedoch wirr, mystisch dunkel und unverständlich. In sachlicher Klarheit beschreibt etwa 80 Jahre später der bereits erwähnte Baseler Medizinprofessor und Stadtarzt Felix PLATTER (1536–1614) in »Praxeos medicae« (Basel 1625 und 1656) diesen Zusammenhang: »Die Krankheit ist in bestimmten Regionen häufig. Für die Vergangenheit wird dies von Ägypten behauptet; ich selbst habe viele Kinder im Walliser Kanton und im Bintzger Tal davon betroffen gefunden. Außer dem Schwachsinn haben sie gelegentlich Verformungen des Kopfes, eine dicke geschwollene Zunge, sie können stumm sein, und oft trägt der Hals eine Struma (Kropf). Ihre ganze Erscheinung ist merkwürdig: Sie sitzen, einen Stock in den Händen, vor sich hin starrend, würdevoll da oder verdrehen absonderlich ihren Körper, ihre Augen sind aufgerissen, ohne Grund lachen sie und möchten gerne alles Mögliche wissen (VOGT 1969).«

Der Berner Chirurg DE QUERVAIN hat mit seinem Mitarbeiter WEGELIN das Krankheitsbild des endemischen Kretinismus Anfang des Jahrhunderts wissenschaftlich so fundiert in umfassender Weise aufgearbeitet, daß sein Buch auch heute noch als Standardwerk über diese Erkrankung zu betrachten ist (DE QUERVAIN und WEGELIN 1936). Bestimmte Veränderungen am Schädel, die denen bei der Achondroplasie gleichen, haben es den Forschern lange Zeit schwergemacht, beide Krankheiten auseinanderzuhalten. Die Achondroplasie zeigt aber eine normale geistige Entwicklung. Gleiche Verwechslungsmöglichkeiten bestanden damals, bevor das Röntgenbild zur Verfügung stand, mit der Rachitis, wegen der aufgetriebenen Gelenke und oft verbogenen Röhrenknochen bei beiden Erkrankungen. Die Erkenntnis, daß dem endemischen, an bestimmte geographische Regionen (Gebirgsgegenden) gebundenen Kretinismus ein Jodmangel zugrunde liegt, konnte durch Jodersatz im Trinkwasser diesem Leiden ein Ende bereiten.

Eine gewisse Ähnlichkeit mit dem Kretinismus hat das Myxödem. Es kann mit Kleinwuchs einhergehen, und zwar dann, wenn es angeboren ist oder noch vor Abschluß des Wachstums entsteht. Es liegt ihm eine Schilddrüsenunterfunktion zugrunde. Aufgrund der sulzig-teigigen Hautbeschaffenheit hat William ORD 1878 diesen Namen gewählt. Auch dieses Leiden gehört heute durch den möglichen Hormonersatz zu den ausgestorbenen Erkrankungen.

Auch die Genetiker haben in der ersten Hälfte des 20. Jahrhunderts die bis dahin diagnostisch herausdifferenzierten Kleinwuchsformen auf ihr mögliches erbliches Verhalten erforscht. RISCHBIETH und BARRINGTON (1912) haben 233 Stammbäume von Kleinwüchsigen untersucht, deren sie zu der damaligen Zeit in so gut wie allen schriftlichen Zeugnissen habhaft werden konnten. MORCH (1941) hat in Dänemark den genetischen Hintergrund von 86 lebenden und 22 verstorbenen Chondrodystrophikern (disproportionierter Kleinwuchs) erforscht. Ferner konnte er eine schwedische Familie mit sechs Chondrodystrophikern in drei Generationen untersuchen. Schließlich ist noch GREBE (1955) zu erwähnen, der 118 Sippenbefunde von Chondrodysplasie auf klinische, differentialdiagnostische und ursächliche Besonderheiten untersuchen konnte.

Durch die besseren diagnostischen Möglichkeiten in der zweiten Hälfte unseres Jahrhunderts müssen manche Diagnosen der älteren Autoren revidiert werden. Dadurch und aufgrund besserer Untersuchungsverfahren wie zum Beispiel Chromosomenanalysen konnte in unserer Zeit der genetische Hintergrund und Vererbungsmodus der heute bekannten Kleinwuchsformen klarer erkannt werden, was für die humangenetische Beratung von Bedeutung ist.

Da sich der Kleinwuchs letztlich am knöchernen Skelett abspielt und nicht selten mit Gelenk-, Wirbelsäulen- und Knochendeformitäten einhergeht, haben die Orthopäden nach Wegen gesucht, bei solchen Deformitäten korrigierend einzugreifen. Die konservativen Methoden mit korrigierenden Schienen sind im vorigen Jahrhundert versucht worden, mußten in ihrer Wirksamkeit jedoch als ungenügend angesehen werden. Als erfolgreicher hat sich die operative Korrektur herausgestellt, die Ende des letzten Jahrhunderts auch schon praktiziert wurde (JOACHIMSTHAL 1899). Die operative Verlängerung von verkürzten Gliedmaßen, die Korrektur von Klumpfüßen und anderen Gelenkdeformitäten, von Wirbelsäulenverkrümmungen als Begleiterscheinung beim Minderwuchs sowie die operative Behandlung von Rückenmarks- und Nervenstörungen ist erst eine Domäne neuester orthopädischer und neurochirurgischer Maßnahmen geworden.

ARCHÄOLOGISCH-ANTHROPOLOGISCHE ZEUGNISSE ÜBER KLEINWUCHS

Obwohl die schriftlichen Quellen über Zwergwuchs, aus denen wir zuverlässige medizinische Informationen schöpfen können, allenfalls bis ins 18. Jahrhundert zurückreichen, wissen wir aus vor- und frühgeschichtlichen menschlichen Funden, daß dieses Leiden so alt ist wie die Menschheit selbst.

Das derzeit älteste bekannte Zwergenskelett stammt aus Grabfunden der oberen Altsteinzeit (Paläolithikum) und ist mit einem Alter von 10 000 Jahren zu veranschlagen. Nach dem Fundort Riparo del Romito in Italien benannt, ist der kleinwüchsige Vorfahre als »Zwerg Romito 2« in die anthropologische Literatur eingegangen. Nach Angaben seiner anthropologischen Interpreten D. W. FRAYER, R. MACCHIARELLI und M. MUSSI (1988) soll er männlichen Geschlechts und zwischen 100 und 120 cm groß gewesen, 17 Jahre alt geworden sein und an einer acromesomelen Dysplasie gelitten haben. Dies ist aus einem Häufchen Knochen eine sehr mutige Interpretation, doch sie wird noch mutiger, wenn die Autoren Romito zum ersten »Sozialfall« in der Geschichte abstempeln. Sie sind der Überzeugung, daß dieser Vorzeitmensch durch seine kleine Gestalt mit kurzen Gliedern, seine Speichenverrenkung, seine reduzierte Größe von Hand- und Fußknochen, die Wirbelsäulenbeschwerden und Gelenkschmerzen, so, wie sie für dieses Krankheitsbild üblich sind, nicht effektiv an der täglichen Jagd hat teilnehmen können. Da er also somit nicht für den Broterwerb geeignet war und das Adoleszentenalter von 17 Jahren erreicht hat, müsse er von der sozialen Gruppe der Jäger als Gehandicapter voll akzeptiert und unterstützt worden sein. Ein pfiffiger Feuilletonist (FRIESE 1990) hat die Geschichte auf den Punkt gebracht, indem er schreibt, daß Romito nicht unbedingt auf das Mitleid und die Unterstützung seiner Stammesbrüder angewiesen gewesen sei, weil man auch sensible Fährtensucher, geschickte Fallensteller und tüchtige Steinschmiede gebraucht habe. Ähnliches kennen wir von den alten Ägyptern, bei denen Zwerge als Goldschmiede fungierten (Abb. 8). Auch von dem aus Polen stammenden Estanislao, Hofzwerg Philipps II., wird berichtet, daß

Abb. 8 Zwerge als Goldschmiede im Alten Ägypten. Die Kleinwüchsigen lassen sich mit ihren kurzen Gliedmaßen und dem langen Rumpf als Achondroplasten identifizieren. Der Goldschmied rechts zeigt vergleichsweise eine normale Statur mit deutlich längeren Gliedmaßen. Aus dem Grab des Oupemnefort (5. Dynastie) in Gizeh (MONTET 1952).

er ein Meister im Jagen von Wölfen, Füchsen, Dachsen und wilden Katzen war, indem er durch Gras und durchs Laubwerk kroch, meist ungesehen wegen seiner kleinen Statur und seines waldgrünen Anzugs (MC VAN 1942, S. 110).

BRINTON's Skelett ist ein weiterer Fund aus dem Neolithikum mit einem Alter von über 7000 Jahren und soll einer Achondroplasie entsprechen. Weitere Funde in Amerika werden mit einem Alter zwischen 500 und 3000 Jahren eingeschätzt (JOHNSTON 1963).

Auch in Ägypten weisen menschliche Überreste bereits in der altsteinzeitlichen vordynastischen Badari-Kulturepoche auf das Vorkommen von Zwergwuchs hin. Auch später stammen solche aus dem Grabe des Königs Zer (1. Dynastie) und ferner aus dem Tempel des Königs Thutmosis IV. (18. Dynastie; VLCEK 1972). Eine Zusammenstellung zwerghafter Skelettfunde findet sich bei ORTNER und PUTSCHAR (1981).

IKONOGRAPHISCHE ZEUGNISSE ÜBER KLEINWUCHS

Das Beweismaterial aus früheren Menschenfunden über das Vorkommen Kleinwüchsiger wird in hervorragender Weise ergänzt durch bildliche Darstellungen von Zwergen im Alten Ägypten, was sich schließlich fortsetzt in der Kunst des klassischen Altertums. DASEN (1988) hat die Ikonographie und die medizinischen Hintergründe im Alten Ägypten und klassischen Altertum anhand von über 1000 Zwergdarstellungen auf Grabreliefs, Vasenmalereien, Mosaikbildern und Plastiken aus dem Zeitraum von 3000 v. Chr. bis ins 5. Jahrhundert n. Chr. neuerdings aufgearbeitet, worauf bezüglich näherer Einzelheiten verwiesen sei. Eine der wichtigsten Beobachtungen und Feststellungen der Autorin ist, daß keine dieser Kulturen weder den proportionierten noch den disproportionierten Kleinwuchs als ausgesprochenes Handicap dargestellt und damit natürlich auch nicht als solches empfunden hat. Diese kleinen Menschen erscheinen eher als sehr aktiv, auch wenn sie zum Beispiel eine zusätzliche Behinderung wie einen Klumpfuß hatten. Man sieht sie als geschickte Juweliere und Goldschmiede (Abb. 8), wie sie Kisten und andere große Gegenstände tragen, mit Hunden herumrennen, in der Arena trainieren und kämpfen und oft mit großer Lebhaftigkeit tanzen. Oder sollten die Griechen vielleicht doch schon erkannt haben, daß der disproportionierte Kleinwuchs durchaus beschwerliche Symptome bereiten kann, was den heutigen Ärzten in voller Ausprägung noch gar nicht allzu lange bekannt ist? Denn die Abbildung auf einem griechischen Salbgefäß (Aryballos) um 480 v. Chr. erlaubt den Einblick in eine ärztliche Praxis der vorhippokratischen Zeit (Kat. Nr. 11). Im Mittelpunkt des Bildes sitzt ein Arzt vor einem Patienten. Als einziger der Anwesenden trägt er keinen Bart. Ist er deshalb jung, oder ist es vielleicht eine Ärztin? Er ist gerade dabei, am rechten Arm des Patienten offenbar einen Aderlaß vorzunehmen. Davor steht eine große Schale, die wahrscheinlich zur Aufnahme des Blutes dient. Uns interessiert aber besonders der kleinwüchsige, bärtige, nackte Mann auf der linken Seite mit einem Kaninchen über der Schulter. Die silenartige Figur zeigt alle typischen Zeichen einer Achondroplasie. An der Diagnose besteht sicher kein Zweifel, die Frage ist nur: Was bedeutet ein Zwerg in der ärztlichen Praxis zu jener Zeit? BANYAI (1969) und JACKSON (1988) vertreten die Ansicht, daß Zwerge damals bei griechischen Ärzten in der Praxis geholfen hätten. Mit SCHADEWALDT (1974) glauben wir jedoch, daß es sich hierbei eher um einen Patienten handelt. Denn was soll das mitgebrachte Kaninchen anderes bedeuten als das Honorar in Form von Naturalien? Finden wir doch noch heute nicht nur in Afrika, sondern auch in osteuropäischen Ländern, daß der Arzt auf diese Weise vergütet wird.

Weitere Feststellungen von DASEN (1988), die uns heute wichtige medizinische Aufschlüsse geben, sind die, daß unter dem großen ikonographischen Material sowohl bei Ägyptern als auch bei Griechen und Römern der kurzgliedrige disproportionierte Minderwuchs, also vorwiegend die Achondroplasie, bei weitem vorherrschend war. Dies entspricht auch der Realität in der heutigen Zeit. Daneben konnte DASEN allerdings auch Formen finden, die anderen Kleinwuchstypen wie der Hypochondroplasie, der spondyloepiphysären Dysplasie, dem metatropen und diastrophischen Kleinwuchs entsprechen.

Die Künstler der damaligen Zeit wollten natürlich mit ihren Darstellungen kein medizinisches Lehrbuch erstellen. Ihre Abbildungen sind durch mythologische, religiöse und soziale Gegebenheiten beeinflußt. Es läßt sich herauslesen, daß Zwergen bei den Ägyptern eine sehr positive Einstellung entgegengebracht wurde, durchaus mit einer Affinität zum Sonnengott, und dies auch bei den Griechen, allerdings mit einer gewissen Gemeinsamkeit zu Satyren und der dionysischen Welt. Im alten Rom hingegen symbolisieren die Darstellungen vorwiegend die Funktionen der Unterhaltung und des Abwehrzaubers.

Daß wir heute aus dieser ikonographischen Hinterlassenschaft der Ägypter und vor allem der Griechen und Römer eine genaue Diagnose des Kleinwuchses stellen können, verdanken wir nicht zuletzt dem Umstand, daß der nackte Körper dargestellt wurde, was sich in der Kunst späterer Zeiten geändert hat. Damit geht die bildliche Darstellung in dieser Zeit der medizinischen Erkenntnis, Beschreibung und Abbildung weit voraus. Dabei ist es immer wieder erstaunlich, mit welcher Genauigkeit Künstler der Frühzeit, aber auch der späteren Epochen einzelne Krankheitstypen und vor allem eben Kleinwuchsformen differenziert haben. So wurden in der Ära vor der Fotografie in rein medizinischen Abhandlungen die Abbildungen solcher Kunstwerke aus der klassischen Malerei und Bildhauerei übernommen (BRISSAUD 1904).

Gegen Mitte des vorigen Jahrhunderts haben vor allem französische Ärzte erkannt, daß sich Kunst und Wissenschaft gegenseitig wichtige Informationen geben können, wenn sie fruchtbar zusammenarbeiten. Es ist das Verdienst des französischen Neurologen J. M. CHARCOT (1825–1893), mit seinen Schülern P. RICHER und H. MEIGE auf überlieferten Kunstwerken systematisch morphologische Abweichungen herausgearbeitet zu haben. Dies gipfelte dann in der Gründung der Zeitschrift »Nouvelle Iconographie de la Salpêtrière«, welche in hohem Maße dazu beigetragen hat, das Interesse für medizinisch-künstlerische Fragen zu beleben. Schließlich vereinigte P. RICHER in seinem reichbebilderten Werk »L'Art et la Médecine« (1901) seine eigenen Arbeiten und diejenigen von CHARCOT sowie den größten Teil der Abhandlungen von H. MEIGE. Die Arbeit auf diesem Gebiet fand durch den Deutschen Eugen HOLLÄNDER mit seinen ebenfalls hervorragend illustrierten Werken »Plastik und Medizin« (1912), »Die Medizin in der klassischen Malerei« (1913) und »Wunder, Wundergeburt und Wundergestalt in Einblattdrucken des 15. bis 18. Jahrhunderts« (1921) ihre Fortsetzung und in dieser Ausführlichkeit zugleich ihr Ende.

Alfred Enderle

Zwerge in Sage und Märchen

Mentalitätsgeschichte und Zivilisationsprozeß

»Heute back' ich, morgen brau' ich,
Übermorgen hol' ich der Königin ihr Kind...«

Auch wenn es im Fernsehen keine Mainzelmännchen und in den Vorgärten keine Gartenzwerge gäbe, so weiß doch jeder, was ein Zwerg ist. Mit dem Begriff »Zwerg« verbindet man automatisch Jugenderinnerungen an Erzählungen wie »Rumpelstilzchen«, »Schneewittchen und die sieben Zwerge« oder an die »Heinzelmännchen von Köln«. Beide Bereiche sind durch Dichtungen populär geworden: die Kölner hilfreichen Männchen unter anderem durch das Sagengedicht von August Kopisch (»Wie war zu Köln es doch vordem/mit Heinzelmännchen so bequem«), Rumpelstilzchen und Schneewittchen durch die Grimmsche Märchensammlung oder auch durch Walt Disneys Film »Snow White«.

Zwergensagen gehören nicht eigentlich mehr zu den Glaubenssagen, das heißt zu den Erzählungen, die noch von einem lebendigen Volksglauben getragen werden; sie sind keine Belief-Stories und Memorate mehr, sondern weitgehend Fabulate. Aber auch als nicht mehr geglaubte Phantasiegestalten behalten die Zwerge doch etwas ungemein Faszinierendes.

In den Sagen des deutschen Sprachgebietes stellen die Zwerge eine Art Dominanzfigur dar. Kaum eine andere Figurengruppe der übernatürlichen Welt hat in diesem Raum eine ähnlich große Zahl von Motiven unterschiedlichen Alters und unterschiedlicher Herkunft an sich gezogen; kaum eine andere Figurengruppe zeigt ein differenzierteres Erscheinungsbild nach Namen und Verhalten. Keine andere Gestalt der niederen Mythologie ist dem Menschen so ähnlich und so nah.

Im Gartenzwerg, in den Mainzelmännchen des ZDF, in literarischen und künstlerischen Gestaltungen leben sie noch in der Gegenwart – weit ab von mythischen Bereichen – ein zweites oder drittes Dasein, und es wird die Frage zu beantworten sein, warum die Menschen einen solch unausrottbaren Zwang zur Proportionsphantasie haben, das heißt die unwiderstehliche Neigung, sich die Welt als Mikrokosmos der Zwerge vorzustellen.

Zwergensagen bieten alles andere als ein einheitliches Bild. Überhaupt wäre es falsch, Zwerge monokausal herleiten und erklären zu wollen. Vielmehr haben sich im Laufe der Zeit die unterschiedlichsten Züge zu einem höchst heterogenen, ambivalenten und vielschichtigen Komplex zusammengefunden. Diesen Komplex gilt es schrittweise aufzulösen, um zugleich auch die Frage nach dem Platz im Leben zu stellen, nach den sozialen und psychologischen Hintergründen zu fragen, warum gerade diese Figur sich in Deutschland so großer Wertschätzung erfreut hat und zu einem gewissen Grad noch immer erfreut.

Von allen Sagengestalten der niederen Mythologie haben die Zwerge die meisten anthropomorphen Züge aufzuweisen. Auch das Unbekannte und Numinose gestaltet der Mensch nach der Analogie vertrauter sozialer Gegebenheiten. Und so verhalten sich auf weite Strecken hin die Zwerge wie Menschen. Sie treten als Einzelwesen in Erscheinung, leben aber auch in sozialen Gruppen, formen eine Gemeinschaft; es gibt das Zwergenvolk. Mehr als andere übernatürliche Wesen sind Zwerge aus Fleisch und Blut: Sie feiern rauschende Feste, wie etwa Hochzeiten; sie haben Kinder, und sie sterben, das heißt, es gibt auch bei Zwergen den gleichen Lebensrhythmus wie beim Menschen: Geburt, Hochzeit, Tod. Die Zwerge haben ähnliche Speise- und Nahrungsgewohnheiten. Nicht nur, daß sie backen und brauen. Man weiß, daß sie gerne Erbsen essen, und da sie solche offenbar selbst nicht anbauen, werden sie häufig zu Erbsendieben. Aber auch Brot, Mehl, Korn und Milch werden von Zwergen gestohlen. Wie gut, wenn man für alles, was fehlt, doch einen unsichtbaren Sündenbock parat hat, den man verantwortlich machen kann. Menschliche Sitten und Bräuche, ja der ganze Lebenslauf des Menschen wird auf die Zwerge übertragen: Zwerge werden aus denselben Gründen zornig und ärgerlich wie Menschen, wenn sie sich in ihrem Wohlbefinden gestört fühlen, wenn man über sie lacht, oder wenn ihnen etwas gestohlen wird. Zwerge sind lärmempfindlich; sie ärgern sich, wenn die Geräusche menschlicher Tätigkeiten zu laut werden. Zwerge sind äußerst erbost, wenn man ihnen Erbsen streut, weil sie dann ausrutschen und fallen. Aber auch Menschen sind nicht erbaut, wenn man ihnen eine Bananenschale auf den Weg wirft, um sie zu Fall zu bringen. Zwerge sind empfindlich gegen irgendwelche Äußerungen über ihre Größe. Auch Wortbruch und Nichteinhalten von Versprechen nehmen sie übel. Dann endet schnell das gute Einvernehmen mit den Menschen.

Zwerge und Menschen stehen in einem gegenseitigen Leihverkehr. Wenn Zwerge ein Fest feiern, brauchen sie größere Braukessel, Backtröge oder mehr Küchengeräte. Sie leihen sie bei den Menschen, und zum Dank fügen sie bei der Rückgabe etwas Speise, Trank oder eine Münze hinzu. Zwerge werden ärgerlich, wenn geliehene Sachen schmutzig zurückgegeben werden oder wenn entliehene Dinge überhaupt nicht zurückgegeben oder gar gestohlen werden. Wie die Menschen arbeiten auch Zwerge am besten, wenn man sie machen läßt und nicht kontrolliert. Fühlen sie sich beobachtet, ist das Vertrauensverhältnis gestört. Auch Menschen ziehen sich zurück, wenn ihnen jemand dauernd indiskret kommt und sie ausfragt, wenn man ihnen nachspioniert oder Dinge sagt, die besser ungesagt blieben. So zwingen menschliche Neugierde und Falschheit die Zwerge oft zur Auswanderung. Mit allen diesen Zügen vermitteln Zwergensagen Lehren über ein Normverhalten, wie es auch zwischen Menschen üblich ist. Die goldene Regel lautet: Behandle die Zwerge so, wie du auch von anderen behandelt werden möchtest, aber mehr noch: Was du nicht willst, das man dir tu', das füg auch keinem anderen zu. Wenn jemand für seine Dienste nicht bezahlt werden will, so gib ihm doch ein anderes kleines Zeichen deiner Dankbarkeit. Zwerge reagieren also sehr menschlich, und es geht in den Sagen von Menschen und Zwergen letztlich so gut wie immer um allgemeine Normen zwischenmenschlicher Beziehungen. Der Schriftsteller Günter Kunert hat das in seinem Einleitungsgedicht zu einem

Zwerge feiern ihre Feste, wobei sie sich gerne der Gerätschaften der Menschen bedienen.

Zwerge helfen im Haus und Hof.

von ihm herausgegebenen Band mit Zwergenüberlieferungen poetisch treffend zum Ausdruck gebracht:

>»Kleine Leute, große Leute
gab es gestern, gibt es heute,
wird es sicher immer geben,
über, unter, hinter, neben

dir und mir und ihm und ihr:
Kleine, Große sind wie wir.
Größer als ein Großer kann
aber sein ein kleiner Mann.

Klein und groß sagt gar nichts aus,
sondern nur, was einer draus
für sich selbst und alle macht,
Darum habe darauf acht;

Wer den andern hilft und stützt
und sich nicht nur selber nützt,
hat das richtige Format –
ob ein Zwerg er oder grad

lang wie eine Latte ist
oder einen Meter mißt:
Kleine Leute, große Leute
gab es gestern, gibt es heute.«

Und doch gibt es Unterschiede zwischen der übernatürlichen Welt im Kleinen und der der Menschen, zum Beispiel bei den häufigen Motiven der Zwergenhilfe. Eigenartigerweise verlangen die Zwerge für ihre geleistete Arbeit keinen Lohn. Bezahlt man sie doch, so fühlen sie sich »ausgelohnt« und lassen sich nie mehr blicken. Typisch ist die Grimm-Erzählung von den »Wichtelmännern« (KHM 39). Da helfen die Wichtelmänner einem armen Schuster, indem sie ihm über Nacht die Schuhe fertigen. Der Schuster und seine Frau wollen sehen, wer ihnen beisteht, und da beobachten sie zwei nackte Männlein. Aus Dankbarkeit für die empfangene Hilfe nähen der Schuster und seine Frau ihnen Kleider. Nun dünken sich die Zwerge zu fein, um noch weiter als Schuster zu arbeiten:

>»Sind wir nicht Knaben glatt und fein?
Was sollen wir länger Schuster sein!«

So ist das Verhältnis von Mensch und Zwergen voller Mißverständnisse. Das gleiche gilt für den umgekehrten Fall, daß die Menschen sich die Dankbarkeit der Zwerge erworben haben. Eines der häufigsten Motive der Zwergensagen ist das der Mißachtung ihres Lohnes: Der unscheinbare Zwergenlohn, der aus Kehricht oder aus Pferdeäpfeln besteht und den menschlichen Helfer zu verspotten scheint, verwandelt sich in Gold. Aber zu spät: Der Mensch hat längst die ihm wertlos erscheinende Gabe weggeworfen. Nur noch Reste des »Dreckslohnes« zeugen davon, welcher Reichtum dem Menschen zugedacht war.

Zunächst und am wichtigsten ist die Welt der Zwerge eine Welt im Kleinen. Durch die Relativierung der Größenverhältnisse ergibt sich eine Optik von ungewöhnlicher Schärfe und Genauigkeit, wie wenn man durchs falsche Ende eines Fernrohrs schaut, das zwar verkleinert, aber auch verdeutlicht. Ein Zwerg ist aber nicht nur einfach eine mikroskopisch verkleinerte Ausgabe des Menschen, ein Diminutiv, sondern er weicht in verschiedener Hinsicht ganz wesentlich vom Menschen ab, nicht nur in seiner Größe. Zwerge sind vielmehr Wesen, die von Anomalien und geradezu auch von Antinomien geprägt sind. Zwerge sind winzig klein, doch sie verfügen über riesige Körperkräfte. Kleinwuchs darf nicht mit Schwäche verwechselt werden, und schon die Zwerge der mittelalterlich-heroischen und höfischen Literatur sind keineswegs schwach; vielmehr können sie sich mit dem Helden im Kampf messen. Eine andere Antinomie besteht darin, daß selbst der einbeinige Zwerg (wie z.B. das schwäbische »Einfüßle«) noch schneller läuft, als ein Mensch dies vermag. So klein die Zwerge sind, sie haben dafür einen langen Bart. Sie haben die Gestalt und Größe eines Kindes, aber sie wirken steinalt, und sie tun ihr urzeitliches Alter auch in seltsamen Sprüchen kund (»Ich bin so alt wie der Böhmer Wald« etc.).

Namen von übernatürlichen Wesen sind ein wichtiger Schlüssel zu deren Verständnis, weil Namen zum Ausdruck bringen, was man von diesen Wesen annimmt, befürchtet oder erhofft, wie und wo man sie sich vorstellt. Bei der Durchmusterung der Zwergnamen fällt zunächst am meisten auf, daß der Begriff »Zwerg« gar nicht so häufig vorkommt, wie man dies erwarten sollte. Er tritt zurück hinter einer großen Zahl landschaftlich verschiedener Namen. Und noch keineswegs ist geklärt, was das Wort »Zwerg« eigentlich bedeutet. Es kommt in allen germanischen Sprachen vor, ahd. twerg, mhd. getwerc, englisch dwarf. Aber die Etymologien fallen mehr oder weniger ins Gebiet der Spekulation. So hat man Zwerg zu altnordisch draugr = Totenerscheinung, Traumgestalt, oder auch zur germanischen Wurzel »drug« = trügen gestellt. Zwerg wäre dann vor allem ein Trugbild. Das Etymologische Wörterbuch von Kluge-Goetze stellt eine Beziehung her zu mhd. zwergen = drücken, interpretiert also den Zwerg als einen Druck- oder Alpgeist. Die Bezeichnung könnte sich allerdings auch auf die Gestalt des Zwerges selbst beziehen, die dann so viel meinte wie zusammengedrückt, kurz, gestutzt, verschoben. Man hat unter anderem auch eine Anlehnung zu mhd. twern = quirlen gesucht und Zwerge als »Nebelquirler« interpretiert. Wieder andere stellten Zwerg zu kwargeln = weinen, oder auch quarxn = schwer sprechen, und zogen aus diesem Zusammenhang Schlüsse zur Wechselbalgsage. Der Name Zwerg bezeichnet zugleich auch Krankheiten, die man von Zwergen bewirkt dachte: ags. dweorg bedeutet Krämpfe, norw. dvergskot meint einen Tierseuchen verursachenden Zwergenschuß, vergleichbar dem Hexenschuß.

Ganz in den Hintergrund getreten ist die Bezeichnung Alben oder Elben, obwohl sie zu den ältesten Zwergnamen gehört. Das Zwergensynonym »Elbe«, »Alf« etc. kommt in einigen Ortsnamen vor, die etwas mit Bergbau und Metallverarbeitung zu tun haben, wie Elbrus, Albanien, Elba, Alpen. Die zahlreichen altdeutschen Eigennamen, die mit »Alb« gebildet sind, wie Alberich, Albgast, Albhart, Albwin, beweisen, daß man sich ursprünglich dabei noch nichts Böses oder Gehässiges dachte. Wer die Elben zu Freunden hatte (Albwine, Albuin), wer ihren Rat genoß (Alfred), wer sie beherrschte (Alberich), war von den

Moritz von Schwind:
Gnome an der Zehe der »Bavaria«.

47

elbischen Wesen bevorzugt. Diese Namen zeigen, daß man auf ein freundliches Verhältnis zu den Elben bedacht war und daß man ihre Hilfe begehrte. Im ganzen niederdeutschen Gebiet heißen Zwerge »Unterirdische«. Der Name deutet an, daß die Zwerge unter der Erde leben. Und dasselbe bringt auch der oberdeutsche Name »Erdmännchen«, »Erdleute« etc. zum Ausdruck. Daß der Name »Heinzelmännchen« so allgemein bekannt ist, hängt sicherlich mit der großen Wirkung des Kopisch-Gedichtes zusammen, das die »Heinzelmännchen von Köln« weltberühmt gemacht hat. Doch ist der Name weitaus älter. Auch der Name »Wichtelmännchen« gehört zu den alten Zwergnamen. Die ursprüngliche Bedeutung des Wortes »Wicht« ist: Sache, Ding. In seiner Anwendung hat der Name vielleicht euphemistische Funktion, wenn man den tabuisierten eigentlichen Namen der Zwerge umgehen wollte.

Den Zwergen wird eine Reihe besonderer Fähigkeiten und Kenntnisse nachgesagt. Ein Teil dieser Fähigkeiten bezieht sich auf Haus- und Landwirtschaft – wie Backen, Brauen, Buttern und Käsen. Zwerge gelten als die Erfinder des Bierbrauens; sie wissen um die Backgeheimnisse, und der Glaube, daß die Zwerge gute Kuchen- und Brotbäcker sind, ist in vielen Landschaften vorhanden. Beim Pflügen oder bei der Feldarbeit riecht jemand den Duft eines frischgebackenen Kuchens. Er äußert den Wunsch: »Ach hätt' ich doch jetzt einen solchen Kuchen!« Nach einer Weile findet er in einer Ackerfurche einen frischgebakkenen Kuchen als Geschenk der Zwerge. Vor allem alpine Sagen mit dem sozialen Hintergrund der Vieh- und Milchwirtschaft sprechen von der Erfindung und Vermittlung der Käseherstellung, des Lab und des Süßkäsens durch die Zwerge. Vor allem sind sie die Erfinder der Kunst, aus Gemsenmilch Käse zu machen. Daher heißen sie auch gelegentlich »Käs- oder Kasermandl« (Tirol). Und sie gewähren auch immerwährende Käsegeschenke. Zwerge dieser Art wohnen nicht in der freien Natur, im Wald oder in Grabhügeln, sondern man hat sie sich im oder unter dem Haus vorzustellen, insbesondere unter der Küche oder unter dem Stall. In einer Reihe von Fabulaten werden die Konflikte geschildert, die sich aus dem Zusammenleben von Zwergen und Menschen unter einem Dach ergeben können. Solange man den Unterirdischen keinen Schaden zufügt, geht alles gut, sonst aber rächen sie sich grausam. Schon das Ausgießen von heißem Wasser auf den Boden kann ihnen Ärger bereiten. In einer weitverbreiteten Sage wohnen die Zwerge unter einem Stall, so daß ihnen die Jauche ins Bett oder gar in die Suppe tropft. Sie bitten darum die Menschen, den Stall zu verlegen und zeigen sich für ein Entgegenkommen dankbar. Oder aber sie drohen ein Viehsterben an, wenn der Stall nicht verlegt werden sollte.

Ein anderer Teil der Zwergensagen hat etwas mit dem Montanwesen zu tun. Es sind besondere Fähigkeiten auf dem Gebiet des Bergbaus und der Schmiedekunst, die man den Zwergen nachsagt. Die Zwergenkleidung mit Schürze und Zipfelmütze ist die traditionelle ältere Tracht des Bergmanns. Zwerge gelten als Lehrer des Bergbaus, indem sie die Menschen auf den Metallreichtum ihres Gesteins aufmerksam machen. Als Unterirdische haben Zwerge auch etwas mit den im Erdinneren verborgenen Schätzen zu tun. Zwerge gelten als unermeßlich reich. Sie leben in einem solchen Überfluß an Gold, daß sie ihre Mäuse damit füttern. Sie haben Pflüge mit silbernen oder goldenen Pflugscharen. Ihre Kinder liegen in goldenen Wiegen. Sie geben aber bereitwillig etwas von ihrem Reichtum ab. Ein Zwerg leiht einem Bedrängten Geld oder Gold. Als der es wieder zurückgeben will, erfährt er, daß der Zwerg inzwischen verstorben ist. So darf der Mensch das Entliehene behalten.

Zwerge haben die Größe eines Kindes, aber sie sehen alt aus und tragen meist einen langen Bart.

Von den Zwergen als Schmiede handeln zwar nicht sehr zahlreiche Erzählungen, doch liegen gerade hier altertümliche Glaubensvorstellungen vor. In vielen frühen Kulturen wird die Kunst des Schmiedens übernatürlichen Wesen zugeschrieben. Wenn in den mittelalterlichen Quellen den Zwergen als Schmieden besondere Kunstfertigkeit zugeschrieben wurde, so bedeutet dies kulturhistorisch, daß die Erzeugung von Schmiedearbeiten zu dieser Zeit nicht jedermanns Sache war. Die Zwerge sind noch keine Schmiede im Sinne eines Handwerks, sondern das Schmieden ist eine schöpferische Tätigkeit von höchster Kunst, und vielen Zwergenerzeugnissen kommt darüber hinaus sogar noch magische Kraft zu. Vereinzelt werden noch in den Sagen des 19. und 20. Jahrhunderts altertümliche Krüge und Becher der Schmiedearbeit von Zwergen zugeschrieben, auch glückbringende Gefäße, zurückgelassene Krüge oder bestimmte Familienandenken und Erbstücke. Als Schmiede betätigen sich die Zwerge schon in den mittelalterlichen Heldensagen und in den altisländischen Heldensagas. Zwerge sind es, die die Kleinodien der Götter herstellen, aber auch ihre Waffen: Thors Hammer und Odins Speer sind handwerkliche Erzeugnisse der Zwerge. Zwerge müssen die Ketten für den gefährlichen Fenriswolf schmieden. Auch sie sind im Grunde ein Stück magischen Schmiedewerks: Je mehr der Wolf sich aus den Ketten zu befreien sucht, desto fester binden sie ihn. Jedes Schwert, das von den Zwergen stammt, hat seine besondere Eigenheit: Es ist unbesiegbar oder kann nur wieder von Zwergenwaffen besiegt werden. In Schweden bezeichnete man jedes gute Schwert als »Zwergenklinge«. Die kunstvollen Zwergenschmiede aus der Mythologie und Heldenepik haben noch ihre Entsprechungen in der neueren Volksprosa. Es sind freilich nun nicht mehr Götterkleinodien oder Heldenrüstungen, die die Zwerge der neueren Volkssage schmieden, sondern es ist Bauerngeschirr: Kessel und Pfannen, Roste oder Handwerkszeug für die bäuerliche Wirtschaft, Pflugeisen und Hackmesser. Allerdings scheint ein Rest der magischen Waffe auch noch diesen bäuerlichen Metallgerätschaften anzuhaften: Die Wunden, die damit geschnitten werden, sind unheilbar. Die Sagen von schmiedenden Zwergen unterscheiden sich von anderen Zwergensagen. Die Zwergenschmiede kommen nie in die Behausungen der Menschen. Sie erscheinen auch nicht als Volk wie die anderen Zwerge. Zwerge schmieden auf Bestellung der Menschen. Man bringt ihnen Werkzeuge zur Ausbesserung vor ihre Höhle und legt das Rohmaterial hinzu. Tags darauf kann man die fertige Arbeit abholen. Gelegentlich hört man die Zwerge im Berginnern schmieden, hämmern und pochen.

Der Zwergenkönig Laurin.

Eine der berühmtesten den Zwergen zugeschriebene Schmiedearbeit ist das sogenannte Oldenburger Horn, ein wirklich existierendes Trinkhorn, eine spätmittelalterliche, kunstvolle Silberschmiedearbeit. Das Oldenburger Horn ist auch von L. E. Grimm gezeichnet worden, eine berühmte Zeichnung, die als Titelvignette den II. Band der Ausgabe von »Des Knaben Wunderhorn« ziert. Die Erzählung vom Oldenburger Horn gehört zu dem in Norddeutschland und in Skandinavien (Lyngby-Horn) weitverbreiteten Erzähltyp vom Raub des Zwergentrinkhorns: Zwerge reichen einem an ihrem Hügel Vorbeikommenden einen Trunk. Der flüchtet mit dem Trinkhorn und wird von den Zwergen verfolgt. Nur mit Mühe entrinnt er seinen Verfolgern. Das Trinkhorn wird zum berühmten Erbstück. Auch die Kirche zu Jordkirch erhielt auf dieselbe Weise ihren Altarbecher. Aber da man ihn nicht allein in der Kirche, sondern auch bei Krankenkommunionen gebrauchte, zeigte sich, daß der Becher eine wunderbare heilsame Kraft habe. Die meisten Kranken, die daraus tranken, genasen. Es war auch Brauch, daß er bei Hochzeiten ausgeliehen und den Neuver-

Das nach der Sage von Zwergen geschmiedete
Oldenburger Horn.

mählten vorgesetzt wurde; denn man glaubte, daß der Segen und das Eheglück dadurch besonders gefördert werde. In allen Fällen sind diese den Zwergen abgenommenen Schmiedearbeiten real und vorzeigbare Erinnerungs- und Beweisstücke, verbürgte »Wahrzeichen« eines sagenhaften Vorgangs.

Wie keine andere Gruppe übernatürlicher Wesen sind die Zwerge mit den Komplexen Fleiß und Arbeit verbunden. Schon als Schmiede sind die Zwerge Prototypen des Arbeiters. Aber das gilt für jede Zwergenhilfe. Sie ist vorzugsweise eine Hilfe bei der Arbeit: Zwerge arbeiten das auf, was die Menschen den Tag über nicht geschafft haben. Am deutlichsten treten diese Wunschvorstellungen zutage in der Überlieferung von den Kölner Heinzelmännchen.

> »Denn, war man faul – man legte sich
> hin auf die Bank und pflegte sich:
> Da kamen bei Nacht,
> ehe man's gedacht,
> die Männlein und schwärmten
> und klappten und lärmten
> und rupften
> und zupften
> und hüpften und trabten
> und putzten und schabten…
> Und eh' ein Faulpelz noch erwacht…
> war all sein Tagwerk … bereits gemacht.«

Diese Beziehung zur Arbeit zeigen sogar noch die Massenerzeugnisse der Gartenzwerge, die vorzugsweise bei der Gartenarbeit gezeigt werden. Mit Spaten oder Schubkarre erwekken sie zumindest den Eindruck, als ob der Gartenbesitzer sich der Hilfe der Zwerge erfreute, oder wie es in einem Gedicht von Maria Therese Weinert heißt:

> »Wo die Gartenzwerge stehn,
> hast Du nichts zu warten.
> Menschen, die vorübergehn,
> sagen im Hinübersehn:
> ›Welch ein schöner Garten!‹«

Gartenzwerge gelten als »typisch deutsch«, und sie sind – ebenso wie der Zwerg selbst – eine Dominanzfigur der deutschen Folklore. Die Vorliebe der Deutschen für die Zwerge hat vermutlich etwas mit ihrer Einstellung zur Arbeit und ihrem Arbeitsethos zu tun. Schließlich wirkt auch die Witzblattfigur des »Deutschen Michel« mit seiner Zipfelmütze selbst wie ein Gartenzwerg.

Zwerge haben nicht nur Kulturbringer-Funktionen als Erfinder der Käsezubereitung, des Backens und Bierbrauens, der Schmiede- und Bergbaukunst und schließlich des Gartenbaus. Zwerge wissen überhaupt mehr als die Menschen. Sie können die Zukunft weissagen. Vor allem gelten sie als Wetterpropheten. Sie stellen durch fröhliches oder trauriges Benehmen eine gute oder magere Ernte in Aussicht, einen guten oder schlechten Herbst.

Zwerge kennen die Geheimnisse der Heilkräuter – noch in der zeitgenössischen Pharma-Werbung.

Ganz besonders aber wissen die Zwerge Bescheid über die geheimen Eigenschaften der Pflanzen, besonders der heilkräftigen Kräuter und Arzneien. Sie lehren die Menschen die Pflanzenheilkunde, die Kräutermedizin. Sie kennen die Mittel gegen die Pest und verraten sie den Menschen.

Es bleibt schwierig, die verschiedenen Gebiete, auf denen die Zwerge mehr als menschliches Wissen zeigen, in eine kulturhistorische Abfolge zu bringen. Vielleicht fallen diese Wissensgebiete auch nur nach unserem heutigen Denken in so getrennte Sparten. Einst waren sicher Schmieden und Heilkunst in einer Hand vereint.

Man kann natürlich auch ganz allgemeine anthropologische Modelle daraus ablesen. Denn ganz generell traut man – nach dem David-Goliath-Prinzip – dem Kleinen und körperlich Schwachen größere Intelligenz zu als dem Großen. So wie umgekehrt die Riesen oft als dumm gelten und ihr Intelligenzquotient sich umgekehrt proportional zu ihrer Körpergröße erweist, so gelten andererseits die Zwerge als listig und weise. Sozusagen als Ausgleich für die fehlende körperliche Größe verfügen Zwerge über erstaunliche Geisteskräfte. Die besondere Weisheit der Zwerge hat eine lange Tradition und läßt sich schon durch mittelalterliche Parallelen nachweisen. Prototyp des wissenden und prophetischen Zwergs ist der Zwerg Alwis aus der altnordischen Edda. Sein Name bedeutet geradezu der »Allwissende«. Im Wissenswettkampf unterliegt er nur der noch größeren List eines Gottes.

Des öfteren ist in den Sagen von der Hochzeit der Zwerge die Rede. Ein Mensch wird als Zuschauer Zeuge eines solchen Festes. Am schönsten ist das in Goethes Ballade »Hochzeitslied« nachzulesen, die einer Sage der Brüder Grimm nacherzählt ist: Zwerge bitten um Abhaltung ihrer Hochzeit in den Räumen eines Schlosses und erhalten dazu die Erlaubnis. Immer geht es dabei um die Analogie zwischen dem Geschehen auf der Zwergenebene und dem menschlichen Erleben:

> »Denn was er, so artig, im Kleinen gesehn,
> Erfuhr er, genoß er im Großen.«

Zwergensagen eröffnen hier einen weiteren überraschenden Sinnbezug, der im weitesten Sinne zum Komplex Sexualität gehört: Zwerge haben etwas zu tun mit Frauen, mit Fortpflanzung, Schwangerschaft und Kindersegen. Ikonographisch sind Zwerge kleine Männer, und sie repräsentieren eine männliche Gesellschaft, in der das weibliche Element so gut wie ausgeklammert ist. Es scheint keine Zwergenfrauen zu geben, oder zumindest lassen diese sich nicht blicken – auch nicht bei den Gartenzwergen. Dennoch ist in der Grimmschen Sagensammlung kein Motiv so häufig vertreten wie das vom Hebammendienst bei den Unterirdischen: Ein Mädchen oder eine Frau wird zu den Zwergen als »Gevatterin« geholt und dafür belohnt. Die unterirdische Welt ist offenkundig alt und steril: Immer benötigen die Unterirdischen eine menschliche Hebamme, wenn bei den Zwergen entbunden werden soll. Auch eine gestohlene, entführte Schwangere kann dort unten nicht entbinden, wenn ihr nicht eine oberirdische Frau zu Hilfe kommt. Frauenraub, Liebschaften und Heiratslisten von Zwergen sind häufige Motive schon der mittelalterlichen Heldenepik. Der menschliche Held zieht aus, um eine von Zwergen geraubte adelige Dame aus der Gewalt der Unterirdischen zu befreien. Das gleiche berichten auch noch neuzeitliche Volkssagen. Frauen, insbesondere Wöchnerinnen, werden von Zwergen geraubt und müssen Zwergenkinder stillen bis zur totalen Deformation ihrer Brüste. Die wohlbekannte Rumpelstilzchen-

Geschichte wird oft auch so erzählt, daß ein Zwerg einem Mädchen bei seiner Spinnarbeit gegen ein Eheversprechen hilft, wenn sie seinen Namen nicht errate. Zwerge hören nicht gerne ihren wirklichen Namen:

> »Ach wie gut, daß niemand weiß,
> daß ich Rumpelstilzchen heiß.«

Im englischen Märchen singt der Zwerg die Verse:

> »Nimmy, nimmy not,
> My name ist Tom Tit Tot.«

Und so haben Zwerge dieses Erzähltyps in jeder neuen Variante wieder andere Namen. Es sind keine menschlichen Namen, die man sich darum auch nur schwer merken kann: Ekke-Nekke-Penn, Purzinigele, Friemel Frumpenstiel, Springhunderl, Hahnenkikerle, Winterkölbl etc. Sigmund Freud – und andere Psychoanalytiker seiner Schule sind ihm hierin gefolgt – sah im Zwerg ein Phallussymbol, in den merkwürdigen Zwergennamen euphemistische Übernamen für das männliche Glied. Auch die »Zipfel«-Mütze des Gartenzwergs hat immer wieder zu entsprechenden Assoziationen verlockt, besonders wenn sie steif und frech nach oben »steht« und damit männliche Penetrationsabsichten symbolisiert. Jedenfalls dürfen auch Gartenzwerge keine schlappen Zipfelmützen tragen. Diese gehören eher zur Ikonographie des Schneewittchen-Märchens. Hier erscheinen die sieben Zwerge alt, traurig und steril. Sie gewähren Schneewittchen Unterkunft, lassen sie kochen und putzen, aber sonst tut sich nichts. Dazu bedarf es des Prinzen. Die Psychoanalytikerin und Märchendeuterin Marie-Louise von Franz bezeichnet den Zwerg als den »animus der Heldin« und konstatiert, Zwerge träten häufiger in Träumen von Frauen als von Männern auf. Zwerge brauchen jedenfalls Frauen, und Zwerge brauchen Kinder, und wenn sie sie rauben müssen. Dies ist der Inhalt der Wechselbalgsagen. Schon Rumpelstilzchen im Grimmschen Märchen hat es auf das Kind der Königin abgesehen (»übermorgen hol ich der Königin ihr Kind«). Und auch andere Zwerge haben einen unwiderstehlichen Drang, menschliche Babys zu stehlen, um deren Eltern statt ihrer gesunden Kinder Wechselbälge in die Wiegen zu legen. Nun wird Kindesraub in der europäischen Folklore unterschiedlichen dämonischen Figuren zugeschrieben: dem Wassermann, den Feen, den Trollen, insbesondere natürlich dem Teufel. In der deutschsprachigen Folklore Mitteleuropas sind Wechselbälge in den meisten Fällen Zwergenkinder. Man hat gesagt, die Unterirdischen müßten Menschenkinder stehlen, »um ihr Geschlecht zu erneuern«. Doch das ist viel zu »eugenisch« gedacht. Man sollte den Kindertausch gar nicht so sehr aus der Perspektive der Zwerge sehen, als vielmehr von den Krankheitsvorstellungen einer vorrationalen Gesellschaft her. Die Kennzeichen mißgebildeter Kinder (bei ganz unterschiedlichen Krankheitsphänomenen) stimmen fast wörtlich mit der Beschreibung von Wechselbälgen überein. In ihrer abstoßenden Häßlichkeit, mit ihrem Buckel, ihrem Wasserkopf und den spindeldürren Füßen sind Zwergenkinder Abbilder einer menschlichen Mißgeburt: Ein Wechselbalg ist mißgestaltet und verwachsen, er hat zuweilen Nägel wie Krallen; er ist kleiner als ein Mensch im entsprechenden Alter. Sein häßlicher Rumpf ist dick und plump; er hat unproportionierte Gliedmaßen, klumpige Hände, das Fleisch ist weich und schwammig. Der

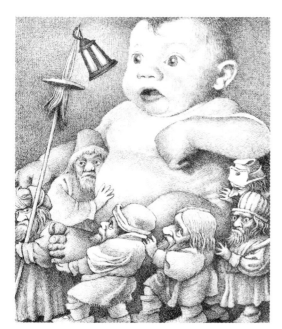

Zwerge rauben ein menschliches Baby und legen an dessen Stelle einen häßlichen Wechselbalg in die Wiege. Zeichnung von Maurice Sendak.

Schädel des Wechselbalgs ist groß und unförmig; die faltige Gesichtshaut läßt ihn als altes Wesen erscheinen. Hinzu kommen blöde, starre Augen, große Ohren und ein kropfiger Hals. Ein Wechselbalg ißt und trinkt ungeheuer viel, manchmal so viel wie ein paar Erwachsene zusammen; doch ist er unersättlich. Wenn er allein ist oder sich unbeobachtet glaubt, stiehlt er sich noch Essen. Die Milch einer einzigen Frau genügt ihm nicht; er saugt vier bis fünf Frauen völlig aus. Aber obgleich er soviel ißt, wächst und gedeiht der Wechselbalg nicht. Er bleibt so klein wie zu Anfang, nur der Kopf und die Extremitäten wachsen zu abnormaler Größe. Im Ganzen bleibt er immer schwach, kränklich, »verzwergelt«, »verhutzelt«. Er lernt nie stehen, gehen und sprechen. Die Fehlentwicklung wird oft nicht sofort nach der Geburt entdeckt. Das scheinbar gesund geborene Kind kann einen Defekt haben, der zunächst gar nicht ins Auge fällt. Erst allmählich merken die Eltern, daß ihr Kind nicht normal ist. Sie suchen die Schuld bei einem Dritten: Das kann nicht ihr Kind sein, es muß ausgetauscht worden sein: Es ist ein Wechselbalg! Die Möglichkeit, einen Wechselbalg großzuziehen, ist jahrhundertelang eine Volksglaubensrealität gewesen, so daß zum Beispiel das Sachsenspiegelrecht die Frage der Erbfolge von Wechselbalgkindern ernsthaft stellt und verneint: An Wechselbalg und Zwerg kann kein Erbe fallen, noch an Krüppelkinder. Wer deren Erben sind und nächsten Verwandten, die sollen sie halten in ihrer Pflege. Die Sagen bleiben indessen nicht bei der Beschreibung des Wechselbalgs stehen, sondern belehren die Eltern, wie sie die Zwerge zwingen können, den Tausch rückgängig zu machen und statt des Wechselbalgs das gesunde Menschenkind zurückzubringen. Zwei Methoden sind vorherrschend: Ein von den Zwergen gebrachter Wechselbalg wird zum Sprechen gebracht, wodurch er sich verrät. Dadurch, daß man etwas ganz Ungewöhnliches tut, wie etwa Bier in Eierschalen braut, Schuhsohlen weichkocht, die Ziege in einen Pfeifenkopf melkt, in einer Tabaksdose buttert etc., erstaunt man den Wechselbalg, und er sagt

> »Ich bin so alt wie der Böhmerwald,
> Doch das seh ich zum ersten Mal,
> daß man Bier braut in Eierschal.«

oder Analoges. Mit einem solchen Verwunderungsvers gibt sich der Wechselbalg, der bis dahin nicht gesprochen hat, als ein Wesen der jenseitigen Welt zu erkennen und verläßt seine Pflegeeltern. Eine zweite Praktik ist sozusagen eine flankierende Maßnahme: Der Wechselbalg wird so fürchterlich geschlagen, daß seine leiblichen Zwergeneltern Mitleid haben und den Kindertausch rückgängig machen. Nach anderen Sagen wird der Wechselbalg in den heißen Backofen geschoben, was dieselbe Wirkung hat: Das geraubte Kind wird zurückgebracht, denn auch im Zwergenreich läßt Mutterliebe es nicht zu, daß dem eigenen Kind ein Leid geschieht. Noch wichtiger ist es aber, daß es erst gar nicht zum Kindesraub kommt. Und man kann dem vorbeugen, wenn das Neugeborene alsbald die Taufe empfängt, denn vorzugsweise ist das ungetaufte Kind in Gefahr, vertauscht zu werden.

Es gibt eine meist fabulatartig ausgesponnene Zwergenerzählung, die einen weiteren Hinweis darauf gibt, daß Zwerge noch einer vorchristlich-heidnischen Welt zugehören. Es ist die Geschichte von den »Geschenken des kleinen Volkes« – wie sie bei den Brüdern Grimm heißt – oder von dem Buckligen und dem Wochentagslied der Zwerge.

Daß die Zwerge sozusagen über die Verlängerung ihrer Arbeitswoche erfreut sind, aber über die Bereicherung ihres Wochentagsliedes durch Samstag und Sonntag äußerst verärgert reagieren, deutet darauf hin, daß sie einer außer- und vorchristlichen Zivilisationsstufe zugehören.

Es gibt schließlich eine Reihe von Motiven, die die Zwerge in die Nähe des Totenglaubens stellen: Die Wohnstätte der Zwerge sind des öfteren die heidnischen Grabhügel der Vorzeit. Grabfunde, Schmiede- wie Töpferarbeiten werden nicht selten den Unterirdischen zugeschrieben. Zwergennamen wie »Aulken«, »Ölken«, »Olkers« bezeichnen auch die Alten und Voreltern. Gemeinsam mit den Toten ist ihr unterirdischer Aufenthalt; und natürlich könnte auch einiges im äußeren Anblick der Zwerge an Tote erinnern: ihre Nacktheit, ihr altes runzliges Aussehen, ihre faltige Haut. Das Gesicht der Zwerge hat eine Totenfarbe; es ist blaß, blaßgelb, schneeweiß, grau, aschfarbig, erdfarben, erdfahl, schwarzbraun oder kohlrabenschwarz. Zwerge scheuen das Licht, sie sind Nacht- und Unterweltswesen. Auch die sogenannte »Todesbotschaftssage« ist häufig mit Zwergen verbunden: Eine geheimnisvolle Stimme meldet einem bei den Menschen weilenden Zwerg den Tod eines Mitglieds aus dem Zwergenreich, zum Beispiel mit den Worten: »Petermännlein ist tot!« Unter Weinen verschwindet darauf das Zwerglein. Und keinem anderen übernatürlichen Wesen sonst wird erzählt, daß es auch sterblich ist und um seine Angehörigen trauert.

In den Überfahrtssagen, in denen die Zwerge über ein Wasser übersetzen, verbinden sich weiterhin Zwergen- und Totensagen: Ein Fährmann setzt die ausziehenden Zwerge über, von denen nur der Anführer sichtbar ist. Das Schiff wird immer schwerer, obwohl kein Fahrgast zu sehen ist. Nach der Überfahrt wirft jeder Zwerg ein kleines Geldstück in den Hut des Fährmanns, und nur an der Menge des Geldes kann der Fährmann erkennen, daß er das ganze Zwergenvolk übergesetzt hat: Tausende von kleinen Leuten. Die Sage ist schon seit dem 6. Jahrhundert (bei Prokop von Caesarea in seiner Geschichte der Goten)

Eine Überfahrt der Zwerge. Zeichnung von Franz M. Jansen (ca. 1926).

bezeugt, und in diesem Erstbeleg handelt die Erzählung von einer Überfahrt der Verstorbenen.

Die Motivik der Zwergenüberfahrt begründet in den Sagen, warum es heutzutage keine Zwerge mehr gibt: Sie haben die Menschen verlassen, und dies aus sehr unterschiedlichen Gründen. Die Zwerge sind ausgezogen, die Menschen haben sie vertrieben. Sie scheuen das Christentum, oder sie ziehen aus, weil sie das Glockenläuten nicht vertragen. Zwerge sind ausgestorben, heißt es in anderen Berichten. Der Mensch hat sie vertrieben, um sie loszusein, er hat sie durch Abführmittel (wie Kümmel, Salz, Petersilie u. a.) vertrieben, auch durch die bannende Kraft des Kreuzes. Es heißt auch, die Zwerge seien von sich aus verschwunden, umgezogen an einen unerreichbaren Ort. Menschen haben die Zwerge verärgert, haben sie belauscht, verhöhnt, nachgeäfft. Der Mensch hat Pochwerke errichtet, Eisenhämmer und Eisenbahnen gebaut, die die lärmempfindlichen Zwergenohren störten. Die Industrialisierung oder auch die zunehmende Lasterhaftigkeit der Welt haben die Zwerge vertrieben. Solche »Endmotive«, wie man sie nennen könnte, haben die Aufgabe, die gefährdete Wirklichkeit der Sage zu retten. Jedenfalls wird durch solche Endmotive die Sage zeitlich bestimmt, sie wird in die Vergangenheit gebannt und damit nachprüfbar gemacht. Der zum Wunderbaren neigende Mensch glaubt eher an die Wirklichkeit der Vergangenheit als an die der Gegenwart. Durch das Nicht-mehr-Vorhandensein der Zwerge kann ihre Wirklichkeit auch nicht mehr in Frage gestellt werden. Der Dumme ist der Mensch, der fortan auf die Hilfe der Zwerge verzichten muß, wie es schon Kopischs Heinzelmännchengedicht beschreibt:

>>O weh! nun sind sie alle fort,
und keines ist mehr hier am Ort!
Man kann nicht mehr wie sonsten ruhn,
man muß nun alles selber tun!
Ein jeder muß fein
selbst fleißig sein
und kratzen und schaben
und rennen und traben
und schniegeln
und biegeln
und klopfen und hacken
und kochen und backen.
Ach, daß es noch wie damals wär'!
Doch kommt die schöne Zeit nicht wieder her!<<

Lutz Röhrich

Pygmäen in Afrika

Im Rahmen dieses Kataloges soll anhand von Bildmaterial das Phänomen des Kleinwuchses nicht nur medizinisch, sondern auch im Hinblick auf die soziale und ökonomische Stellung der Menschen, die von dieser Krankheit betroffen sind, beschrieben werden. Da sich darunter auch einige künstlerische Darstellungen aus Afrika (Benin) befinden, sollte von seiten der Ethnologie versucht werden, dies für Afrika zu beschreiben. Aufgrund der fehlenden Quellen über »Zwergwüchsige« in Afrika ist dies jedoch nicht möglich. Bekannt ist nur, daß viele Ethnien im Falle einer Behinderung Kindstötung praktizierten. Das Vorhandensein von zwei bekannten Bronzedarstellungen Kleinwüchsiger aus Benin (Kat. Nr. 3, 4) läßt die Vermutung zu, daß es sich hierbei um ein seltenes, besonderes Phänomen handelte, das dem Künstler wert war, es festzuhalten.

Weitere Aussagen lassen sich hierzu nicht machen, und auch eine Beschreibung der sozialen und ökonomischen Lebensumstände dieser Menschen ist aus den obengenannten Gründen nicht möglich. Daher haben wir uns entschlossen, über eine andere Gruppe von nicht-kranken Kleinwüchsigen, die sogenannten Pygmäen, zu schreiben. Hierbei handelt es sich um verschiedene ethnische Gruppen, deren Größe bei den Männern mit höchstens 1,50 Meter angegeben wird.

Der Begriff »Pygmäen« ist ein aus dem Griechischen abgeleitetes Wort und »kennzeichnet sie als extrem kleinwüchsige Menschenform« (Fleischhacker 1975, S. 123).

Bereits in der Antike berichteten Schriftsteller wie Homer, Herodot, und andere in Geschichten und Berichten über die Existenz kleiner Menschen in Afrika. »Als ziemlich sicher kann (…) auch angenommen werden, daß in Ägypten das Vorkommen von zwergenhaften Völkern im Innern Afrikas bekannt war.« (Immenroth 1933, S. 3).

In einigen Sagen und Legenden verschiedener afrikanischer Völker wurde die Existenz einer kleinwüchsigen Urbevölkerung, die als Jäger und Sammler in den großen Wäldern in den Küstengebieten Westafrikas gelebt haben sollen, tradiert (vgl. dazu Immenroth 1933, S. 44-45). Es ergibt daraus sich die Möglichkeit, daß hier »noch vor einigen Jahrhunderten Pygmäen gelebt haben können« (Immenroth 1933, S. 7). Dies ist jedoch Spekulation.

»Koloniales Anschauungsmaterial«.

Das eigentliche Verbreitungsgebiet von Pygmäengruppen findet sich im äquatorialen Afrika.

Traditionell führen die Pygmäen eine seminomadische Lebensweise, die auf ihre Wirtschaftsform des Jagens und Sammelns zurückzuführen ist. Generell läßt sich sagen, daß eine geschlechtliche Arbeitsteilung vorlag, wonach die Frauen hauptsächlich für das Sammeln der pflanzlichen Nahrung, den Hausbau etc. zuständig waren. Die Männer jagten Wild und beschafften Honig. Es gibt aber auch Tätigkeiten, die gemeinsam ausgeübt wurden, so beteiligen sich die Frauen bei der Netzjagd, die in Teilen des Ituri-Gebietes angewandt wird.

Bambuti bei der Netzjagd.

Die Gesellschaft der Pygmäen wird gemeinhin als egalitär bezeichnet, da sie keine politischen Oberhäupter kannte und das Verhältnis der Geschlechter trotz Arbeitsteilung kooperativ ist (vgl. Seitz 1977, S. 135). Im Zuge der Zerstörung des Regenwaldes in vielen Gebieten Afrikas ist die Existenzsicherung durch eine reine Jäger- und Sammlerwirtschaft gefährdet. So sind heute viele Pygmäen gezwungen, auch Feldbau zu betreiben oder alternative Möglichkeiten zur Sicherung der Existenz, wie Tauschhandel oder handwerkliche Tätigkeiten, aufzunehmen. Nach Seitz hat die Hinwendung zum Anbau »einen Wandel des gesamten Kulturgefüges zur Folge« (Seitz, S. 4), da hiermit unter anderem eine Seßhaftwerdung der Pygmäen einhergeht.

Im folgenden werden zwei Beispiele angeführt, anhand derer die Beziehungen verschiedener Pygmäengruppen zu ihren jeweiligen Nachbarn verdeutlicht werden sollen. Im ersten Beispiel handelt es sich um die interethnischen Beziehungen der Twa (Pygmäen) zu den normalwüchsigen Tutsi beziehungsweise Hutu und ihre Einbindung in das wirtschaftliche, politische und soziale Gefüge des vorkolonialen Königreiches. Das zweite Beispiel bezieht sich auf die Beziehungen der Bambuti (Pygmäen) zu ihren Bodenbau betreibenden Tauschpartnern (Bantu) im Ituriwald in Zaire.

Hierbei handelt es sich um eine verkürzte, skizzenhafte Darstellung, in der unter anderem dem Individuum und seinen möglicherweise andersgearteten persönlichen Beziehungen keine Beachtung geschenkt werden kann.

VERHÄLTNIS DER TWA (PYGMÄEN) ZU DEN HUTU UND DEN TUTSI IN RUANDA

Die folgenden Ausführungen beziehen sich auf die Zeit um die Jahrhundertwende und beschreiben die Verhältnisse und Beziehungen im frühen Königreich der Tutsi. Falls nicht anders vermerkt, beziehen sich die Ausführungen weitgehend auf Seitz (1970) und seine Bearbeitung früherer Werke und Berichte zu diesem Thema.

Die Bevölkerung Ruandas setzte sich aus drei Ethnien zusammen, die anthropologisch und aufgrund der von ihnen ausgeübten Wirtschaftsform und ihrer sozialen Stellung voneinander abgegrenzt waren (1970, S. 23). Als erste wäre die herrschende Ethnie der Tutsi zu nennen, die Viehzüchter sind und als letzte Gruppe in ihr heutiges Siedlungsgebiet eingewandert sein dürften (Bevölkerungsanteil ca. 15%). Sie stellen den König (Mwami) und den größten Teil der hohen Würdenträger in Administration, Armee und am Hofe (Berger 1984, S. 21). Die zweite Gruppe sind die Bodenbau betreibenden Hutu (Bevölkerungsanteil ca. 84%). Sie stehen zu den Tutsi in einem Viehlehnsverhältnis und waren so in einem Klientelsystem an diese gebunden. Hiervon waren die Twa, die die letzte Gruppe bilden, ausgeschlossen. Die Twa, die »Urbevölkerung« mit einem Bevölkerungsanteil von circa 1 Prozent, lassen sich aufgrund räumlicher und wirtschaftlicher Gesichtspunkte in zwei Gruppen differenzieren:

1. »Mpunyu«, Jäger und Sammler in den letzten verbliebenen Wäldern. Von ihnen mußten die Hutu-Bauern die Rechte zur Rodung eines neuen Waldstückes, gegen die Zahlung einer Abfindung, einholen, da die Mpunyu sich als die ersten und damit rechtmäßigen Herren über den Wald betrachteten (1970, S. 57). Weitere Forderungen von Gegenleistungen erfolgten für die Nutzung des Waldes und seiner Produkte sowie für die Durchquerung des Waldes (1970, S. 58). Diese waren vom Mwami den Mpunyu zugestandene Rechte, die auch von den Hutu anerkannt wurden (1970, S. 59). Da eine Existenzsicherung durch »Waldprodukte« allein nicht mehr möglich war, erfolgte auch Tauschhandel mit den Hutu-Bauern, um einen Ausgleich für die fehlende Nahrung durch Produkte aus dem Anbau zu schaffen (1970, S. 62).

Die große Zahl der Austauschgüter läßt auf einen regen Handel und enge Kontakte zu den Bodenbauern schließen (1970, S. 63). Das Verhältnis Mpunyu-Hutu ist zwar von einer gewissen wirtschaftlichen, nicht jedoch auch von einer politischen Abhängigkeit gekennzeichnet (1970, S. 67). Der Mwami sprach, wie oben erwähnt, den Mpunyu das Recht auf Nutzung des Waldes zu (ein Recht, das sie natürlich schon vorher besaßen). Hierfür leisteten sie Abgaben in Form von Fellen und Elfenbein und waren, wie alle anderen auch, zum

Kriegsdienst verpflichtet (1970, S. 67). »Diese politisch-rechtlichen Beziehungen, die bei gegenseitiger Anerkennung kaum die Unabhängigkeit der Mpunyu einschränkten, ließen Freundschaft und Solidarität zu den Tutsi entstehen« (1970, S. 68).

2. »Töpfer-Twa«, leben seßhaft in der offenen Landschaft zusammen mit Hutu und Tutsi. Wegen des Waldschwundes übersiedelten sie in das offene Land und übernahmen das Töpferhandwerk (1970, S. 68). Die Töpfer-Twa stellten hauptsächlich Tonwaren zum täglichen Gebrauch für die Hutu und Tongefäße zur besonderen Verwendung, insbesondere am Hofe, für die Tutsi her (1970, S. 102).

Im gesamtgesellschaftlichen Kontext ist das Verhältnis der Hutu und Tutsi gegenüber den Twa ambivalent. Wirtschaftlich sind die Twa von den Hutu abhängig, da diese die Hauptabnehmer ihrer Produkte waren. Durch die Monopolstellung der Twa im Töpferhandwerk waren sie allerdings ökonomisch unentbehrlich (1970, S. 188), die Hutu waren auf ihre Produkte angewiesen. Die Twa standen in keinem persönlichen Abhängigkeitsverhältnis, weder zu den Tutsi noch zu den Hutu (im Gegensatz zu dem Lehnsverhältnis, in dem die Hutu zu den Tutsi standen). Rechtlich hatten die Twa sogar eine bevorzugte Sonderstellung in vielen Bereichen inne (1970, S. 166). Auch waren sie in das Verwaltungssystem einbezogen, besaßen als Beamte die gleiche Autorität und mußten von allen genauso respektvoll behandelt werden wie ein Hutu oder Tutsi in gleicher Stellung (1970, S. 167 bis 168). Sozial waren sie jedoch eine geächtete Gruppe, und sowohl Hutu als auch Tutsi waren durch Meidungsgebote und Verhaltensvorschriften deutlich von den Twa getrennt. Zur Abgrenzung voneinander galt für alle drei Ethnien eine generelle Endogamievorschrift (Heirat nur innerhalb der eigenen Ethnie; 1970, S. 23).

»Zwar wurden Heiraten zwischen Tutsi und Hutu geduldet, jedoch wurden sie weder gern gesehen, noch fanden solche Mischehen häufig statt« (Seitz 1970, S. 23). Gegenüber den Twa wurde die Endogamieregel streng eingehalten (1970, S. 23). Eine Ehe war nur mit einem Twa möglich, der vom Mwami für besondere Verdienste geadelt und damit in den Stand eines Tutsi erhoben worden war. Dadurch wurde ihm das soziale Ansehen eines Tutsi zuteil, und fortan galten für ihn dessen soziale Verhaltensweisen, die er zu übernehmen hatte (1970, S. 231).

Die Endogamieregel läßt sich unter anderem auf Speiseverbote zurückführen, die von Hutu und Tutsi, nicht aber von den Twa eingehalten werden. Als ein Beispiel sei hier das Schaf angeführt. Es ist Haruspizientier (Wahrsagetier) der Tutsi und als Opfertier für die Ahnen von Bedeutung (1970, S. 145). Da die Twa dieses Tier mit religiösem Bezug nicht meiden, gelten sie als unrein. Kein Hutu oder Tutsi würde oder darf mit ihnen aus ein und demselben Gefäß essen oder trinken (Berger 1984, S. 21), auch körperliche Berührungen werden vermieden (1970, S. 145), und die Töpferwaren müssen als »rein« gekennzeichnet sein, indem die Asche nach dem Brennen nicht entfernt wird (1970, S. 180). »Die gesellschaftliche Zurücksetzung der Twa wurde also gerade auch dadurch verursacht, weil sie die von Tutsi und Hutu aufgestellten Speiseverbote nicht anerkannten, besonders aber, weil sie das Fleisch solcher Tiere verzehrten, die als Opfertiere oder als vom Blitz erschlagene einen religiösen Bezug hatten« (Seitz 1970, S. 176).

So ist nach Seitz auch die soziale Stratigraphie aus einer Überschichtung durch nacheinander eintreffende Ethnien heraus zu verstehen, wobei die Twa als älteste ortsansässige Ethnie an das Ende der sozialen Skala gerieten (1970, S. 189-191). Das ambivalente Verhältnis wird besonders deutlich, betrachtet man die Stellung der Twa im Sakralen Königtum. Im Gegensatz zu einer aus der Kenntnis ihrer sozialen Ächtung denkbaren Ausgrenzung, führten ihre Funktionen im Sakralen Königtum zu einer engen Verbindung mit dem Mwami. Sie werden als seine engen Vertrauten und Diener charakterisiert.

Die politische Mitwirkung der Twa erfolgt hauptsächlich in der Exekutive: Sie hatten das Scharfrichteramt inne, waren für das Entzünden des Heiligen Feuers verantwortlich, wirkten bei der Inthronisierung und bei Fruchtbarkeitsriten mit und übermittelten Nachrichten. Am Hofe waren sie außerdem als Unterhaltungskünstler sehr geschätzt (Orchester, Tanz, Barden, Hofnarren). Sie waren die einzigen, die, ähnlich wie die Hofnarren im europäischen Mittelalter, Schimpfreden auch gegen den Mwami führen durften, ohne mit der Todesstrafe bedroht zu werden. Hieran wird deutlich, wie ambivalent die Stellung der Twa in der Gesamtkultur Ruandas war. »Einerseits geächtet unter Hutu und Tutsi, andererseits hochgeachtet im Sakralen Königtum« (Seitz 1970, S. 241).

Politische Veränderungen in Ruanda führten zur Entmachtung der Tutsi durch die Hutu. Über das Leben der Twa nach diesen Veränderungen können keine Aussagen getroffen werden, da hierzu keine Informationen vorliegen.

VERHÄLTNIS BAMBUTI (PYGMÄEN) ZU KLEINBAUERN IN ZAÏRE

Die Bambuti leben im nordöstlichen äquatorialen Regenwald, dem Ituri-Gebiet, der heutigen Republik Zaire. Ihre traditionelle Wirtschaft basiert auf Jagen und Sammeln von tierischen und pflanzlichen »Waldprodukten«. Die seminomadisierende Lebensweise jeder Gruppe innerhalb eines weiten Reviers ist durch ökologische Gegebenheiten bedingt. Neue Nahrungsquellen müssen ausfindig gemacht werden, wenn die pflanzliche und tierische Kost in der Nähe eines Lagerplatzes erschöpft ist (Schebesta 1975, S. 778). In der Wahl eines neuen Gebietes orientiert man sich an den Wildwanderbewegungen oder der saisonalen Honigernte (Heilmeier 1990, S. 38).

Nach Baileys und Peacock (1988) lassen sich die Bambuti in vier Ethnien unterteilen, welche jeweils bestimmten Gruppen von Kleinbauern als Tauschpartner zugeordnet werden können:
1. Efe: im Nordosten des Ituri-Waldes, deren Nachbarn die sudansprachige Mamvu- und Balese-Bauern sind.
2. Mbuti: Sie leben im zentralen und südlichen Gebiet des Waldes und haben ein symbiotisches Verhältnis zu den bantusprachigen Babila-Bauern.
3. Sua: am Westrand des Waldes, sie stehen im Kontakt mit den Babudo-Bauern.
4. Aka: im Nordosten, mit Kontakt zu den benachbarten Mangbetu.
(zitiert nach Heilmeier 1990, S. 26)

Nach Schätzungen gibt es circa 20000 bis 40000 Bambuti. Als allgemein akzeptierte Tatsache gilt, daß sie die Erstbewohner des Regenwaldes sind und ihre »großwüchsigen« Nachbarn später in die Waldgebiete einwanderten (Seitz 1970, S. 203). Die Bambuti leben kulturell und wirtschaftlich in einer engen Verbindung mit dem Wald. Gegenstände werden fast ausnahmslos aus pflanzlichen oder seltener auch tierischen Materialien hergestellt (Heilmeier 1990, S. 30). Hinzu kommt ein symbiotisches Tauschverhältnis zu den Kleinbauern. Besonders Kochbananen und Maniok werden als Nahrungsmittel auch von den Bambuti geschätzt. Sie tauschen Waldprodukte, hauptsächlich Fleisch und Honig, aber auch Konstruktionsmaterial sowie andere Nahrungsmittel gegen stärkehaltige Nahrung, Eisengerätschaften, Genußmittel und Kleidung etc. Die Produkte und Materialien, die von den Nachbarn eingetauscht werden, sind keinesfalls lebensnotwendig für die Bambuti (Heilmeier 1990, S. 31). Zwar gehen Gusinde (1907, S. 34) und Schebesta (1975, S. 777) davon aus, daß die Bambuti sich in Abhängigkeit zu ihren Nachbarn befunden hätten, zum Teil sogar versklavt gewesen seien, da sie auf die Nahrungsmittel angewiesen gewesen wären, jedoch gibt es hierzu auch gegenteilige Ansichten.

So sagt Turnbull (1965, S. 37), daß die Abhängigkeit nicht auf einer wirtschaftlichen Notwendigkeit für die Mbuti beruht. Sofern sie eingegangen wird, geschieht dies freiwillig und zeitlich begrenzt, da ein Rückzug der Mbuti in den Wald jederzeit möglich ist. Ichikawa (1986) setzt die Symbiose zwischen Bambuti und Nachbarn in ökologische Beziehung. Es handelt sich bei diesem System um eine reziproke Abhängigkeit, bei der zwei Ethnien mit unterschiedlichen Lebens- und Wirtschaftsformen verschiedene, aber komplementäre ökologische Nischen des Waldes besetzen (nach Heilmeier 1990, S. 45).

»Das Verhältnis beider Gesellschaften ist von einer nicht überlebensnotwendigen gegenseitigen Abhängigkeit geprägt, die Unterdrückung, Ausbeutung oder absolute Kontrolle einer der beiden Gruppen nicht zuläßt, solange der Lebensraum Regenwald einen Rückzug der Pygmäen ins Waldesinnere erlaubt und der gleichzeitige Kontakt zu verschiedenen Dörfern möglich ist. Die hierdurch entstehende Konkurrenz verhindert die Möglichkeit der Kontrolle der Bambuti durch die Bauern« (Heilmeier 1990, S. 45).

Bambuti-Siedlung.

In den 60er Jahren vollzog sich ein rascher Wandel in der Ituri-Region. Siedler, Händler und die Industrie kamen in immer größerer Zahl in das Waldgebiet, daraus ergab sich ein nicht mehr rückgängig zu machender Zerfallsprozeß der Wirtschafts- und Gesellschaftsstrukturen der ursprünglichen Waldbewohner (Heilmeier 1990, S. 47).

Im nationalen Gefüge Zaires nehmen die Bambuti einen niedrigeren Sozialstatus ein, daraus resultiert auch eine wirtschaftliche Benachteiligung, besonders aber der Frauen, wenn ein Arbeitsverhältnis im industriellen oder landwirtschaftlichen Sektor besteht (Heilmeier 1990, S. 74). In den Städten des nordöstlichen Zaire, etwa in Mambasa, leben nur wenige Bambuti, diese jedoch zumeist in Armut, da sie auf Gelegenheitsarbeiten angewiesen sind und oft Probleme mit dem Alkohol haben (Ethnies 1987, nach Heilmeier 1990, S. 76). Der Wald bildet die Basis und die Voraussetzung für die Kultur der Bambuti. Das symbiotische Verhältnis zu den Kleinbauern ist ein wesentlicher und notwendiger Bestandteil und stabilisierender Faktor sowohl für das Leben der Pygmäen als auch für die Kleinbauern (Heilmeier 1990, S. 75).

Anhand der beiden angeführten Beispiele sollte aufgezeigt werden, welche soziale, ökonomische und politische Stellung zwei verschiedene Pygmäengruppen im zentralen Afrika einnehmen. Solange der traditionelle Lebensraum der Pygmäen, der Urwald, intakt ist, entstehen keine persönlichen Abhängigkeitsverhältnisse. Es handelt sich um weitgehend reziproke ökonomische Austauschprozesse zwischen den unterschiedlichen Nachbarn. Andere religiöse Vorstellungen können dazu führen, daß die Pygmäen ins soziale Abseits gedrängt werden (Beispiel der Twa in Ruanda). Im nationalen Gefüge der unabhängigen Staaten hat dies jedoch auch andere Ursachen. Die überaus geringe Rolle, die die Pygmäen bevölkerungspolitisch gesehen spielen, führt dazu, daß sie als Minderheitengruppe sozial, politisch und ökonomisch an den Rand der Gesellschaft gedrängt werden, da ihnen ein Sprachrohr fehlt, um auf ihre Belange aufmerksam zu machen oder gar politischen Druck ausüben zu können. Ökonomische Interessen an den Ressourcen des Waldes führen zu einer Zerstörung des Lebensraumes und damit zum Ende der eigenständigen Kultur der Pygmäen und, wie für den Ituri-Wald beschrieben, ebenso der anderen Waldbewohner.

Antje Spliethoff-Laiser und Sybille Wolkenhauer

Katalog

Hinweise zum Katalog

»Das Große bleibt groß nicht
und klein nicht das Kleine.«
Bertolt Brecht

Die Katalogbeiträge sind grundsätzlich chronologisch geordnet. Ausnahmen bilden die ersten beiden Nummern. Sie führen vor Augen, daß nicht jeder klein dargestellte Mensch auch kleinwüchsig ist.

Bei Nr. 1 sind die beiden im Vordergrund Betenden, wie in der mittelalterlichen Kunst üblich, wegen der geringeren Bedeutung der Menschen vor den Heiligen verkleinert dargestellt worden. Diesem Prinzip der Bedeutungsperspektive folgt auch der unter dem Fuß der Hl. Katharina kauernde Kaiser Maxentius, der ebenfalls kein kleiner Mensch war; vielmehr wollte der Maler durch die Verkleinerung des Kaisers die Größe der Heiligen hervorheben.

Bei der zweiten Katalognummer soll der »europäische Blick« veranschaulicht werden. Es ist aus heutiger Sicht nicht zu entscheiden, ob am Hofe der Benin Zwerge ihren Dienst verrichteten. Da aber der Stecher der Illustration von Olfert Dappers Buch im Holland des 17. Jahrhunderts Kleinwüchsige vorfand, wurden die in Benin lebenden kleinen Menschen sofort zu Hofzwergen, also dem europäischen Kleinwuchs angeglichen.

Die medizinischen Analysen wurden von Alfred Enderle durchgeführt. Sie sind vom restlichen Text abgesetzt und kursiv gedruckt. Die am ehesten in Frage kommende Diagnose ist fettgedruckt.

Innerhalb der Katalogtexte konnte aus wissenschaftlichen Gründen auf die Verwendung des Wortes »Zwerg« nicht verzichtet werden.

Abgekürzt zitierte Literatur kann mit Hilfe des Literaturverzeichnisses am Ende des Buches aufgeschlüsselt werden.

Bei Maßangaben erfolgt Höhe vor Breite, bei Gemälden in Zentimeter (cm), bei Zeichnungen und Graphik in Millimeter (mm). In einigen Fällen lagen den Autoren die Abmessungen der Objekte nicht vor. Daher heißt es dort »Maße unbekannt«. Querverweise auf andere Katalognummern erfolgen mittels »Nr.« oder »Kat. Nr.«, auf Vergleichsabbildungen innerhalb der Beiträge mittels »Abb.«.

Die Abkürzungen stehen für siehe (s.) unten (u.), oben (o.), rechts (r.) und links (l.).

Autoren:

Günther Georg Bauer (G.G.B.)
Alfred Enderle (A.E.)
Jens-Uwe Hartmann (U.H.)
Dietrich Meyerhöfer (D.M.)
Antje Spliethoff-Laiser (A.S.L.)
Gerd Unverfehrt (G.U.)
Harald Wolter-von dem Knesebeck (H.W.)

1
Kölner Schule
Anfang 16. Jahrhundert
**Hl. Hieronymus und Hl. Katharina
mit Stiftern**

Der Name des Künstlers konnte bis heute nicht schlüssig ermittelt werden. Aufgrund stilistischer Übereinstimmungen kann die Tafel aber mit der noch spätgotisch verhafteten Kölner Malerei des frühen 16. Jahrhunderts in Verbindung gebracht werden.

Zwei berühmte Heilige der katholischen Kirche stehen in einer hügeligen, vielfach staffierten Landschaft. Ihnen zu Füßen knien, im Bedeutungsmaßstab verkleinert, ein Geistlicher und eine Nonne, die betend den Schutz der Heiligen erflehen. Links steht, angetan mit dem Purpur der Kardinäle, der Hl. Hieronymus. Links hinter seiner Schulter spielt sich in der Landschaft eine Episode aus seinem Leben ab, die in der Legenda aurea des Jacobus de Voragine (Voragine 1984, S. 757f.) erzählt wird: Hieronymus, ehemals noch als Kardinal ein großer Sünder vor dem Herrn, ist in die Einsamkeit gegangen, um Buße zu tun. Da kniet er am Waldrand, gekleidet in sein weißes Untergewand, vor einem Kruzifixus und peinigt sich mit einem Stein, den er sich auf die nackte Brust schlägt. Neben ihm ruht ein Löwe, der in der Wüstenei zu diesem Mann Vertrauen gefaßt hatte und zum ständigen Begleiter des Kardinals wird. Deswegen ist dieser Löwe dem im Vordergrund stehenden Kardinal als Attribut, das heißt als Erkennungszeichen beigegeben und links hinter dem betenden Heiligen zu sehen. Rechts steht die Hl. Katharina von Alexandrien mit ihrem Attribut, dem Richtschwert (s. Nr. 29). Rechts neben ihrem Kopf ist auf einem Hügel ihr Martyrium zu sehen, das auch von Jacobus de Voragine beschrieben wird (Voragine 1984, S. 923): Als standhafte Christin wurde sie auf Befehl des Kaisers Maxentius vom Scharfrichter, der hinter der knienden Katharina das Richtschwert erhoben hat, enthauptet. Der Kaiser Maxentius dient der Heiligen daher auch im Vordergrund als Attribut. Mit Krone und Szepter geschmückt und dabei zum Zwerg reduziert, liegt er der Katharina unter den Füßen und zeigt so ihren Triumph über das Heidentum an, das der König versinnbildlicht.

Anhand dieser drei Figuren, der beiden Betenden im Vordergrund und des Maxentius unter den Füßen der Heiligen, kann gezeigt werden, daß nicht alle klein dargestellten Menschen kleinwüchsig sind. In der mittelalterlichen Kunst war es fast immer üblich, die Menschen aus Gründen der geringeren Bedeutung vor den Heiligen perspektivisch kleiner darzustellen.

D.M.

Hier soll eine der Schwierigkeiten aufgezeigt werden, die bei der medizinischen Analyse entstehen, wenn diese ohne die kunsthistorischen Hintergründe durchgeführt wird. Die beiden Stifterfiguren auf der linken und rechten Seite sind in ihrer Bedeutungsperspektive verkleinert dargestellt. Durch ihre proportionierte Statur sind sie im medizinischen Sinne auch nicht besonders auffällig. Bei der noch kleineren Figur in der Mitte, obwohl weitgehend verdeckt, ist das breite Gesicht mit der eingezogenen Nasenwurzel durchaus verdächtig auf einen Kleinwuchshabitus im Sinne einer Achondroplasie. Obwohl nur teilweise sichtbar, läßt sich hinter dem großen Kopf eine kleine disproportionierte Gestalt durchaus ahnen. Bei der Kenntnis, daß es sich dabei um den historisch nachweisbaren normalwüchsigen Kaiser Maxentius handelt, ist dieser Verdacht natürlich nicht zutreffend. Die langen und schlanken Finger würden ebenfalls nicht zur Achondroplasie passen. Der Ringfinger der linken Hand erscheint kürzer. Auch dies könnte ohne Kenntnis des kunsthistorischen Hintergrundes, daß der Finger im Rahmen eines Redegestus gebeugt ist, fehlgedeutet werden. Ob der Kleinfinger rechts elegant abgespreizt ist oder eine Beugehemmung darstellt, ist eine weitere Frage, die in diesem Rahmen zu diskutieren ist. Damit ist auf diesem Bild trotz des ersten Anscheins kein echter Kleinwüchsiger nachweisbar.

Föhrenholz, 92 x 73 cm
Stuttgart, Staatsgalerie, Inv. Nr. 2308

2
Niederländisch, 1670
Die Stadt Benin

Auf einer europäischen Illustration zu Dapper's Buch »Eigentliche und umbständliche Beschreibung von Africa«, erschienen 1670, sollen »Zwerge« am Königshofe in Benin dargestellt worden sein. In dem dazugehörigen Text heißt es auf Seite 492: »(…) Als dan lesset er (der König) etliche zahme Leuparden / die er zu seiner Lust hält / an Ketten hereinführen; als auch viele Zwärge / und Tauben / damit er sich ebenmäßig erlustiget (…).«

Auf dem Bild erkennt man im Hintergrund eine große Stadt mit verschiedenen Anlagen, die von einer Stadtmauer umgeben ist. Am rechten Bildrand sieht man eine große Palastanlage, in deren Hof sich viele Menschen aufhalten. Aus diesem marschiert eine große Zahl von Soldaten, die sich im Gefolge des Königs befinden. Ganz im Vordergrund reitet der König auf seinem Pferd, umringt von seinem engsten Gefolge, den Dienern und Musikanten. Links vom König, im Vordergrund, sind »Zwerge« zu erkennen, von denen zwei vollständig bekleidet sind und einer nur einen Schurz trägt. Diese Menschen sind verkrüppelt dargestellt, mit einem Buckel, einem stark deformierten Kopf und gekrümmten Armen.

Dapper ließ nach seiner Rückkehr aus Afrika diese und andere Illustrationen nach seinen Angaben anfertigen. Vielleicht konnte er dem Illustrator nicht deutlich machen, daß er Menschen gesehen hatte, die sehr viel kleiner waren als er, aber körperlich vollkommen normal ausgebildet waren und nicht unter Zwergwuchs litten, wie die in Europa bekannten Kleinwüchsigen, die an vielen Herrscherhäusern als Hofzwerge »gehalten« wurden.

W. Immenroth (1933), der in seinem Buch »Kultur und Umwelt der Kleinwüchsigen in Afrika« unter anderem die Verbreitung der Pygmäen untersuchte, räumt die Möglichkeit ein, daß es längs der nördlichen Guinealinie auch Pygmäen gegeben hat. Er bezieht sich dabei auf Sagen und Erzählungen von Einheimischen, zum Beispiel den Habe im westlichen Nigerien. Diese Kleinwüchsigen scheinen später völlig vernichtet oder aufgesogen worden zu sein (1933, S. 44).

Anhand dieser Illustration kann also nicht entschieden werden, ob es sich bei den Dargestellten um Kleinwüchsige oder um Angehörige einer »Pygmäengruppe« handelt.

A.S.L.

Der Bucklige im Vordergrund des Gefolges besitzt kurze Gliedmaßen, und damit könnte man ihn unter die **spondyloepiphysären Dysplasien** *einreihen. Links davon befindet sich ein Kleinwüchsiger mit kurzen Gliedmaßen, bei denen Oberarme und Oberschenkel besonders kurz sind (Rhizomelie). Sein Kopf zeigt eine vorgewölbte Stirn und eine eingesunkene Nasenwurzel. Dies wären die Symptome der Achondroplasie. Der Rumpf erscheint aber kurz und deformiert, was die Achondroplasie nicht beinhaltet. Damit kann er nosologisch nicht sicher eingereiht werden. Noch weiter links befindet sich ein weiterer Kleinwüchsiger mit kurzen Gliedmaßen, kurzem Rumpf und deformiertem Brustkorb, was ebenfalls der* **spondyloepiphysären Dysplasie** *entspräche. Somit sind also ganz eindeutige pathologische Zeichen des Kleinwuchses zu finden, welche, vor allem bei der mittleren Figur, einer definierten Kleinwuchsform nicht ganz exakt zugeordnet sind. An der Tatsache des Kleinwuchses bei diesen drei Figuren besteht aber kein Zweifel.*

Kupferstich aus: Olfert Dapper, 1670

A. The house for ý old and young Queens.
B. The yard of ý Royall court.
C. The gate of said court.
D. The Palace of ý Kings court.
E. The Kings progres which hee
   Rideth once a year.
F. His nobles & kindred on horsbock.
G. The musicians playing after
   the King.
H. The fools & Dwarfs.
I. The players before ý King &
   tame Leopards.

De Stadt
BENIN.

The City
BENIN.

A. 't Vrouwen timmer of Huys van de Oude
   en Jonge Koninginne.
B. Wal van het Koninglycke Hof.
C. De Poort des zelven Hofs.
D. Paleisen des Konings Hofe.
E. Staesi hoe de Koning een mael
   's Iaers Uitryde.
F. Syn Adel en Bloetvrienden te Paert.
G. Speelders achter den Koning.
H. Gekken en Dwergen.
I. Speelders voor den Koning met
   tamme Iisers.

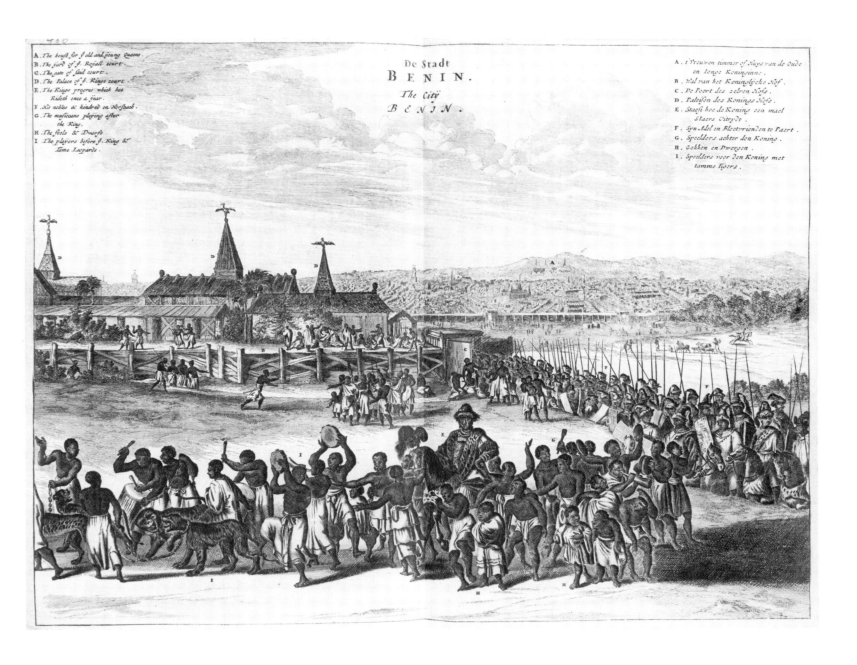

3
Weibliche Bronzefigur aus Benin

Es gibt nicht viele Belege für Zwergwuchs in Afrika. Im folgenden können wir aber zwei Statuetten aus Benin vorstellen, die eindeutig Merkmale von Zwergwuchs aufweisen.

Bei dieser Figur läßt sich nicht eindeutig entscheiden, ob sie männlich oder weiblich ist. Dafür, daß es eine weibliche Figur ist, spricht die Darstellung von Brüsten mit gut entwickelten Brustwarzen, das unter dem Nabel statt in Taillenhöhe sitzende Hüfttuch, der Armschmuck sowie der stark deformierte Schädel, der bei einigen afrikanischen Ethnien absichtlich so bei Kleinkindern geschnürt wurde und als Schönheitsideal bei Frauen galt.

Das Gesicht ist prognath (Kieferanomalie) mit tiefliegenden Augenhöhlen. Die Nasenwurzel ist tief eingesunken, die Nase selbst sehr kurz, die großen Nasenlöcher sind nach vorne gerichtet. Die Stirn ist in Richtung der Pfeilnaht eingesunken, hat aber über den Augen stark vortretende Stirnwülste. Der Hinterkopf ist sehr flach, aber waagerecht nach hinten stark ausgeformt. Auf diese ausladende Kopfpartie wurde ein feines Netzwerk von Linien eingeritzt, das vermutlich Haare darstellen soll. Der Haaransatz beginnt bei einer scharf abgegrenzten querverlaufenden Linie von Ohr zu Ohr. F. Heger (1916, S. 135) vermutet auch, daß es ein Haarnetz sein könnte, dies ist aber nicht vertretbar, da Haarnetze in Schwarzafrika nicht bekannt sind.

Der Mund der Figur ist normal ausgebildet. Die Ohren sind vollständig und fein ausgeformt, sie sitzen aber sehr hoch und weit hinten. Zwei »Perlenketten« hängen um den kurzen, etwas dicklichen Hals. Der Rumpf ist verhältnismäßig lang, wobei Arme und Beine stark verkürzt sind. Der Bauch ist sehr kräftig, jedoch ist der Nabel nur angedeutet. Der Rücken ist sehr breit. Die Arme der Figur sind verhältnismäßig dick und kurz. Die Unterarme sind fast vollständig verdeckt von einem breiten Armschmuck. Dieser besteht aus neun Streifen, die jeweils Ähnlichkeiten mit Perlenschnüren haben. Beide Hände sind geballt, die Daumen stehen jedoch abgespreizt, nach oben gerichtet. Die einzelnen Finger sind nur angedeutet. Der Daumen der linken Hand ist schräg ausgestreckt und liegt unterhalb der linken Brustwarze an. Die Beine sind nicht gekrümmt, jedoch sehr kurz und dick. Die Füße sind sehr breit, mit starken Knöcheln und einer weit nach hinten vortretenden Ferse.

A.S.L.

Die anatomischen Details gehen aus der obigen Beschreibung anschaulich hervor. Es handelt sich um einen ausgesprochen kurzgliedrigen (mikromelen) Kleinwuchs, ohne erkennbare Rhizomelie, denn Ober- und Unterarme sind gleichermaßen verkürzt. Der lange Rumpf zeigt eine eingezogene Lende (Hyperlordose), und das Gesäß ist ausladend. Der Kopf besitzt die klassischen Zeichen der **Achondroplasie**, *auch wenn sie etwas übertrieben dargestellt sind: die Vorwölbung von Stirn und Hinterhaupt als Ausdruck einer verkürzten Schädelbasis, die eingesunkene Nasenwurzel, eine kurze Nase und ein sehr prominentes Kinn. Damit sind alle Symptome dieser Erkrankung bis auf die fehlende Rhizomelie vorhanden.*

Auffallend sind nun noch die abgespreizten Daumen (Tramper-Daumen, hitch-hiker-thumb), was ein klassisches Zeichen einer anderen Kleinwuchsform, des diastrophischen Minderwuchses, darstellen würde. Dazu passen allerdings die anderen achondroplastischen Symptome nicht. Bei Benin-Figuren ohne erkennbaren Minderwuchs ist diese Daumenstellung ohnehin, mehr oder weniger ausgeprägt, immer wieder zu finden (Kat. Nr. 4).

Bronzefigur aus Benin, ca. 16. Jh.
Höhe 59,7 cm, Vollfigur in Hohlguß
14,7 kg
Wien, Museum für Völkerkunde

73

4
Männliche Bronzefigur aus Benin

Diese Figur stellt einen bärtigen Mann mit Lendenschurz dar. Der Kopf ist rund und verhältnismäßig groß. Die Stirn ist hoch mit normal vorspringenden Stirnwülsten. Die untere Gesichtspartie läuft spitz nach unten aus, so daß man fast von einer dreieckigen Gesichtsform sprechen kann. Ein Bart bedeckt das Kinn und einen großen Teil der Wangen. Das Haar ist durch erhabene Linien gekennzeichnet und von einem scharfen Haaransatz begrenzt. Die Augen sind linsenförmig, die Pupillen durch große, kreisrunde Vertiefungen angedeutet. Die beiden Ohren sind normal proportioniert und fein ausgebildet. Um den Hals, der kurz und dick ist, hängen zwei Ketten. Die kürzere Kette besteht aus Perlenschnur und die längere aus einem Band oder einer Schnur, an dem eine doppeltspitzkonische Perle bis zur Magengrube hängt. Der Körper der Figur ist verhältnismäßig lang, während die Arme und die Beine stark verkürzt und gekrümmt sind. Der Oberkörper ist lang, mit stark erhöhten Brustwarzen. Der Bauch, der ziemlich dick ist, hat einen stark vortretenden Nabel mit fünf vertikal verlaufenden Narbenstreifen.

Die kurzen Arme sind im Ellenbogengelenk stark gebeugt, die Unterarme nach vorne gerichtet, sie stehen vom Körper ab. Die Hände sind geballt, die Daumen etwas nach außen gebogen. Die Beine sind sehr kurz und krumm, von rachitischem Aussehen. Die Füße sind groß, breit und flach, mit nach hinten vorspringenden Fersen, starken Knöcheln und kurzem, stumpfem Vorderfuß. Die Zehen sind vorn schräg abgestumpft; die Zehenfurchen und Zehennägel sind angedeutet. Der Rücken ist oben schmaler als unten und stark gekrümmt. Um die Hüfte ist ein Tuch gewunden, das durch einen unterhalb des Nabels herumgehenden schmalen bandförmigen Gürtel gehalten wird. Der Gürtel endet an der linken Hüfte in drei schmaleren, an den Enden fransenartig eingeschnittenen Bändern, welche über- und untereinander gelegt sind. Wegen der körperlichen Merkmale beider Figuren wird angenommen, daß es sich hier in beiden Fällen um Achondroplasie, eine Art des Zwergwuchses mit verschiedenen Ausformungen, handelt.

Diese beiden afrikanischen Figuren sind die einzigen, uns bekannten, die Zwergwuchs oder Kleinwuchs auf diesem Kontinent darstellen und die belegen, daß Kleinwüchsige – zumindest in Benin – nicht immer im Kleinkindalter getötet wurden (s. Nr. 3). A.S.L.

Auch bei dieser Beninfigur mit den anatomischen Details der obigen Beschreibung besteht ein ausgesprochen kurzgliedriger (mikromeler) Kleinwuchs ohne eine erkennbare Rhizomelie. Der lange Rumpf zeigt im Gegensatz zur Figur in Kat. Nr. 4 eine konvexe Ausbiegung der Wirbelsäule am Übergang von den Brust- zu den Lendenwirbeln (Kyphose am dorsolumbalen Übergang). Auch dies kann ein Zeichen einer Achondroplasie sein; ebenso die im O-Sinne (varus) gebogenen Beine. Da das Gesicht mit einer fliehenden Stirn aber nicht dem der Achondroplasie entspricht, handelt es sich allenfalls um das Bild der **Pseudoachondroplasie.** *Damit hat der Künstler bei seinen beiden Figuren zwei verschiedene existente Kleinwuchsformen herausgearbeitet.*

Spätes 16. Jh. Höhe 59,3 cm, Vollfigur im Hohlguß, 17,2 kg
Wien, Museum für Völkerkunde

5
Indisch, ca. 5. Jh.
Gana

Von früher Zeit an findet die Darstellung zwergenhafter Gestalten große Verbreitung in der indischen Kunst. Häufig erscheinen sie als Stützfiguren, etwa als Atlanten, an Säulen, Pfeilern oder Türpfosten; als Randfiguren größerer szenischer Darstellungen dienen sie bisweilen der humoristischen Auflockerung. Gleichzeitig werden jedoch auch verschiedene Arten von Geistern und Dämonen als kleinwüchsige Wesen dargestellt. Zu den bekanntesten unter ihnen zählen die Ganas (wörtlich »Scharen«). Dies sind zwergengestaltige Wesen, die zusammen mit ihrem Anführer, dem bekannten elefantenköpfigen Gott Ganesha (wörtlich »Herr der Scharen«), zum Gefolge des Gottes Shiva gehören. Bisweilen ahmen sie sogar ihren Herrn Shiva nach, und einen solchen vierarmigen Gana zeigt die vorliegende Abbildung. Er hat mehrere der kennzeichnenden Attribute von Shiva übernommen, darunter den Kopfschmuck, nämlich die langen, mit der Mondsichel und einem Schädelknochen verzierten Locken, ferner den einzelnen großen Ohrring des Gottes, und schließlich trägt er an einem Fuß einen schlangenförmigen Ring.

Die Figur stammt aus der Gupta-Zeit; sie gilt als die klassische Periode indischer Kunst (4.–6. Jh.), in der die Starrheit älterer Darstellungen überwunden wird und vor allem die Skulptur einen Höhepunkt erreicht. U.H.

Im Verhältnis zu dem großen Kopf und dem annähernd normalen Rumpf sind die Gliedmaßen sehr kurz, besonders die Oberarme und Oberschenkel (Rhizomelie). Ferner besteht eine leicht prominente Stirn und eine eingesunkene Nasenwurzel. Die wulstigen Lippen sind als rassische Eigenheit zu interpretieren, und somit passen die übrigen Symptome zur **Achondroplasie.**

Roter Sandstein, aus Nagpur
(Maharashtra)
Gupta-Zeit, ca. 5. Jh.
85 x 65 x 40 cm
National Museum, New Delhi (L.77.2)

6
Amaravati-Schule
**Zwei Szenen aus dem Leben
des Buddha**

Beide Szenen beinhalten Ereignisse aus der Zeit vor der Erleuchtung, so daß die Hauptfigur nicht als Buddha (»Erleuchteter«), sondern als Bodhisattva (»ein die Erleuchtung anstrebendes Wesen«) bezeichnet wird. Die untere Darstellung zeigt die Weltflucht des Bodhisattva. Durch mehrere einschneidende Erfahrungen erschüttert, beschließt der junge Prinz, gegen den Willen seines Vaters das weltliche Leben zu verlassen und sich fortan ganz der Suche nach der Erleuchtung zu widmen. Eines Nachts besteigt er sein Pferd und flieht heimlich aus dem väterlichen Palast. Da ihn das Klappern der Hufe verraten und damit sein dem zukünftigen Heil der Menschheit dienendes Vorhaben gefährden könnte, eilen hilfreiche Geister in Zwergengestalt (Yaksha) herbei und halten die Hufe hoch, um jedes Geräusch zu vermeiden. Der Überlieferung nach nimmt lediglich der treue Wagenlenker an der Flucht teil, aber das Element der Heimlichkeit ist nur noch in den hochgehaltenen Hufen des Pferdes bewahrt, denn ansonsten folgt die Szene der üblichen Gestaltung eines königlichen Ausrittes. Dem reitenden Prinzen (durch den Heiligenschein als Bodhisattva gekennzeichnet) geht ein Schwertträger voran, und hinter ihm folgt der Träger des Schirmes, einem Symbol königlicher Würde. Musikanten wie oben links der Flötenspieler und einige Zwerge, die teils ebenfalls Instrumente zu spielen scheinen, begleiten den Zug. Daß es sich bei letzteren nicht um Geister, sondern um kleinwüchsige Menschen handelt, geht aus literarischen Beschreibungen einer solchen Ausfahrt hervor, in denen Zwerge und Bucklige erwähnt werden.

In der oberen, leider stärker beschädigten Szene ist dargestellt, wie Mara, das personifizierte Böse, einen letzten Versuch unternimmt, die unmittelbar bevorstehende Erleuchtung des Prinzen doch noch zu verhindern. Er schickt zunächst Begehren, Liebe und Verlangen, allegorisch dargestellt als seine drei verführerischen Töchter, zu dem Bodhisattva, der in Meditationshaltung unter dem Bodhi-Baum sitzt (an der linken Abbruchkante des Reliefs). Den Töchtern, zwei von ihnen stehend neben dem Bodhisattva, ist jedoch kein Erfolg beschieden. Daher entsendet Mara die grauenerregenden Heerscharen seiner Dämonen gegen den Bodhisattva, die diesen auf jede erdenkliche Weise zu erschrecken suchen, indem sie unterschiedlichste Erscheinungsformen annehmen. Einige verwandeln sich in wilde Tiere wie zum Beispiel den Elefanten oben rechts, andere schleudern alle erdenklichen Waffen gegen den Bodhisattva (unten rechts die zwergengestaltigen Dämonen). Nichts davon vermag jedoch den künftigen Buddha in seiner Versenkung zu erschüttern; vielmehr gelingt es ihm aufgrund seiner übernatürlichen Fähigkeiten, die auf ihn geschleuderten Waffen in einen Blumenregen zu verwandeln.

Das Relief stammt aus dem in Südindien (Andhra Pradesh) gelegenen Ort Nagarjunikonda, einem bedeutenden buddhistischen Zentrum in den Jahrhunderten nach der Zeitenwende. Mit größter Wahrscheinlichkeit gehörte es ursprünglich zur Einfriedung eines Stupa, eines buddhistischen Kultbaus, die häufig mit der Darstellung von Szenen aus dem Leben des Buddha geschmückt war.
U.H.

Grauer Marmor; gefunden in
Nagarjunikonda
Amaravati-Schule, ca. 2.–3. Jh.
144 x 91 cm
Metropolitan Museum of Art, New York
(Acc. no. 28.105)

Die zahlreichen kleinwüchsigen Gestalten entsprechen in etwa einem Körpertyp. Sie sind annähernd proportioniert, allenfalls besteht ein gering verkürzter Oberkörper. Damit kann jede Art eines leicht kurzrumpfigen Minderwuchses in Frage kommen. Eine exakte nosologische Typisierung ist nicht möglich.

7
Ägyptisch
**Gruppe des Seneb
und seiner Familie**

Die Gruppe stammt aus dem Grab des Seneb in Giza und stellt ihn mit seiner Ehefrau und seinen beiden Kindern dar (Junker 1941). Geschickt hat es der Künstler verstanden, den Größenunterschied zwischen Seneb und seiner Frau auszugleichen, indem er ihn mit untergeschlagenen Beinen hocken läßt und im freien Raum darunter die Kinder untergebracht hat. Über die Familie und die soziale Stellung des Seneb geben uns die Reliefs mit dazugehörigen Texten in seinem Grab Auskunft. Demnach war Seneb Mitglied des königlichen Hofstaats und trug unter anderem die Titel »Leiter der Leinen- oder Kleiderzwerge« und »Vorsteher der Weberei des Hofes«, weitere weisen ebenfalls auf die Zuständigkeit für Kleidung und Ornat des Pharao hin. Der Titel seiner Ehefrau lautet »Prinzessin« und deutet darauf hin, daß sie Angehörige des Königshauses war, zumindest aber eine hohe Stellung einnahm. Das auf den Wänden und Pfeilern des Grabes abgebildete Privatleben des Seneb unterscheidet sich nicht von anderen Darstellungen dieser Zeit. Wir sehen Seneb zum Beispiel bei der Ausfahrt im Segelboot, beim Pflücken von Papyrus, bei der Abrechnung mit Hirten und ähnlichem. Dabei wird die Zwerggestalt des Seneb zwar nicht unterdrückt, aber meist wird er so in die Szene eingefügt, daß sie nicht unbedingt auffällt.

Die Aufgaben des Seneb stehen in einer Tradition, die sich seit der 1. Dynastie verfolgen läßt (Rupp 1965, S. 298ff.). Die zum Hof gehörenden Zwerge erscheinen wie Seneb als Kammerdiener beziehungsweise für die Kleidung zuständig, sie arbeiten als Handwerker, oder sie sind beim Führen von Haustieren dargestellt. Innerhalb dieser Bereiche gab es für sie auch Aufstiegsmöglichkeiten, wie die verschiedenen Titel zeigen. Den Wohlstand, der mit einer solchen Karriere verbunden war, zeigt das reich ausgestattete Grab des Seneb. Zwerge als Angehörige des königlichen Hofstaats mit festgelegten Aufgaben sind ein besonderes Phänomen des Alten Reiches. In späterer Zeit sind Zwergdarstellungen weniger zahlreich, offensichtlich spielten sie am Hof keine große Rolle mehr (Lexikon 1986, S. 1433).

Einen festen Platz am Hof hatten auch die »Gottestänzer« (Lexikon 1977, S. 823). Dabei handelt es sich um Pygmäen, die man eigens aus entfernten Gebieten nach Ägypten brachte (Wolff 1938). Wie begehrt sie waren, zeigt uns ein Brief, den der junge Pharao Pepi II. (6. Dynastie) an seinen Expeditionsleiter Herchuf schrieb. Pepi trägt Herchuf auf, den mitgeführten Gottestänzer besonders zu bewachen, nachts sollen zuverlässige Leute in seinem Zelt schlafen, und man solle darauf achten, daß er nicht vom Schiff ins Wasser fällt. Mehrmals betont Pepi, wie sehnsüchtig er auf den Gottestänzer wartet. Die Besonderheit der Pygmäen bestand darin, daß sie aus dem als heilig geltenden Süden kamen. Demnach konnte auch der Tanz dieser Pygmäen heilig sein und besondere kultische Bedeutung haben. Auszuschließen ist aber auch nicht, daß daneben die Gottestänzer der reinen Unterhaltung dienten. Die Tradition der Gottestänzer bestand bis in die Spätzeit Ägyptens. P.B.

*Senebs Kleinwuchs gab immer wieder Anlaß, seine Erkrankung unter die Lupe zu nehmen, und häufig wurde sie als Achondroplasie diagnostiziert (SCHRUMPF-PIERRON 1934, DAWSON 1938, BOULLET 1958, SALIB 1962, HERMANUSSEN 1991). Die Skulptur läßt klar einen kurzgliedrigen (Mikromelie) Kleinwuchs mit relativ langem Rumpf erkennen. Eine Rhizomelie kommt nicht sicher zum Ausdruck. Kopf und Gesicht erscheinen normal (DASEN 1988, S. 263). Damit kann es sich nicht um eine Achondroplasie handeln. Bei KUNZE und NIPPERT (1986) werden eine Hypochondroplasie und eine **metaphysäre Chondrodysplasie**, Typ McKUSICK, diskutiert. Die kurzen plumpen Hände, die leicht gebogenen Unterschenkel (crura vara) sprechen durchaus für letztere Diagnose.*

Altes Reich, 6. Dynastie
um 2320–2250 v. Chr.
Kalkstein, Höhe 33 cm
Kairo, Ägyptisches Museum

Die kleine Figur weist alle Charakteristika des Gottes Bes auf. Frontal zum Betrachter ausgerichtet, steht Bes mit seitlich angewinkelten Beinen, die Arme liegen auf den Oberschenkeln. Das bärtige Gesicht ist fratzenhaft entstellt durch den geöffneten Mund, in dem die gebleckten Zähne und die Zunge sichtbar sind. Durch die stark gerunzelten Augenbrauen sind Stirn und Nase in Falten gelegt, zwei abstehende Tierohren vervollständigen die Erscheinung. Auf dem Kopf trägt Bes eine hohe, aus fünf Straußenfedern bestehende Krone. Auf der Brust liegen Kopf und Tatzen eines Raubkatzenfells, dessen Schwanz auf der Rückseite zwischen den Beinen herabfällt. Ein geflügelter Skarabäus ist auf den vortretenden Bauch geritzt (Kat. A. London 1988, S. 50).

Unter den verschiedenen zwerggestaltigen Göttern Ägyptens (Ballod 1913), deren genaue Unterscheidung und Benennung vielfach ungeklärt ist, läßt sich Bes durch seine typische Art der Darstellung und seine Attribute unschwer erkennen (Wilson 1975). Darstellungen des Gottes sind uns seit dem Mittleren Reich sicher überliefert, seine größte Popularität erfährt Bes jedoch in der Spätzeit Ägyptens, auch über dessen Grenzen hinaus. Seinem Wesen nach ist Bes eine Schutzgottheit, als solche kommt er in verschiedenen Bereichen vor (Lexikon 1975, S. 720ff.). So tritt er bei der Geburt des Sonnengottes als dessen Beschützer in Erscheinung. Aus dieser Funktion heraus wird er zum Schutzpatron von Geburt und Wochenbett aller Frauen, ebenso zum Beschützer der Kinder, mit denen zusammen er gelegentlich dargestellt wird. Um Gefahren abzuwehren, erscheint Bes zum Teil mit Messern bewaffnet, oder er würgt mit bloßen Händen Schlangen, die Gefahr beziehungsweise Feinde symbolisieren. Auch Musikinstrumente wie Trommel oder Leier gehören manchmal zu seiner Erscheinung. Aufgrund seiner übelabwehrenden und schutzbringenden Eigenschaften ist die weite Verbreitung der Bes-Verehrung in Ägypten zu erklären.

P.B.

Den ägyptischen Gott Bes in einer medizinischen Klassifikation unterzubringen ist schon deshalb schwierig, weil er in seinen vielfachen Darstellungen, die man ihm angedeihen ließ, ein uneinheitliches Aussehen hat. Abgesehen von seiner übertriebenen Häßlichkeit besitzt er mit seiner disproportionierten Gestalt, dem großen Kopf mit eingezogener Nasenwurzel, deutliche Zeichen der Achondroplasie, unter welcher er häufig eingereiht wurde (HOLLÄNDER 1912, VASSAL 1956, ATERMAN 1965, SILVERMAN 1982, KUNZE und NIPPERT 1986). Aber bereits REGNAULT (1897) hatte seine Einwände und beschrieb ihn als myxomatös oder als einen Kretin, was BER (1973) anhand einer differenzierten Symptomatologie wie vorstehender Zunge, Gynäkomastie (übertriebene Brüste), Exophtalmus (vorstehende Augäpfel), hypertropher Muskulatur und anderem als myxomatösen Zwerg im Sinne eines HOFFMANN-Syndroms bestätigte. Die Interpretation von WATERMANN (1958, S. 123) als Gargoylismus (Mukopolysaccharidose) ist originell und nicht aus der Diskussion. RICHER'S (1901) rachitische Einschätzung ist überholt. Am ehesten muß man jedoch mit JOHNSTON (1963), WELLS (1964) und DASEN (1988, S. 265) annehmen, daß die sehr vielfältige Darstellung des Gottes in den einzelnen Zeitepochen, aber auch bei verschiedenen Völkern symbolhaft mehrere Deformitäten in sich vereinigt und sich nicht in die Kategorie eines einzelnen Krankheitsbildes einreihen läßt.

Fayence-Amulett, 26. Dynastie
664–525 v. Chr., Höhe 9,2 cm
Kunsthandel London

9
6. Jh. v. Chr.
Dickbauchdämon aus Rhodos

Mit eingeknickten Beinen steht die Figur mit dem vortretenden Gesäß und dem dicken Bauch, die linke Hand liegt auf dem Bauch und hält einen Beutel, mit der rechten Hand hält die Figur das Kind fest (Higgins 1954, S. 56f.). Auf der linken Schulter sitzt ein kleines Kind. Beide Figuren sind bis auf die Kopfbedeckungen nackt.

Mit der Verlegenheitsbezeichnung »Dickbauchdämon« (Bol 1986, S. 30) werden Terrakotten wie diese benannt, die sich vor allem durch ihre fette Erscheinung und die typische Beinstellung auszeichnen. Sie sind in großer Zahl in Ostgriechenland beziehungsweise in ostgriechischem Einflußgebiet gefunden worden und datieren in das 6. Jahrhundert v. Chr. Viele Beispiele tragen kleine Kinder auf den Schultern, andere sind mit Helmen oder Schilden ausgestattet. Die Funktion dieser Figuren wird deutlich, wenn man ihre Fundorte betrachtet (Sinn 1983, S. 89). Sie kommen als Votivgaben nur in Heiligtümern von weiblichen Gottheiten vor und finden sich als Grabbeigabe in Frauen- und Kindergräbern. Die »Dickbauchdämonen« sind die männlichen Helfer von Göttinnen, die als Kourotrophos (kindernährend) verehrt wurden. Vergleichbar dem ägyptischen Bes, sind sie für den Schutz der Kinder verantwortlich. In der fetten Erscheinung kommt die Sorge um das leibliche Wohl der Kinder zum Ausdruck.

Vielfach wurde versucht, diese griechischen Figuren von ägyptischen Zwerggottheiten der Spätzeit abzuleiten, die unter dem Sammelnamen Patäken geführt werden (Bol 1986, S. 30f.), oder von Bes, der denselben Aufgabenbereich wie die »Dickbauchdämonen« vertritt (Sinn 1983). Beziehungen dieser Art lassen sich sicher annehmen, wenn sie auch nicht in allen Einzelheiten geklärt sind. Von allen ägyptischen Beispielen unterscheiden sich die »Dickbauchdämonen« durch ihre ausgeprägt fette Erscheinung und die eingeknickten Beine, die bei den ägyptischen Zwerggottheiten nach außen weisen.   P.B.

*Neben der starken Fettsucht (Adipositas) fällt eine Beugestellung in den Hüften und Kniegelenken auf (Beugekontrakturen). Obwohl kunsthistorisch eine Verwandtschaft zum Gott Bes (Kat. Nr. 8) hergestellt wird (SINN 1983), ist diese vom morphologisch-nosologischen Standpunkt zwar auch sichtbar, man kann den Dickbauchdämon aber noch weniger diagnostisch einordnen als Bes. Die Beugekontrakturen könnten auf einen **metatropischen Minderwuchs** hinweisen.*

Statuette aus Ton, aus Kamiros (Rhodos)
Höhe 17 cm
London, British Museum
Inv. Nr. 62.5-30.2 (B 280)

10

Brygos-Maler
Rhyton mit Pygmäen

Das als Hundekopf geformte Gefäß weist eine bemalte Zone am Hals auf. Dargestellt ist hier der Kampf der Pygmäen gegen Kraniche (Boardman 1981, Abb. 258). Die Pygmäen waren ein mythisches Volk, von dem uns zuerst Homer, Ilias III, 1-7, berichtet. Der Sage nach waren diese kleinen Wesen (pygmaios = daumengroß) im Osten beheimatet und führten einen ständigen Kampf gegen Kraniche, die ihre Felder verwüsteten.

Wie bei allen Pygmäendarstellungen sind auch die Pygmäen des Rhytons nackt, hier ausnahmsweise mit Stiefeln und Mütze, der Alopekis, bekleidet. Diese eigentlich für Thraker typische Kopfbedeckung soll den fremdartigen, barbarischen Charakter der Pygmäen hervorheben (Raeck 1981, S. 204). Einer der Pygmäen trägt zusätzlich ein umgehängtes Tierfell. Typisch für sie ist ihre Bewaffnung mit Keulen, aber sie benutzen auch Schwerter oder andere Waffen.

Der Kampf der Pygmäen gegen die Kraniche erscheint bereits auf den den rotfigurigen vorausgehenden schwarzfigurigen attischen Vasen, etwa ein Jahrhundert früher. Auf den schwarzfigurigen Vasen werden die Pygmäen als normal proportionierte, nur sehr kleine Männer dargestellt (Freyer-Schauenburg 1975, S. 82ff.). Pygmäen in Zwerggestalt sind also eine Erfindung der rotfigurigen Vasenmalerei und auf diesem Gefäß das erste Mal belegt. In der späteren rotfigurigen Vasenmalerei des 4. Jh. v. Chr. wird die Zwerggestalt der Pygmäen wieder aufgegeben. Da afrikanische Pygmäenvölker einen kleinwüchsigen, aber normal proportionierten Menschentypus vertreten, können sie als Vorbilder für die zwerggestaltigen mythischen Pygmäen nicht gedient haben. Die erste Erwähnung afrikanischer Pygmäen finden wir bei Herodot II 32, wo sie als kleine, schwarze Menschen beschrieben werden. Die Zwerggestalt von Pygmäen im 5. Jh. v. Chr. hängt offensichtlich mit dem Interesse der Künstler dieser Zeit an realistischen Darstellungen zusammen. Nicht zufällig erscheinen auf den Vasen gleichzeitig Darstellungen von Zwergen in nichtmythologischen alltäglichen Szenen. Die Zwerggestalt der Pygmäen sollte die Komik der Bilder, in denen man sich »über den skurrilen Exoten und seine Hilflosigkeit in der Gefahr« (Raeck 1981, S. 203) lustig machte, noch unterstreichen. Diesem Zweck dienen auch die großen Genitalien, die die Pygmäen mit anderen Zwergdarstellungen gemeinsam haben. Sie sollen die für den antiken Betrachter groteske und lächerliche Erscheinung zusätzlich betonen. P.B.

*Obwohl es sich hier bei dem mit einem Kranich kämpfenden Zwerg ethnischerseits um einen Pygmäen handelt, weist der disproportionierte Habitus eindeutig auf eine **Achondroplasie** hin (DASEN 1988, S. 270): eingesunkene Nasenwurzel, Rhizomelie, Hyperlordose, kräftige Muskulatur. Die Volksstämme der Pygmäen hingegen sind proportionierte Kleinwuchsformen. Diese Tatsache weist darauf hin, daß die Griechen wahrscheinlich von kleinwüchsigen Pygmäen gehört, sie aber nie gesehen haben. Die künstlerische Darstellung des Gehörten erfolgte dann offenbar nach der Vorstellung, wie der Künstler es in seiner Umgebung beobachten konnte (vgl. Kat. Nr. 2).*

um 480 v. Chr.
Attisch-rotfiguriges Rhyton des
Brygos-Malers
Leningrad, Ermitage, Inv. Nr. 1818
(679; St. 360)

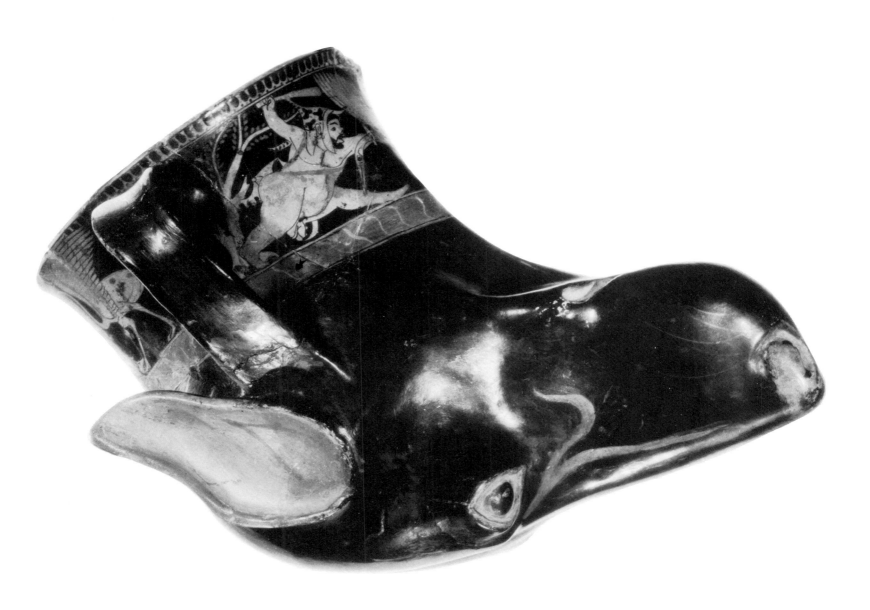

11
Klinik-Maler
Zwerg als Diener

Der Bildfries des Gefäßes zeigt den Blick in eine Arztpraxis. In der Mitte der Szene sitzt der Arzt und faßt einen Patienten am Arm, offenbar mit der Absicht, einen Aderlaß vorzunehmen (Berger 1970, S. 77). Die große Schale am Boden dient dazu, das Blut aufzufangen. Weitere männliche Patienten sitzen oder stehen im Raum verteilt, einige tragen weiß gemalte Bandagen. Links und rechts neben dem Arzt erkennt man drei Schröpfköpfe. Der nackte Zwerg ist offensichtlich der Diener des Arztes. Mit einer Gebärde der rechten Hand fordert er den links von ihm stehenden Mann auf, in die Praxis einzutreten. Über seiner linken Schulter trägt der Zwerg einen toten Hasen, der als Bezahlung für den Arzt gedacht ist. Als Zahlungsmittel waren Tiere oder Fleischstücke durchaus üblich, obwohl sie überwiegend als Bezahlung für Liebesdienste in Erscheinung treten (Koch-Harnack 1983, S. 129).

Auf anderen Vasen dieser Zeit werden Zwerge dargestellt, wie sie Hunde am Halsband führen, wobei wohl der Gegensatz zwischen den großen Tieren und den Zwergen belustigend gewirkt haben muß. Beliebt waren Zwerge als Tänzer bei Trinkgelagen (Hornbostel 1980, S. 142f.); sie dienten nicht nur der Unterhaltung, sondern steigerten auch das Ansehen des Gastgebers (Raeck 1981, S. 205). Auf diese Tätigkeit könnte auch der Zwerg dieses Gefäßes hinweisen, denn er ist infibuliert, das heißt, sein Genital ist mit einer dünnen Schnur hochgebunden. Dieser Brauch ist für Sportler, aber auch für Tänzer typisch.

Auffällig bei fast allen diesen Beispielen ist die Genauigkeit, mit der die Vasenmaler die Zwergengestalt wiedergeben und die das Interesse der Zeit an realistischen Darstellungen widerspiegelt.

P.B.

*Es bestehen die klassischen Symptome der **Achondroplasie** (BARTSOCAS 1985).*

um 480/70 v. Chr.
Attisch-rotfiguriger Aryballos des
Klinik-Malers
Paris, Louvre, Inv. Nr. CA 2183

Attika, um 430 v. Chr.

Zwergin und Phallosschrein

Eine Reihe von Vasenbildern des 5. Jahrhunderts v. Chr. zeigt uns Zwerge in verschiedenen Funktionen. Die vorliegende Kotyle (Trinkgefäß) ist jedoch die einzig erhaltene Darstellung eines weiblichen Zwerges. Bis auf die Kopfbedeckung ist die Frau unbekleidet, in der Hand hält sie eine Kotyle. Auf der anderen Seite des Gefäßes ist ein geflügelter Phallos abgebildet, bekrönt von einem Behälter, der im kultischen Bereich Verwendung fand. Neben dem Phallos steht ein kleines Tischchen mit einem Gefäß darauf. Die ganze Szene erweckt den Eindruck eines kleinen Heiligtums, eines Schreins.

Die Deutung der Darstellung geht von dieser Seite des Gefäßes aus. Der geflügelte Phallos weist auf den Aspekt der Fruchtbarkeit hin. In dieser Richtung läßt sich auch die Zwergin interpretieren, da man Zwergen einen starken Geschlechtstrieb nachsagte (Shapiro 1984, S. 391f.). Die Zusammenstellung von Fruchtbarkeitssymbol und einer Frau in Gestalt einer Zwergin wurde mit dem Haloa-Fest in Verbindung gebracht (Robertson 1979). Dabei handelt es sich um ein nur für Frauen stattfindendes Fruchtbarkeitsfest, bei dem, zumindest im 4. Jahrhundert v. Chr., Trinkgelage üblich waren (Parke 1977, S. 98ff.). Die Zwerggestalt kann der Vasenmaler also deshalb gewählt haben, um den Charakter als Fruchtbarkeitsfest zu verdeutlichen. Es ist aber auch durchaus möglich, daß mit dieser Darstellung auf Trinkgelage im allgemeinen angespielt werden sollte, bei denen der Auftritt von Tanzzwergen geläufig war. Hervorzuheben ist in jedem Fall, daß die Zwergin nackt ist, wie dies auch bei allen anderen Zwergdarstellungen dieser Zeit üblich ist. Die einzige Ausnahme von dieser Regel ist bezeichnenderweise ein sehr kleiner, aber normal proportionierter Mann (Schale in Athen, Agoramuseum, Inv. Nr. P2574, E. Vanderpool, Hesperia 15, 1946, Taf. 31). Es kam den Vasenmalern also darauf an, die in ihren Augen grotesken und zum Lachen reizenden Körper (Raeck 1981, S. 205) dem Betrachter darzubieten. P.B.

*Der kurze Rumpf mit starker Buckelbildung (Kyphose) und Hohlkreuz (Hyperlordose) weist bei den langen Armen (die Beine sind offenbar abgeschnitten) auf eine spondyloepiphysäre Dysplasie hin. DASEN (1988, S. 271) spezifiziert dies aufgrund des kurzen Halses als Mukopolysaccharidose. Die eingezogene Nasenwurzel mit kurzer Nase und mit nach oben stehenden Nasenlöchern und die wulstigen Lippen lassen sogar noch eine weitere Spezifizierung der Mukopolysaccharidose als **PFAUNDLER-HURLER-Syndrom** zu.*

um 430/20 v. Chr.
Attisch-rotfigurige Kotyle
München, Staatliche Glyptothek und
Antikensammlungen, Inv. Nr. 8934

13
Hellenistisch
Bronzetänzer von Mahdia

Die zwerggestaltigen Tänzer wurden 1907 von Schwammfischern vor der tunesischen Küste bei Mahdia als Teil einer Schiffsladung gefunden (Fuchs 1963, S. 16ff.). Aufgrund der Größe und des einheitlichen Stils bilden zwei der Figuren ein Paar. Die Frau trägt einen eng am Körper liegenden Chiton und ein Fransentuch, die über der Brust miteinander verknotet sind, und auf dem Kopf eine Haube. In den Händen hält sie ein Krotalon, ein Klapperinstrument. Das männliche Pendant trägt ein kurzes Gewand, das auf der linken Schulter geknotet ist. Unter dem Gewand wird das übergroße Genitale des Tänzers sichtbar. Den Kopf bedeckt ein Gesichtsschleier. Er besteht aus einem in Fransen endenden Stück Stoff, wobei über der Stirn die Schlitze für die Augen zu erkennen sind. Dieser Schleier wird üblicherweise von Frauen, den sogenannten Manteltänzerinnen, getragen (Pfisterer-Haas 1991). In der linken Hand hält der Tänzer ebenfalls ein Krotalon, in der rechten ein nicht näher zu bestimmendes Rhythmusinstrument. Diese beiden Figuren sind durch den zurückgeworfenen Kopf der Tänzerin aufeinander bezogen und konnten nebeneinander aufgestellt werden. Die zweite Tänzerin hat auf dem Rücken einen angearbeiteten Ring, mit dessen Hilfe sie aufgehängt werden konnte. Sie ist mit einem Gewand bekleidet, das die rechte Brust frei läßt, und trägt auf dem Kopf einen großen Efeukranz.

Eine genaue Deutung der Figuren ist schwierig, da hier verschiedene Einflüsse zusammentreffen. Die Erfindung des Bildtypus gehört in den Hellenismus, ebenso wie zahlreiche andere neuartige Darstellungen. Ein besonderes Interesse dieser Zeit gilt Figuren von Krüppeln, Verwachsenen, Buckligen und Grotesken. Dazu kommen Darstellungen von niederen Schichten wie Fischern und Bauern (Himmelmann 1983). Die Abnormitäten wurden vor allem negativ bewertet, im Sinn von niedrig und gemein, wenn auch bestimmte Merkmale wie der Buckel und ein großer Phallos als übelabwehrend und glückbringend galten. Durch ihre deformierten Körper waren derartige Figuren ebenso der Lächerlichkeit preisgegeben. Die Erfindung dieser neuen Bildthemen wird in Alexandria in Ägypten lokalisiert. Nach Ägypten verweist bei der einen Tänzerin das Fransentuch, das zur Tracht der Isis gehört, aber auch allgemein von Tänzerinnen getragen wird. Für den Betrachter der Antike war jedoch klar, daß die Tänzerin in Zusammenhang mit kultischem Tanz zu deuten ist.

In den kultischen Bereich verweist auch der Efeukranz, der ein typisches Requisit des Dionysos ist. Dionysos, der griechische Gott des Weines und der rauschhaften Ekstase, erhält im hellenistischen Ägypten unter den Ptolemäern eine besondere Bedeutung (Wrede 1988). Als lebender Dionysos verkörpert der Herrscher rauschhaftes Glücksgefühl und Überfluß, Tryphe genannt. Wie für Dionysos, der von einem Gefolge tanzender Mänaden und Satyrn begleitet wird, sind für einige Ptolemäer ausschweifende Gelage in Gesellschaft von Flötenspielern und Tänzern überliefert, die den dionysischen Thiasos zum Vorbild hatten. An diesem göttlichen Fest sollte das ganze Volk teilnehmen. Von Ptolemaios IV. Philopator (221–204 v. Chr.) wird überliefert, daß er ein neues dionysisches Fest eingerichtet hat, die Lagynophorien (Flaschenfest), zu dem jeder geladen war, der eine Weinflasche und Essen mitbrachte. Zahlreiche Statuetten zeigen uns die meist buckligen und disproportionierten Teilnehmer, die sich mit großen Weinflaschen abschleppen. Die negativen Bewertungen werden hier ins Gegenteil verkehrt. Ähnlich verhält es sich mit den Tänzern aus Mahdia. Sie sollen dazu auffordern, sich in das Gefolge des Dionysos einzureihen und sich der gleichen rauschhaften Ergriffenheit hinzugeben. Die Zwerggestalt der Tänzer ist dabei auf verschiedene Weise zu rechtfertigen. Zwerge im Gefolge von Göttern oder als Tänzer

Bronze, um 100 v. Chr.
Höhe (Zwergin mit Efeukranz) 31,5 cm
(Tänzer) 32 cm, (Tänzerin) 30 cm
Tunis, Musée du Bardo

haben in Ägypten eine lange Tradition. Im griechischen Bereich unterstellt man, daß körperliche Abnormitäten zu Ausschweifungen aller Art führen, wodurch der ekstatische Tanz der Figuren noch glaubhafter wird. Im Zusammenhang mit dem dionysischen Bereich erfahren die Zwerge also eine positive Bewertung. Insgesamt sind die Tänzer ein gutes Beispiel für die Synthese von ägyptischem und griechischem Gedankengut, verbunden mit einem neuen Bedeutungsinhalt. P.B.

*Trotz des engen Gewandes der Tänzerin läßt sich die disproportionierte Gestalt mit der verstärkten Einbiegung der unteren Wirbelsäule (Hyperlordose) erkennen. DASEN (1988, S. 274) vermutet hier jedoch einen proportionierten Kleinwuchs. Die Gliedmaßen erscheinen uns relativ kurz mit eben angedeuteter Rhizomelie. Der große Kopf und das Gesicht mit prominenter Stirn und eingesunkener Nasenwurzel lassen die von POROT bereits im Jahre 1919 gestellte Diagnose einer **Achondroplasie** durchaus zu. Dies gilt auch für die beiden anderen Figuren.*

14
Pompeji
Nillandschaft mit Pygmäen

Das aus einem Haus in Pompeji stammende Wandgemälde zeigt eine Nillandschaft, in der Realität und Phantasie miteinander vermischt sind (Kat. S. Neapel 1986, S. 172, Nr. 354). In der Landschaft verteilt sind Gebäude, die nicht typisch ägyptisch sind. Wo diese Landschaft zu lokalisieren ist, zeigen die Tiere, nämlich Nilpferd und Krokodil, und die Pygmäen, die auf die Tiere Jagd machen (Kat. A. Essen 1973, S. 168). Ein Pygmäe scheint auf einem Krokodil zu reiten, drei weitere Pygmäen ziehen das Krokodil an Land. Am linken Bildrand geht ein Pygmäe mit höchst unzureichender Bewaffnung, nämlich kleiner Keule und Schild, auf ein weiteres Krokodil los. Rechts im Bild greifen Pygmäen in Booten ein Nilpferd an. Einer von ihnen wird von dem Flußpferd gefressen, worüber sein Gefährte im Boot entsetzt die Arme hochwirft. Die in unseren Augen grausame Szene hat der antike Betrachter nicht so empfunden. Aus dem 5. und 4. Jahrhundert v. Chr. sind uns griechische Figurengefäße erhalten, die einen Schwarzen zeigen, der von einem Krokodil gefressen wird (Salviat 1967). Sie sollen die Hilflosigkeit des Barbaren in der Gefahr zeigen und komisch wirken. Auf dem römischen Wandgemälde sind die Pygmäen die exotische Staffage für ein ebenso exotisches Land und ein Beleg, welche Faszination Ägypten und Afrika auf die Römer ausübten.
P.B.

*Die zahlreichen Pygmäenfiguren symbolisieren mehr oder weniger einen Einheitstypus. Der Brustkorb ist deformiert, und man kann bei der Buckelbildung eine Kypho-Skoliose vermuten, die in einem sehr kurzen Rumpf resultiert. Eine eindeutige nosologische Zuordnung ist nicht möglich. Die disproportionierten Figuren gehören in die Gruppe der **spondyloepiphysären Dysplasien**, obwohl ethnischerseits die Pygmäen proportioniert sein sollten. Dies beinhaltet das gleiche Problem wie in Kat. Nr. 10 diskutiert.*

1. Hälfte 1. Jahrhundert v. Chr.
Römisches Wandgemälde, aus der Casa
del Medico in Pompeji
75 x 127 cm
Neapel, Nationalmuseum, Inv. Nr. 113195

15
Meister des Bambino Vispo
Florenz, 1. Viertel 15. Jahrhundert
Anbetung der Heiligen Drei Könige

Der nur unter einem Notnamen bekannte Künstler, ein Zeitgenosse des Florentiner Bildhauers Lorenzo Ghiberti (1378–1455), illustriert mit dem kleinen Bild die Geschichte der Anbetung der Heiligen Drei Könige aus dem Neuen Testament (Matthäus 2, 1-12, s. a. Nr. 19 u. 27). Die Tafel ist das Mittelbild der Predella eines Polyptichons, von dem sich weitere Teile in Bonn, Dresden, Rom, Rotterdam und Stockholm befinden. Der Altar, der zu Anfang des 15. Jahrhunderts geschaffen wurde, stammt ursprünglich aus der Orsini-Kapelle des Florentiner Doms (Kat. A. Recklinghausen 1967, Nr. 2).

Vor einem zerklüfteten Felsengebirge sind Menschen und Tiere in einer langgestreckten Figurengruppe aufgereiht. Genau in der Mittelachse des Bildes gewährt das Gebirge einen Durchblick in die Ferne, wo sich die dunkle Silhouette einer hochgebauten Stadt mit Mauern und Türmen abzeichnet. Diese Stadt soll Jerusalem darstellen, wo die Heiligen Drei Könige, die aus dem Orient kamen, um den neugeborenen Christus anzubeten, Station gemacht hatten, bevor sie schließlich das Kind mit seinen Eltern fanden. Ganz rechts sitzt unter einer leichten Holzarchitektur, die den Stall in Bethlehem andeuten soll, Maria mit dem Wickelkind auf dem Schoß, neben sich den Nährvater Josef. Der älteste der Könige, mit langem Bart und gekleidet in ein golden-rot changierendes Gewand, hat sich vor Maria zu Boden geworfen und hält den Kopf erhoben, um die Füße des Kindes zu küssen. Sein Geschenk, wie auch das der anderen Könige, die, in Blau und Rot gekleidet, neben ihm stehen, wird von Josef einer ernsthaften Prüfung unterzogen. Hinter der Gruppe der Könige erstreckt sich bis zum linken Bildrand der Troß der Höflinge und – ganz links außen – der Reittiere und Knechte. Die Höflinge, prunkvoll in Blau, Rot und Gelb gekleidet, halten respektvoll Abstand von der Szene der Anbetung; daher kann der Blick des Betrachters nun auf einen Zwerg fallen, der die links zwischen dem König im blauen Mantel und dem blaugewandeten Höfling entstandene Lücke schließt.

Dieser Zwerg, der zum Hofstaat der Heiligen Drei Könige gehört, verrichtet das ehrenvolle Amt eines Falkners; dem roten Samt seiner Kopfbedeckung entspricht die rote Haube des Falken, den er auf der linken Faust trägt. Bemerkenswert ist die wappenartige Farbgebung seines gegürteten Obergewandes, eine grüne Partie bedeckt die rechte, eine gelb und rot changierende die linke Körperhälfte.

D.M.

*Der mürrisch dreinblickende Minderwüchsige ist nicht von allzu kleiner Gestalt. Sein Mantel verhüllt den Rumpf so, daß er nicht beurteilt werden kann. Nimmt man seinen Gürtel als Maß, so ist der Leib eher als relativ lang zu bezeichnen. Hände und Füße sind groß. Der Kopf bietet keinen Anhaltspunkt für eine Achondroplasie. Es könnte sich um eine **Pseudoachondroplasie** oder einen hormonellen Kleinwuchs handeln.*

Holz, 30,5 x 57,5 cm
Douai, Musée de la Chartreuse
Inv. Nr. 149

Meister des Obersteiner Altares
Christus vor Pilatus

Der Maler, der nach einem Passionsaltar in der Obersteiner Felsenkirche benannt wurde, lebte in der Zeit um 1400. Er gehört nach Stange (1970, S. 94) der expressiven Richtung der mittelrheinischen Kunst an. Seine Werkstatt befand sich wahrscheinlich in Mainz. Der Altarflügel, von dem hier die Innenseite vorgestellt wird, zeigt außen den Hl. Stephanus, der zur Steinigung geführt wird. Der ursprüngliche Aufstellungsort des Wandaltares, der um 1420 datiert wird (Stange 1969, S. 125), war vermutlich St. Stephan in Mainz. Seit 1914 befindet sich das Fragment im Mainzer Landesmuseum (Kat. S. Mainz 1954, S. 6).

Auf einem Thron, der wie ein zierliches Gehäuse aus Holz gestaltet ist, sitzt Pilatus, der römische Statthalter von Judäa. Sein langes Haupthaar und der Bart wallen in schönen Locken, während er sich von einem gleichfalls blondgelockten Pagen, der auf den Stufen eines Hauses steht, ein Wasserbecken präsentieren läßt. Pilatus wäscht – wie man weiß – seine Hände »in Unschuld«; denn gerade hat er Christus den Juden überantwortet, die ihn umbringen wollen (Matthäus 27, 15-30). Links wird der gegeißelte, dornengekrönte Christus, ausgezeichnet durch einen ornamentierten Heiligenschein, von fünf finsteren Gestalten, die ihn umringen, abgeführt (Matthäus 27, 31). In der Mitte des Bildes steht links neben dem Thron ein zottelbärtiger Zwerg vor einer niedrigen Holzwand. Mit der Rechten liebkost er ein kleines Hündchen, das sich neben ihm aufgerichtet hat; mit der Linken aber hält er ein langes Zweihandschwert in einer goldverzierten Lederscheide, die gegen seine Schulter lehnt und mit der Spitze nach oben zeigt. Dieser vornehm gekleidete Zwerg ist eine Vertrauensperson des Pilatus, denn die gewaltige Waffe, die er trägt, ist das Machtsymbol des Statthalters, der es bei seinen Amtshandlungen zur Schau stellen läßt.

Der Zwerg hat eine gefiederte Pelzmütze auf dem Kopf und trägt ein mehrfarbiges Gewand. Beide Kleidungsstücke sind mit der Tradition der Darstellung von Narren verbunden. Die Bedeutung des Narren ist hier, nach Schwartz (1988), als Ausdruck für die Verhöhnung des geschundenen Christus anzusehen.   D.M.

Der kurze Rumpf mit der Wirbelsäulenverbiegung und wahrscheinlich eine zusätzliche Muskelschwäche führen zu dem vorspringenden Bauch. Der Hals ist auffallend kurz. Die sicher verkürzten Gliedmaßen wirken durch die kurze Wirbelsäule relativ lang. Damit handelt es sich um eine spondyloepiphysäre Dysplasie, was sich durch das eigenartige Gesicht noch spezieller als **Mukopolysaccharidose** *oder Lipidose einstufen ließe.*

Tempera/Tannenholz, 70 x 93 cm
Mainz, Landesmuseum, Inv. Nr. 816

Anonym, 1. Hälfte 15. Jahrhundert
**Grabmal des Antonio Tallander
a Mossèn Borra**

Im Kreuzgang der Kathedrale von Barcelona befindet sich das Grabmal des Antonio Tallander, eines katalanischen Edelmannes am Hofe der Könige von Aragón. Das Bronze-Epitaph aus dem Jahre 1433 ist in eine schmale Nische eingelassen, die von zwei Halbsäulen mit Blattkapitellen flankiert wird. Drei gotische Dreipässe bekrönen die Nische, in der noch Reste von Bemalung zu erkennen sind. Der Künstler der ganzfigurigen Bronzeplatte, die das Portrait von Antonio Tallander zeigt, ist unbekannt.

Der Kopf des Edelmanns liegt auf einem Kissen, das an den Ecken mit Quasten verziert ist. Seine Füße stützt der Tote, der ein aragonesisches Hofgewand trägt, auf einen schlafenden Hund und hält die Hände wie ein Betender im Orantengestus. Über Mossèn Borra sieht der Betrachter in der Mitte Maria mit dem den Toten segnenden Christuskind in einer Strahlenmandorla. Links des Strahlenkranzes befindet sich das Wappen des Verstorbenen, rechts das derer von Collell, der Familie seiner Gemahlin. Die Ränder der Bronzeplatte sind mit einer Inschrift versehen, die über den Toten Auskunft gibt.

Antonio Tallander, der unter seinem Titel Mossèn Borra bekannt geworden ist, starb 1446 in Neapel, das zu dieser Zeit zum Königreich Aragón gehörte. Doña Maria, die Gemahlin König Alfonsos V. von Aragón (1415–1458), bezeichnet Tallander in einem Brief vom 24. November 1420 als »la Nano« (der Zwerg). Von seinen Zeitgenossen wurde er selbst aber nie direkt als Zwerg angesprochen. Der spanische Schriftsteller Eugenio de Ochoa (1815–1872) meint, daß das Adjektiv »borruno«, das mit »ausgefallen« oder »lächerlich« übersetzt werden muß, sich von Tallanders Titel »Borra« abgeleitet habe (vgl. Mc Van 1942, S. 99).   D.M.

Falls Borra überhaupt kleinwüchsig war, ist er trotz seines langen Gewandes als wohlproportioniert zu erkennen. Demnach wäre er allenfalls als **primordialer** *oder* **hypophysärer Minderwüchsiger** *einzuschätzen. Eine sichere Zuordnung ist nicht möglich.*

Bronze
Maße unbekannt
Barcelona, Kreuzgang der Kathedrale

Apollonio di Giovanni
(gest. Florenz 1465)
**Die Königin von Saba
bei König Salomon**

Der Florentiner Miniaturist und Truhenmaler Apollonio di Giovanni war als Künstler Mitte des 15. Jahrhunderts tätig. Der Florentiner Humanist Ugolino Verino bezeichnete ihn in einem Epigramm als den »toskanischen Apelles« (Kat. S. Yale 1970, S. 116). Apollonio ist Zeitgenosse des Florentiner Frührenaissance-Bildhauers Lorenzo Ghiberti (1378–1455).

Die Abbildung zeigt einen Ausschnitt aus einem späten Gemälde der Werkstatt von Apollonio di Giovanni, das den Besuch der Königin von Saba bei König Salomon zum Gegenstand hat. Die Geschichte der Königin wird unter anderem im zweiten Buch der Chronik des Alten Testaments erzählt. Das Gefolge der Königin, ein gewaltiger Zug von Hofdamen, Herren und Personal zu Fuß und zu Pferde, verläßt oben links im Bild durch ein Stadttor die Residenz der Königin, um ihr unten vor einer Loggienarchitektur, auf der kleine Putten Girlanden halten, das Geleit zu geben. Der Vordergrund vor dieser Architektur, die schon zum Palast des Königs Salomo gehört und eine Art Hof bildet, ist mit polierten Steinplatten belegt, die zu großen Quadraten zurechtgeschnitten sind.

Auf der linken unteren Platte ist mitten im Bildvordergrund ein Hofzwerg zu sehen. Seiner prächtigen Tracht zufolge ist er dem prunkvoll gewandeten engen Hofstaat der Königin zuzurechnen, der rechts hinter seiner hier nicht sichtbaren Herrin herschreitet. Als Mitglied des Hofstaates, wenn auch an letzter Stelle plaziert, ist er seinem Kollegen in Kat. Nr. 19 vergleichbar; die Geste seines ausgestreckten Armes befiehlt dem niederrangigen Gefolge links neben ihm, haltzumachen, weil es selbstverständlich bei der feierlichen Empfangszeremonie nicht zugelassen ist. D.M.

*Die kleine Gestalt erlaubt keine eindeutige Beurteilung. Die relativ langen Arme lassen einen kurzen Rumpf vermuten. Das Gesicht könnte eine leicht eingezogene Nasenwurzel aufweisen, die Nase selbst hingegen ist lang und spitz. Die Finger erscheinen lang und schlank. Damit ist die Figur am ehesten in den Formenkreis der **spondyloepiphysären Dysplasie** einzureihen. Auch eine Pseudoachondroplasie ist zu erwägen.*

ca. 1460–1465
Eitempera/Holz, 41,4 x 150,8 cm
Yale, University Art Gallery
James Jackson Jarves Collection
Inv. Nr. 1871.36

19
Sandro Botticelli
(Florenz 1445 – Florenz 1510)
Die Anbetung der Könige

Alessandro di Mariano Filipepi, genannt Sandro Botticelli, zählt zu den berühmtesten Florentiner Malern des 15. Jahrhunderts. 1472 erscheint sein Name in der Liste der Compagnia di San Luca, wo er die meisten seiner Werke ausführte. Er war hauptsächlich in seiner Heimatstadt und deren Umgebung tätig. Eine Ausnahme bildet ein Aufenthalt in Rom von 1481 bis 1482, wo er Fresken in der Sixtinischen Kapelle im päpstlichen Vatikanspalast ausführte. Zu seinen bekanntesten Bildern gehören »Der Frühling« und »Die Geburt der Venus«, beide in Florenz.

»Die Anbetung der Könige« gehört zu den frühesten bekannten Bildern von Sandro Botticelli. In der Forschung wird angenommen, daß Filippino Lippi (1457–1504), der Sohn seines Lehrers Fra Filippo Lippi, bei dem Bild mitgearbeitet hat. Es wird um 1472 datiert. (Lightbown 1978, S. 20, mit weiterführender Literatur, Kat. S. London 1961, S. 97).

Eine gewaltige Menschenmenge wälzt sich von links in das Breitformat dieser »Anbetung der Könige« hinein und kommt inmitten einer Ruinenarchitektur zum Halt (siehe Abb. S. 108/109). Es sind die Heiligen Drei Könige, die mit ihrem zahlreichen Gefolge aus dem Morgenlande kamen, um im Stall zu Bethlehem den neugeborenen Christus anzubeten (Matthäus 2, 1-12). Rechts sieht man die Holzbalken des Stalles, der in einen verfallenen Palast hineingebaut ist. Vor drei weißen Pfeilern sitzt, angetan mit einem blauen Mantel, Maria mit dem Christuskind. Rechts neben ihr lehnt, an einem Pfeiler stehend, der Nährvater der heiligen Familie, der greise Josef. Er und die beiden Hirten ganz rechts außen schauen zu, wie sich der erste der Drei Könige zu Boden geworfen hat und nun mit seiner Hand, über die er respektvollerweise seinen feinen Musselinschal gelegt hat, den Fuß des Kindes ergreift, um ihn zu küssen. Hinter diesem König ist bereits sein in Blau gekleideter Weggefährte auf die Knie gefallen, um als nächster den Akt der Anbetung zu vollziehen. Hinter seinem Rücken erstreckt sich nach links hin die Gruppe der vornehmen Gefolgsleute, während ganz links außen die Diener mit den Pferden warten.

Dort, rechts neben dem Schimmel im Bildvordergrund, ist der Platz des Hofzwergs. Er steht auf der Schwelle der Ruinenarchitektur und ist durch seine prunkvolle Kleidung als Mitglied des engeren Gefolges der Könige gekennzeichnet. Er trägt ein kurzes rotes Wams mit Pelzverbrämung und enge blaue Hosen und eine Kopfbedeckung in burgundischer Art. Der bärtige Zwerg scheint mit einer besonderen Aufgabe betraut, denn als einziger aus dem gesamten Gefolge der Höflinge trägt er deutlich erkennbar zwei Waffen: am Gürtel einen Dolch in einer schwarzen Scheide und in der linken Hand ein seiner Größe angepaßtes Schwert.
D.M.

Der kurzgliedrige, muskelkräftige Kleinwüchsige mit Rhizomelie und dem Kopf mit betonter Stirn und eingezogener Nasenwurzel repräsentiert in klassischer Weise die **Achondroplasie***.*

Holz, 50 x 136 cm
London, The National Gallery
Inv. Nr. NG 592

20
Meister des Bartholomäusaltares
[Geldern (?) ca. 1440/50 –
Köln (?) 1510/20]
Die Dornenkrönung
aus dem Stundenbuch der Sophia von
Bylant (datiert 1475)

Das auf stilkritischem Weg für den Meister des Bartholomäusaltares gesicherte Stundenbuch der Sophia von Bylant nimmt wegen seiner festen Datierung auf 1475 und seiner stilistischen Eigenheiten eine zentrale Stellung im Frühwerk des bedeutenden spätgotischen Künstlers ein, von dem allerdings weder Name noch gesicherte Lebensdaten bekannt sind. Die Auftraggeberin der Handschrift, Sophia von Bylant, verweist ebenso wie der Kalender auf Geldern. Stilistische und motivische Elemente des Frühwerks belegen zudem die Kenntnis Utrechter Kunst und lassen ganz allgemein eine Schulung an Werken niederländischer Meister wie Jan van Eyck (ca. 1390–1441) und Rogier van der Weyden (1399/1400 – 1464) erkennen. Das Stundenbuch ist die einzige nachweisbare Buchmalerei dieses in Geldern wohl eher als Tafelmaler ausgebildeten Künstlers, der etwa um 1480 ins reiche Köln übersiedelte. Dort entstand ein Großteil seines Œuvres, wie der namengebende Bartholomäusaltar der Münchner Alten Pinakothek.

Auf Seite 102 der Handschrift ist die Dornenkrönung und Verspottung Christi (Mt. 27, 27-30) betont an den Anfang des Offiziums vom Leiden des Herrn gesetzt. In einem Innenraum thront Christus inmitten seiner Peiniger vor einem für den Künstler typischen Goldvorhang. Rechts neben dem nur mit einem übergeworfenen Purpurgewand bekleideten Christus steht der reich gewandete Pilatus mit seinem Richterstab. Von links drängt ein Kahlgeschorener mit hochgekrempelten Hemdsärmeln heran, der mittels kreuzförmig gehaltener Stangen zusammen mit dem feisten Turbanträger hinter Christus die Dornenkrone auf die Stirn des Heilands hebelt, wobei reichlich Blut auf Gesicht und Hals ihres Opfers fließt. Zwischen diesen beiden drängt sich ein Grimassenschneider eng an Christus heran.

Am krassesten gestaltet sich die Persiflage einer Krönung in dem zwergenhaften Hofnarren zu Füßen Christi. Dieser eilt in einer Art Knielauf an Christus vorbei, wobei er sich aber in anatomisch kaum nachvollziehbarer Weise umkehrt, um einen Rohrkolben als Spottszepter zwischen die gefesselten Arme Christi zu stecken. Der Hofzwerg ist in gelbe Beinlinge und ein grünliches, innen rot gefüttertes, eng anliegendes Gewand gekleidet, dessen Rockschöße er, seiner Bewegungsrichtung widersprechend, nach vorne geworfen hat, um Christus sein Hinterteil zu zeigen. Hiermit wird betont, daß die gesamte Krönung Spott und »verkehrte Welt« ist.

In der goldgrundigen Blätterbordüre sind zahlreiche auf die Dornenkrönung beziehbare Tiergruppen und Fabelwesen dargestellt. In den Ecken befinden sich Beispiele für Gewalttätigkeit in der Natur: oben Vögel (links ein Adler, der das Bein eines Lammes frißt, rechts ein Raubvogel mit einem gefangenen kleinen Vogel), unten Landtiere (links ein Fuchs als Hühner-, rechts ein Marder als Eierdieb). In der Leistenmitte stehen sich oben das Symboltier der Juden, der Skorpion (Ezechiel 2.6, mit Anspielung auf umgebende Dornen und das Haus des Widerspruchs), und unten die auf die blinde Synagoge verweisende, tagblinde, von drei Vögeln belästigte Eule (Andree 1961, S. 328) gegenüber. An den Seitenleisten befindet sich links ein kindesräuberischer Kentaur und rechts eine Sirene mit Fischleib, die zusammen im Physiologus (Physiologus 1960, S. 14f.) als Beispiele für Mächte wiederum des Widerspruchs und höhnender Ketzerei genannt werden.　　　　H.W.

Originaler brauner Ledereinband
182 Bl. Pergament, 232 x 165 mm
Wallraf-Richartz-Museum Köln
Graphische Sammlung
Inv. Nr. 232-244

*Bei nur mäßigem Minderwuchs könnten die verkürzten, verdrehten und verbogenen Beine mit der Wirbelsäulenverbiegung (Kyphose) einen Hinweis auf eine **Osteomalazie** (Knochenerweichung) oder eine Osteogenesis imperfecta (Glasknochenkrankheit) geben.*

21
Berner Nelkenmeister, Werkstatt
Kaiser Friedrich II. mit seinem Gefolge

Unter dem Namen »Nelkenmeister« faßt man eine Anzahl namentlich unbekannter Künstler zusammen, die gegen Ende des 15. und zu Anfang des 16. Jahrhunderts vorwiegend in der Schweiz tätig gewesen sind. Sie »signierten« ihre Tafeln mit einer roten oder weißen Nelke, mitunter auch mit einer Nelke und einer Rispe. Nach Hugo Wagner (Kat. S. Bern 1977) sind diese »Signaturen« nur als Zeichen einer lockeren, überregionalen Malervereinigung zu verstehen. Als Hauptwerk dieser Gruppe gilt der um 1480 entstandene Hochaltar der Barfüßerkirche in Fribourg.

Die hier gezeigte Tafel gehört zu einem nur fragmentarisch erhaltenen Gerichtszyklus, der wahrscheinlich im Justizsaal des Kleinen Rates zu Bern hing. Die drei anderen noch erhaltenen Bilder aus diesem Zyklus, die sich ebenfalls im Besitz des Kunstmuseums Bern befinden, stellen zum einen den Sohn Kaiser Trajans dar, der übermütig umherreitet und dabei das Kind einer Witwe tötet, zum anderen den zu Gericht sitzenden Kaiser Trajan, der seinen Sohn auf Bitten der Witwe begnadigt, und weiter einen deutschen Kaiser, der in Bern Gericht hält. Die Tafeln sind Teil eines größeren, unter anderem die Trajanslegende umfassenden Gerichts-Zyklus', wie er sich auch in anderen Rathäusern, zum Beispiel in Köln und Brüssel, fand. In Bern gehörten mindestens noch zwei weitere deutsche Kaiser dazu, die mit der Geschichte der Stadt eng verbunden sind (Kat. S. Bern 1977, S. 50f.).

Das hier gezeigte vierte Bild aus dem Berner Zyklus stellt Kaiser Friedrich II. (1194 bis 1250) dar, der 1220 die Berner Stadtrechte verbriefte. Der Kaiser steht als junger Mann, umgeben von seinem Gefolge, in einem loggiaartigen Raum, dessen Boden mit weißen, blauen und gelbbraunen Platten gefliest ist.

Friedrich II. ist angetan mit einem kostbaren Brokatmantel und trägt eine Krone auf dem Kopf; er hält in seiner Rechten das Szepter, in der Linken den Reichsapfel.

Rechts im Bildvordergrund hockt angekettet der Berner Bär und nascht Weintrauben. Hinter ihm öffnet sich eine rundbogige Nische, wohl sein Käfig. Vor dem Tier liegen auf dem Fliesenboden verschiedene Früchte.

Dem Berner Wappentier gegenüber macht ein Zwerg im Narrenkostüm einen Ausfallschritt und hält sich mit der linken Hand das Ohr zu, weil ein vor ihm anschlagender Hund den Bären anbellt.
D.M.

*Die wohlproportionierte kleine Gestalt weist ein leicht aufgedunsenes Gesicht auf. Am ehesten handelt es sich um einen **hypophysären Minderwuchs**.*

Bern, ca. 1485/95
Mischtechnik/Nadelholz, 40 x 28 cm
Bern, Kunstmuseum Bern / Staat Bern
Inv. Nr. 334

22
Antoniazzo Romano (zugeschrieben)
**Salome bringt Herodes
das Haupt Johannes' des Täufers**

Antoniazzo Romano, dessen eigentlicher Name Antoniazzo di Benedetto Aquilio lautet, zählt zu den herausragendsten römischen Malern der zweiten Hälfte des 15. Jahrhunderts. Er war Zeitgenosse von Pietro Perugino und Domenico Ghirlandaio und arbeitete zum Beispiel mit letzterem 1475 in der vatikanischen Bibliothek in Rom zusammen.

Diese Predellentafel, die mit zwei weiteren querrechteckigen Tafeln zu einem heute nicht mehr rekonstruierbaren Altar gehört hat, stellt eine berühmte Geschichte aus dem Neuen Testament in der Formensprache der italienischen Frührenaissance dar. Von den beiden anderen Tafeln, die zusammen mit dem Herodesfest als Mittelbild den Untersatz des Altars gebildet haben, zeigt die eine die Szene mit dem Hl. Hieronymus als Kardinal (heute in Venedig), die zweite gilt als verschollen (Hedberg 1980, S. 155f.).

Inmitten eines Palasthofes, der sich nach hinten auf eine baumreiche und gebirgige Landschaft öffnet und der seitlich von Wandelgängen umgeben ist, hat sich ein König zum Mahl niedergelassen. An einer langen, mit einem weißen Tuch bedeckten Tafel thront Herodes, der Kindermörder der Weihnachtsgeschichte, in der Mitte; je zwei Gäste, die zur Rechten und zur Linken sitzen, leisten ihm Gesellschaft. Diese fünf Herren widmen sich aber nicht etwa ihrer Mahlzeit, sondern wenden sich mit einer gewissen Erregung einer jungen Frau zu, die vor dem Tisch einen Hofknicks macht und Herodes einen großen Teller präsentiert. Auf diesem Teller liegt etwas, das sowohl Ursache der Diskussion der Männer am Tisch wie auch Gesprächsgegenstand der vier Hofleute links vorn im Bilde ist: Es handelt sich um den mit einem Heiligenschein ausgezeichneten Kopf Johannes' des Täufers. Um dem Betrachter die Geschichte, die im 14. Kapitel des Matthäus-Evangeliums geschildert wird, nachdrücklich ins Gedächtnis zu rufen, hat der Maler das Ereignis, das dem Geschehen vorangehen mußte, im erhöhten Wandelgang hinten rechts als besondere Szene dargestellt. Hier sieht man durch die Bogenstellung den knienden Johannes mit einem Kamelhaarfell bekleidet. Der Scharfrichter schwingt das Richtschwert in einem weiten Bogen über den Kopf des Täufers, während links davon die junge Frau – Herodes' Tochter Salome, die wegen verschmähter Liebe den Tod des Johannes erwirkt hatte – mit dem großen Teller wartet.

Vorn rechts steht am Rand, unbeteiligt aus dem Bild herausblickend und auf einen Stab gestützt, der diensthabende Höfling, der das Zeremoniell des königlichen Mahls leitet. Neben ihm bemerkt man einen vergleichsweise altertümlich gekleideten Hofzwerg, der mit einem kurzen Obergewand, darüber einen Mantel geworfen, und zweifarbigen enganliegenden Hosen bekleidet ist; er hält einen Affen am Strick, der gerade mit einer Kugel oder einer runden Frucht spielt.

D.M.

Die kleine Gestalt kennzeichnen sowohl kurze Gliedmaßen als auch ein verkürzter Rumpf. Die Stirn ist eher fliehend und das Gesicht prominent. Der kurze Leib und die Gesichtsdysmorphie weisen auf den Formenkreis der spondyloepiphysären Dysplasie, eventuell eine **Mukopolysaccharidose** *hin. Aber auch eine Pseudoachondroplasie ist denkbar.*

um 1490
Pappelholz, 29 x 45 cm
Staatliche Museen Preußischer
Kulturbesitz
Gemäldegalerie, Berlin-Dahlem
Kat. Nr. S. 4

23
Giovanni Pietro Birago
(nachweisbar 1471–1513)
**Miniaturen zu: Aelius Donatus,
Ars minor; Disticha Catonis;
Institutiones grammaticae**

Originaleinband
54 Bl. Pergament, 275 x 180 mm
Mailand, Archivio Storico Civico
Biblioteca Trivulziana, Cod. 2167

Giovanni Pietro Birago, der seine Hauptwerke für den prunkliebenden Hof der Sforza in Mailand unter Lodovico il Moro (1451–1508) schuf, an dem auch Leonardo (1452–1519) im Dienst stand, darf als einer der bedeutendsten Miniatoren der italienischen Renaissance gelten.

Die Mailänder Donatushandschrift wurde von Giovanni Birago und anderen lombardischen Künstlern für den ältesten Sohn Lodovico il Moros, Massimiliano (1491–1530), geschaffen, dem sie zwischen 1496 und 1499, dem Jahr, in dem er an den Hof Kaiser Maximilians nach Deutschland ging und Mailand von den Franzosen erobert wurde, als Lehrbuch diente.

Der Hauptteil des Buchs, die lateinische Elementargrammatik des Rhetors und Grammatikers Aelius Donatus (4. Jh. n. Chr.) war in bearbeiteter Form im Mittelalter und der Renaissance so beliebt, daß ihr Autor ein Synonym für Grammatik, die grundlegende der Sieben Freien Künste, wurde.

Zwei der Miniaturen dieses Buches, die von Birago stammen, die Schulszene und der Triumphzug Massimilianos, zeigen jeweils einen Zwerg, der wie die anderen Begleiter des Prinzen mit engen Beinlingen in den Sforzafarben und einem hemdartigen, gegürteten Obergewand bekleidet ist.

In der Schulszene hat sich der kleine Hofstaat um den mit einem goldenen Kranz geschmückten Lehrer und den prunkvoll gekleideten Prinzen versammelt, die beide hinter aufgeschlagenen Büchern an einem Tisch sitzen, wobei Massimiliano aufmerksam zuhört. Seine etwa gleichaltrigen Pagen hingegen sind alles andere als konzentriert. Vor dem sich auf eine weite Landschaft öffnenden Fenster füttern zwei ihre Vögel mit Brotkringeln, im Vordergrund beruhigt ein kniender ein Hündchen, einer der hinter dem Prinzen sitzenden Pagen schläft sogar. Die reizvollen Pagendarstellungen vermitteln nicht nur etwas von der höfischen Heiterkeit der Renaissance, sondern betonen auch den in der Bildunterschrift besonders hervorgehobenen Lerneifer des zukünftigen Herzogs von Mailand, der keine der Ablenkungen beachtet.

Der wie die Pagen gekleidete und frisierte Hofzwerg vor dem Tisch fächelt seinem jungen Herrn Luft zu. Ärgerlich wendet er sich währenddessen einem Raben zu, der ihn in die Ferse pickt. Derselbe Zwerg schreitet in dem Triumphzug mit Flöte und Trommel dem Triumphwagen des Massimiliano voran, wobei seine Musik von dem hier wiederkehrenden weißen Hündchen der Schulszene lautstark begleitet wird. Diese lustigen Verwicklungen mit Tieren in beiden Szenen charakterisieren den Zwerg zugleich als Hofnarren, ein Motiv, das noch in den »Las Meninas« des Diego Velázquez (s. Nr. 65) wiederkehrt. Im Gegensatz zu den anderen, idealisiert dargestellten Figuren ist der Zwerg über seine Größe hinaus durch seine stämmigen rundlichen Proportionen und vor allem das sehr realistische, ältlich wirkende Gesicht charakterisiert, also Elemente, die später zum Beispiel den berühmten Hofzwerg der Medici, Pietro Barbino (s. Nrn. 34-36), ebenfalls kennzeichnen.

Der Hofzwerg ist in Biragos Handschriften für die Sforza ein besonders häufiges Motiv. Er erscheint mehrfach in dem berühmten Stundenbuch der Bona Sforza (London, British Library, Add. Ms. 34294, 149v, 190v; Evans 1986, 25; Kat. Ausst. Malibu 1983, Nr. 15). In einer erst vor kurzem aufgetauchten Kalenderminiatur dieser Handschrift (British Library, Add. Ms. 62997) zum Monat Mai überreicht derselbe Zwerg einem jungen Mann einen Teller mit Obst (Evans 1986). Somit ist er vermutlich eine recht getreue Wiedergabe des histo-

risch allerdings bisher nicht faßbaren Hofzwergs der Sforza. Allerdings zeigt auch sein Bild eine gewisse Typisierung, gleichen seine Proportionen und seine Frisur doch einzelnen am Fuß von Kandelabern stehenden Putten auf Ornamentstichen Biragos [Hind 1948, Part II, Nr. 10(7), 10(9)]. H.W.

Prominente Stirn, eingezogene Nasenwurzel, rhizomele Gliedmaßen, kurze Hände und Füße und verstärkte Ausbiegung der Lendenwirbelsäule (Hyperlordose) weisen eindeutig auf eine **Achondroplasie** *hin.*

24
Niederländisch, um 1500
Studienblatt mit grotesken Wesen

Der anonyme Zeichner ist sowohl motivisch als auch in seinen skizzenhaft anmutenden Federstrichen an Hieronymus Bosch geschult (anders Boon 1978, Nr. 20, der das Blatt ins erste Viertel des 15. Jahrhunderts datiert). Bosch, der um 1450 geboren wurde und 1516 starb, galt lange – und gilt teils noch heute – als ein Maler, der anders als seine altniederländischen Künstlerkollegen phantastische Innen- und Unterwelten erfand, statt die ihn umgebenden Dinge realistisch zu schildern. Spätestens seit Bauers medizingeschichtlicher Untersuchung von Symptomen der Mutterkornvergiftung in Gemälden Boschs (Bauer 1972) ist deutlich geworden, daß manches scheinbar der Phantasie entsprungene Motiv auf genauer Beobachtung gründet. Dies gilt auch, wie der nachstehende medizinische Kommentar zeigt, für den auf Stelzen erhöhten, mit übergroßem Schwert ausgestatteten Zwerg im unteren rechten Eck der Zeichnung (zum Motiv vgl. ein Emblem Rollenhagens, Kat. Nr. 50).

Körperlichen Abnormitäten begegnen wir auf Werken Boschs und von ihm beeinflußter Künstler bis hin zu Pieter Bruegel (um 1525–1569) häufiger. Verkrüppelten, Blinden, Buckligen wurde zumeist weniger mitleidige Aufmerksamkeit als vielmehr abwehrende Distanz zuteil, galt doch körperliche Behinderung zugleich als Zeichen moralischer Verkommenheit (de Pauw-de Veen 1979, S. 153f.). Dies erklärt auch die häufige Anwesenheit von Kleinwüchsigen unter den Peinigern Jesu (vgl. Kat. Nrn. 16, 25, 26). G.U.

Federzeichnung, 200 x 143 mm
Amsterdam, Rijksprentenkabinett

Die sehr kleine, fast kugelige Gestalt auf den Stelzen läßt eine exzessive Verbiegung der Wirbelsäule (Kypho-Skoliose) vermuten, so, wie sie bei schwerster **Osteogenesis imperfecta** *(Glasknochenkrankheit) vorkommt. Dies ist der Hauptgrund der sehr kleinen Statur. Auch das etwas spitz zulaufende Gesicht (Vogelgesicht) deutet auf diese Erkrankung hin.*

25
Urs Graf
(Solothurn um 1485 – Basel um 1528)
Christus vor Herodes

Urs Graf ist als Goldschmied, Maler, Zeichner und Stecher der vorreformatorischen Zeit bekannt geworden. Seine graphischen Folgen, die noch der Spätgotik, aber auch schon der Renaissance verpflichtet sind, erschienen zu Straßburg und Basel. Zu seinen besten Blättern zählt die 1521 entstandene Serie der Bannerträger.

Der Holzschnitt, der hier behandelt wird, gehört zu einem 25 Blätter umfassenden Zyklus, den der Künstler für die »Passion« des Elsässer Humanisten Matthias Ringmann im Jahre 1503 in Straßburg entwarf. Der Humanist rückt die Leidensgeschichte Christi »aus der distanzierenden Sphäre der verschiedenen Evangelistenberichte in eine neue erzählerische Unmittelbarkeit« (Worringer 1923, S. 5). Der erste Verleger der »Passion« verzichtete aber aufgrund seiner eigenen Qualitätsansprüche auf die Verwendung der Blätter. Urs Graf erreichte dennoch das Erscheinen seiner Holzschnitte, indem er den Schweizer Drucker und Verleger Johann Knobloch, der seit 1501 Bürger in Straßburg war, im Jahre 1506 hierzu überredete (Major o.J., S. 6).

Der Holzschnitt mit »Christus vor Herodes« ist das 15. Blatt der Passionsserie. Mitten in Jerusalem, das durch Befestigungsmauern im spätgotischen Stil angedeutet wird, steht auf dem Platz neben seinem Palast, dessen prunkvolles Tor links zu sehen ist, der König Herodes. Die Krone auf seinem Turban und das Szepter, das er in der linken Hand hält, kennzeichnen seine herausgehobene Stellung. Links hinter ihm drängt sich sein Gefolge. Der baumlange König ist leicht in die Knie gegangen und beugt sich vor, um den rechts vor ihm stehenden Christus zu fixieren, den er gerade befragt hat und nun wegen weiterer Verhandlung an den römischen Statthalter zurückschickt (Lukas 23, 6-12). Zahlreiche Schergen, Ritter und andere Militärpersonen haben sich bereits um Christus geschart, der als einziger barfuß und mit gefesselten Händen vor Herodes steht.

Ganz unten im Bildvordergrund ist vor den Füßen des Königs eine Meerkatze damit beschäftigt, einem eleganten Hund etwas zu fressen darzubieten. Die Meerkatze ist an einem Strick gefesselt, der von einem Zwerg ganz links außen gehalten wird. Vornehm gekleidet und den Dolch an der Seite, trägt dieser Zwerg einen würdevollen Philosophenkopf mit Vollbart, Glatze und Stirnlocke zur Schau und erinnert damit von ferne an den griechischen Philosophen Plato. Der gefesselte Affe ist ein Symbol des Teufels und steht in antithetischer Beziehung zu dem gebundenen Christus [Janson 1952, S. 150-151 (Anm. 22), S. 211].

D.M.

Die kleine und durchaus disproportionierte Gestalt hat kurze, kräftige Gliedmaßen mit angedeuteter Rhizomelie. Der Rumpf ist ebenfalls etwas verkürzt, was der Diagnose der **Achondroplasie** *etwas im Wege steht und eventuell auf eine spondyloepiphysäre Dysplasie hinweist. Die prominente Stirn und eingezogene Nasenwurzel sprechen aber eindeutig für eine Achondroplasie.*

monogrammiert: UG
Holzschnitt, 216 x 157 mm

121

26

Meister des Aachener Altares
Ecce Homo

Der Meister des Aachener Altares – benannt nach seinem Hauptwerk, von dem hier eine Tafel vorgestellt werden soll – zählt zu den wichtigsten und bedeutendsten spätgotisch orientierten Kölner Malern zu Anfang des 16. Jahrhunderts. Sein Werk läßt sich zwischen 1495 und 1525 ansetzen; der Künstler gehört damit in die Epoche der Reformation und ist Zeitgenosse Albrecht Dürers und Mathias Grünewalds.

Der dreiflügelige Altar entstand ungefähr in der Mitte der Schaffensperiode des Künstlers und wird um 1510 datiert (Kat. S. Köln 1990, S. 417). Ursprünglich stammt das Triptychon aus dem Kölner Karmeliterkloster, wo es noch 1642 nachweisbar ist. Es gelangte 1872 aus Privatbesitz in den Münsterschatz des Aachener Domkapitels.

Das hier gezeigte Bild ist der linke Flügel des geöffneten Passionstriptychons; die mittlere Tafel nimmt die Darstellung der Kreuzigung ein, rechts befindet sich die Beweinung Christi.

Das Thema des Bildes stammt aus dem 19. Kapitel des Johannes-Evangeliums. Dort heißt es im fünften und sechsten Vers: »Da ging Jesus heraus und trug eine Dornenkrone und ein Purpurkleid. Und Pilatus spricht zu ihnen: Sehet, welch ein Mensch! Da ihn die Hohepriester und die Diener sahen, schrien sie und sprachen: Kreuzige! kreuzige! Pilatus spricht zu ihnen: Nehmt ihr ihn hin und kreuzigt ihn, denn ich finde keine Schuld an ihm.«

Der Ausspruch des Pilatus »Sehet, welch ein Mensch!« gibt in seiner lateinischen Fassung »Ecce Homo« den traditionellen Titel der Darstellung.

Die Szene spielt in der reich mit Skulpturen geschmückten Vorhalle des Palastes von Pontius Pilatus am Marktplatz einer Stadt von mittelalterlichem Aussehen. Der römische Prokurator von Judäa, der in der Mode des späten 15. Jahrhunderts gekleidet ist, weist mit seiner Rechten auf den gefesselten und blutüberströmten Christus. Dieser war von den Schergen, die hinter ihm stehen, mit der Dornenkrone und dem Purpurmantel bekleidet worden, um ihn als König der Juden zu verspotten. Pilatus führt ihn der höhnisch gaffenden Menge vor, die rechts unterhalb des Altans auf dem Platz steht.

Links oben erblickt man durch einen Bogen die Szene der Dornenkrönung im Innern des Palastes. Die beiden gotischen Turmstümpfe rechts im Hintergrund sind als die damals noch unvollendeten Fassadentürme des Kölner Domes verstanden worden (Kat. S. Aachen 1972, S. 132).

Im Vordergrund, auf den Stufen der Vorhalle, sitzt ein Junge, der in Profilansicht gegeben ist. Er trägt wie Pilatus die Tracht der Zeit. Ein Affe, den er an einer Kette mit Holzpflock hält, laust den Kleinwüchsigen mit beiden Pfoten. Der Affe könnte als Ratgeber des Narren angesehen werden; an dieser Stelle aber ist er ein Symbol des Teufels und steht in antithetischer Beziehung zu Christus [Janson 1952, S. 150-151 (Anm. 22), S. 211].   D.M.

*Das im Vordergrund sitzende Kind weist alle Zeichen eines **Mongolismus** auf (MURKEN 1971). Häufig besteht dabei ein relativer Minderwuchs. Dieser ist nicht obligatorisch, denn es gibt auch sehr große Mongoloide.*

Köln, um 1510
Öl/Eichenholz, 143 x 114 cm
Domkapitel Aachen

27
Jacob Claesz. van Utrecht
(Utrecht um 1480 – ? nach 1530)
Die Anbetung der Könige

Dieses Altartriptychon gilt in der Forschung als das früheste bis jetzt bekanntgewordene Werk des Malers Jacob Claesz. van Utrecht. Die Entstehung des Altares fällt in eine Zeit, in der der Künstler die Stadt Antwerpen verließ, in der er wahrscheinlich seine Freimeisterschaft erworben hatte (s. Grosshans 1982).

Auch der Auftraggeber des Altares ist heute nicht mehr zu ermitteln. Aber aufgrund der Tatsache, daß der Hl. Bernhard auf der Vorderseite mit einem Spruchband dargestellt ist, dessen Text den Beginn des vorgeschriebenen Hymnus der Zisterzienser zum Bernhardsfest am 20. August wiedergibt, kann davon ausgegangen werden, daß der Altar für ein Kloster dieses Ordens bestimmt war. Das Triptychon scheint sich schon im 17. Jahrhundert in brandenburg-preußischem Besitz befunden zu haben und kam 1830 bei der Gründung des Kaiser-Friedrich-Museums aus der Kunstkammer der königlichen Schlösser in die Gemäldegalerie (Grosshans 1982).

Bei geschlossenem Zustand sieht der Betrachter auf der Alltagsseite links die Verkündigung an Maria und rechts die Vision des Hl. Bernhard. Geöffnet erscheint auf der Festtagsseite als Hauptbild die Kreuzabnahme, links davon die Geburt Christi und rechts die Anbetung der Könige, die hier besprochen werden soll.

Die Erzählung der Anbetung stammt aus dem Matthäus-Evangelium (Kap. 2, Vers 1-12). Dort wird berichtet, daß die drei Könige im Morgenlande einen Stern gesehen hatten und diesem folgten, da sie ihn als Zeichen für die Geburt des neuen Königs der Juden deuteten. Der Stern wies ihnen den Weg nach Bethlehem, wo sie Jesus in einem Stall vorfanden. Sie beteten ihn an und überbrachten dem Kind ihre Geschenke, Gold, Weihrauch und Myrrhe.

Die Szene der Anbetung spielt im Vordergrund eines großen gepflasterten Platzes, der rechts von einem gefaßten Gewässer und nach hinten von Architektur begrenzt wird. In der Mitte der Baulichkeiten befindet sich der Stall mit Ochse und Esel, der Geburtsort von Jesus Christus. Über dem Strohdach des Stalles steht der Stern, von dem sich die weisen Könige mit ihrem Gefolge, das im Hintergrund links und in der Mitte zu sehen ist, haben leiten lassen. Die drei prächtig gekleideten Männer stehen um die thronende Maria herum. In ihrem Schoß sitzt auf einem Kissen das Christuskind. Christus streckt seine rechte Hand dem vor ihm knienden König entgegen. Dieser ergreift das Ärmchen und beugt seinen Kopf der Hand Jesu entgegen. Vor dem Greis steht auf dem Boden sein Geschenk, ein geöffneter, mit Goldmünzen gefüllter Pokal. Hinter Maria steht der seit dem 12. Jahrhundert als Mohr dargestellte jüngste König, der einen goldenen Pokal in der rechten Hand hält.

Zwei Personen fallen aus dem Geschehen heraus. Zum einen der schwarzgekleidete König, der hinter dem Huldigenden steht, und der Zwerg, der sich in der Mitte des Platzes aufhält. Beide weisen als einzige Personen auf dem Bild porträtähnliche Züge auf (Grosshans 1982). Auch scheinen sie aufgrund ihrer ähnlichen schwarzen Tracht zusammenzugehören. Zu Füßen des Zwerges sitzt ein Affe, der an einer Kette mit Kugel gefesselt ist und mit beiden Pfoten dessen rechte Hand ergriffen hat.

D.M.

1513
Eichenholz, 108 x 77 cm
Berlin-Dahlem, Staatliche Museen Preussischer Kulturbesitz, Gemäldegalerie Berlin
Kat. Nr. 2056

Ein normaler Kopf mit sympathischem Gesicht, ein verkürzter Rumpf und kurze Gliedmaßen weisen auf eine **spondyloepiphysäre Dysplasie** *hin.*

125

28
Jerg Ratgeb
(Herrenberg (?) um 1480 –
Pforzheim 1526)
Kreuztragung Christi

Jerg Ratgeb, der sowohl Tafelbilder als auch Fresken malte, arbeitete in den Jahren zwischen 1511 und 1514 im schwäbischen Hirschhorn am Neckar. Von 1514 bis 1517 hielt er sich in Frankfurt am Main auf, wo er unter anderem das Refektorium des Karmeliterklosters mit Fresken ausmalte. Der Künstler wurde wegen seiner Parteinahme für die Aufständischen im Bauernkrieg gefangengenommen und in Pforzheim geviertelt.

Die Stuttgarter Tafel war der linke Flügel eines Triptychons mit Eckerhöhungen. Die Außenseite des Altarblattes zeigt den Engel der Verkündigung. Der zweite, ebenfalls in Stuttgart aufbewahrte rechte Flügel hat auf der Innenseite das Ecce Homo zum Thema, auf der Außenseite sieht man die Maria der Verkündigung. Auf dem heute verschollenen Mittelteil befand sich wahrscheinlich die Kreuzigung Christi. Der Altar wird um 1514 datiert, kurz vor oder zu Beginn der Arbeiten an den Fresken des Karmeliterklosters in Frankfurt am Main (Kat. S. Stuttgart 1962, S. 158).

Ein qualvolles Gedränge herrscht vor dem Jerusalemer Stadttor, das sich – aus weißen Steinen errichtet – links im Mittelgrund erhebt. Frauen und Männer, von denen die meisten bewaffnet sind, sowie höhergestellte Herren zu Pferde bilden das Gefolge und die Begleitung Christi, der, zum Tode verurteilt, nun auf den Kalvarienberg getrieben wird (Lukas 23, 26-31). In der Mitte des Bildvordergrundes ist er unter der Last des Kreuzes, an das er genagelt werden soll, zusammengebrochen. Ein Strahlenkranz umgibt sein von der Dornenkrone und den Spuren der Geißelung blutbesudeltes Haupt. Er wendet es einer in Rot gekleideten heiligen Frau zu, die links vorn am Bildrand kniet und ein Leinentuch in den Händen hält. Auf diesem Tuch, mit dem die Heilige Veronika das Gesicht Christi abtupfen wird, wird sich dadurch dessen Bild – die »vera icon« Christi – abzeichnen (Voragine 1984, S. 269-270). So entsteht die berühmte Reliquie und das Urbild aller Ikonen. Oberhalb der knienden Veronika sieht man am Bildrand die in Blau gekleidete Mutter Christi, Maria, die gerade von einem rechts neben ihr stehenden Mann mit drastischer Geste verspottet wird.

Ein Buckliger in Rot rechts neben Christus ist gerade dabei, den Gefallenen mit dem Strick, an den er gefesselt ist, weiterzuzerren. Vor ihm läuft, ganz rechts an den Bildrand gequetscht, barfuß und in einen kurzen schwarzen Rock gekleidet, ein Zwerg, der zu ihm hinaufblickt.

D.M.

Der Kleinwüchsige ist von proportionierter Statur. Das breite kindliche Gesicht mit etwas pastösen Wangen deutet auf eine hormonelle Störung im Sinne eines **Wachstumshormonmangels** *oder einer Schilddrüsenunterfunktion hin.*

Fichtenholz, 97,5 x 54 cm
Stuttgart, Staatsgalerie, Inv. Nr. 2409

29
Jan Provoost
(Bergen ca. 1465 – Brügge 1529)
Der Disput der Hl. Katharina

Jan Provoost, der als Künstler zu den Altniederländern gehört, wurde 1494 Meister der Brügger St. Lukasgilde, der Gilde der Maler, und blieb bis zu seinem Tod 1529 in dieser Stadt (Friedländer 1921, S. 118). Die Rotterdamer Tafel, die um 1525 entstanden ist, ist die Innenseite eines Altarflügels; außen findet man die stark beschädigte Grisaille mit der Heiligen als Einzelfigur. Der zweite Flügel des heute nur noch fragmentarisch erhaltenen Triptychons zeigt auf der Außenseite die Hl. Barbara, auf der Festtagsseite die Enthauptung der Hl. Katharina. Dieser wird heute im Königlichen Museum zu Antwerpen aufbewahrt (Kat. S. Rotterdam 1962, S. 107).

Die Geschichte des Christentums verzeichnet viele Märtyrerinnen, die ihren religiösen Standpunkt mit Nachdruck und gegen stärkste Widerstände zu vertreten hatten. Eine davon ist die Prinzessin Katharina, Tochter des Königs Costus von Alexandrien, deren Geschichte neben vielen anderen in der um 1270 entstandenen »Legenda aurea« des Jacobus de Voragine nacherzählt wird (Voragine 1984, S. 917f.). Nachdem bekanntgeworden war, daß sie sich zu Christus bekehrt hatte, versammelte der Kaiser Maxentius fünfzig Gelehrte seines Reiches, um das kluge Mädchen durch akademische Disputationen von seinem vermeintlichen Irrweg abzubringen. Und so blicken wir in eine Säulenhalle des Palastes zu Alexandria, die sich nach hinten auf die Stadt öffnet und in einer eigenartigen, aus Elementen der Gotik und der Antike gemischten Architektur erbaut ist. Ganz links thront der bärtige Kaiser Maxentius, angetan mit Turban und Brokatmantel. Der Hintergrund des Raumes ist mit den zusammengerufenen fünfzig Gelehrten angefüllt. Nur zwei Frauen sind anwesend: unmittelbar am Thron und mit einem Fuß auf dem Teppich stehend die Prinzessin Katharina, rechts hinter ihr eine diensthabende Hofdame. Katharina und die Gelehrten haben gerade, so weisen es ihre Handbewegungen aus, über Probleme der christlichen Theologie disputiert. Nun erhebt sich ganz rechts im Bild der Doyen der Gelehrten aus seinem Sessel und verkündet dem verblüfften Kaiser das Ergebnis des Streitgesprächs: Er und seine Kollegen seien von der Weisheit der Prinzessin überwunden worden.

Links im Bildvordergrund steht neben dem Thron ein Hofzwerg in einer Art Landsknechtstracht des frühen 16. Jahrhunderts. Über seiner engen roten Hose trägt er einen Gürtel, an dem eine Geldkatze hängt. Auf ihr ruht die eine Hand des Zwerges, die andere hält an einer Leine ein Hündchen, das zu dem würdigen Gelehrten hinaufkläfft.   D.M.

Im Verhältnis zu den sehr kräftigen oberen und unteren Gliedmaßen ist der Rumpf des Kleinwüchsigen sehr gedrungen. Das Gesicht hat grobe Züge. Statur und Gesichtsdysmorphie sprechen für eine Speicherkrankheit, zum Beispiel eine **Mukopolysaccharidose***.*

Holz, 160 x 70 cm
Rotterdam, Museum Boymans-
van Beuningen, Inv. Nr. 1682

30
Georg Pencz
(Nürnberg ca. 1500 –
Königsberg i. Pr. 1550)
**Titelholzschnitt
zu »Klagred der Welt ob ihrem
Verderben« von Hans Sachs**

Der Nürnberger Maler und Kupferstecher Georg Pencz illustrierte mit diesem Titelholzschnitt den vier Blätter umfassenden Text des reformatorischen Dichters Hans Sachs (1494–1576). Die allegorische Versdichtung, die 1531 bei dem Nürnberger Drucker Wolfgang Resch erschien, erzählt eine fiktive Disputation zwischen »Frau Welt« und dem Gelehrten »Justus Felix« und ist als Auslegung von Jesaja 13,11 zu verstehen.

In dem Text berichtet Hans Sachs, daß er selbst auf »ein gebyrg unmenschlich hoch« stieg, »darein gieng ein ungehewr loch / darouz ein kleines zwerglein sas / kurtz dick von leib«. Der Zwerg führt Sachs in eine große Höhle, in der »Frau Welt« Zuflucht gefunden hat, da sie keine Freude, keinen Reichtum und niemanden, der sie tröste, mehr habe. »Frau Welt« ist die Verbildlichung des ganzen menschlichen Tuns und Treibens, wie es sich auf der Erde vollzieht.

Georg Pencz zeigt dem Betrachter diese Szene. In der Öffnung einer Felsenhöhle sind nebeneinander vier Gestalten dargestellt. Auf der Erdkugel thront wie eine Königin die mit Szepter und Krone ausgestattete »Frau Welt«, die sich einem rechts neben ihr stehenden würdigen Herrn im Gelehrtenkostüm zuwendet. Beide sind im Gespräch miteinander begriffen. Links neben der »Frau Welt« auf ihrem Thron steht Hans Sachs in seiner Bürgertracht, über die er einen Reisemantel geworfen hat. Der Dichter lauscht mit geneigtem Haupt dem Gespräch. Ganz links und am kräftigsten in den Vordergrund gerückt, bemerkt man einen Zwerg in Adelstracht und mit dem Schwert an der Seite.

Worum geht es in dieser Disputation zwischen »Frau Welt« und dem Gelehrten »Felix Justus«, den Sachs als alt, grau und weise beschreibt?

»Felix Justus«, der »Glückliche Gerechte«, belehrt »Frau Welt« über die Ursachen ihres Unglücks, unter anderem bezichtigt er sie der Blindheit gegenüber Gott. Hans Sachs beschreibt »Frau Welt« als auf dem rechten (= richtigen) Auge blind, da der Satan ihr dieses ausgestochen habe. Der Gelehrte wirft ihr weiterhin lasterhaftes Verhalten während der vergangenen Weltalter vor. Die einzige Möglichkeit, die »Frau Welt« noch habe, dem ewigen Untergang zu entrinnen, sei ihr jetzt gegeben, weil ihr in dem mit Christi Geburt begonnenen gegenwärtigen sechsten Weltalter der Weg der Buße und Umkehr offenstehe. Die vier Ruten – die beiden oberen werden von Wolkenhänden gehalten – sind als die bevorstehende Strafe Gottes zu verstehen, die der Gelehrte ihr für den Fall weiterer Sündhaftigkeit ankündigt (Kat. A. Nürnberg 1976, S. 90; Kat. A. Göttingen 1979, S. 45).

Der Zwerg steht hier als Wächter der Einsamkeit, in die sich »Frau Welt« geflüchtet hat. Hans Sachs stellt sich diesen Ort als ein »ungehewr loch« in einen »gebyrg unmenschlich hoch« vor.
                                                                    D.M.

*Die sehr kleine Figur besitzt einen äußerst kurzen Rumpf, wobei die Gliedmaßen weniger stark verkürzt sind. Die Finger würden bei ausgestreckten Armen bis zu den Knien reichen. Die Nasenwurzel ist nicht wesentlich eingezogen. Damit besteht ein klarer Hinweis auf eine **spondyloepiphysäre Dysplasie**.*

Holzschnitt, 140 x 123 mm
Drucker: Wolfgang Resch, Nürnberg 1531
Göttingen, Niedersächsische Staats- und
Universitätsbibliothek

12

Klagred der Welt ob

ihrem verderben. Dagegen ein Straffred
irer gruntlosen boßheit.

Esaie. riij. Ich wil den erdpoden heimsuchen vmb seiner boßheit willen/ vnd die
gotlosen vmb irer vntugent willen/ vñ wil des hochmutz der stoltzen ein end
machen/ vnd die hoffart der gewaltigen demütigen.

31
Anthonis Mor
(Utrecht ca. 1517 – Antwerpen 1576)
**Stanislaus, der Zwerg des
Kardinals Granvella**

Der als Portraitmaler bekannte Anthonis Mor van Dashorst, der sich selbst in latinisierter Form Antonius Morus nannte, war 1547 Freimeister der Antwerpener St. Lukasgilde, der Vereinigung der Maler, geworden. Sein Gönner wurde 1549 der Kardinal Antoine Perrenot de Granvella (1517–1586), der in Brüssel residierte. Der Künstler malte für ihn unter anderem dessen Zwerg Stanislaus mit Hund.

Anthonis Mor zählt zusammen mit seinem Zeitgenossen Pieter Bruegel d.Ä. (1525/30 bis 1569) zu den bedeutendsten Malern der Niederlande des 16. Jahrhunderts. Das Gemälde wird entweder um 1550, kurz vor seiner Reise nach Italien, oder um 1552, nach seiner Rückkehr, datiert.

Das ganzfigurige Portrait des Hofzwergs, der in der Pose eines Edelmannes dargestellt wird, nimmt zusammen mit dem großen Hund fast die gesamte Bildfläche ein. Stanislaus, der den Betrachter anblickt, ist mit einem schwarzen mit Gold durchwirkten Hofgewand bekleidet, wie es der Mode der Zeit entspricht. Eine schwere Goldkette ziert den Kragen seines Obergewands, über dem die weiße Spitze seines Hemdes hervorschaut. An seiner linken Hüfte trägt er einen Degen. Der große Hund, dessen rotes Halsband das Wappen seines Besitzers schmückt, blickt nach rechts zu dem Kleinwüchsigen, der mit der Linken das Tier an einer Leine festhält.

Nach Campbell (1990, S. 105) waren sowohl das Portrait seines Hofzwergs und Schützlings Stanislaus als auch das genaue Abbild seines Hundes für den Kardinal von gleicher Bedeutung. Der Künstler porträtierte beide mit derselben Sorgfalt und Genauigkeit. D.M.

*Das Ausmaß des Kleinwuchses wird durch den Hund klar demonstriert. Körper und Gliedmaßen sind proportioniert. Der etwas große Kopf zeigt ein Gesicht, das vorgealtert erscheint, obwohl wir das Alter des Kleinwüchsigen nicht kennen. Dies kommt durch die feingefältelte, etwas zerknitterte Haut, welche zudem leicht blaß-gelblich erscheint. Daraus kann man auf eine Schilddrüseninsuffizienz schließen, was MERKE (1971, S. 325) bewog, einen Kretinismus zu diagnostizieren. Wegen der kleinen Hände (Akromikrie) kommt allerdings ein **hypophysärer Kleinwuchs** ebenfalls in Frage, zumal man kaum annehmen kann, daß der Kardinal einen schwachsinnigen Kretin um sich hatte.*

Öl/Eichenholz, 127 x 93 cm
Paris, Musée du Louvre, Inv. Nr. 1583

32
Giorgio Vasari
(Arezzo 1511 – Florenz 1574)
**Die Hochzeit der Caterina de' Medici
mit Heinrich von Orléans**

Der Manierist Giorgio Vasari, der durch seine berühmten Lebensbeschreibungen italienischer Künstler als einer der ersten Kunsthistoriker gelten darf, war nicht nur Maler, sondern auch Architekt. Unter anderem erbaute er ab 1560 die Uffizien in Florenz, die heute die bekannte Gemäldegalerie beherbergen. Auf Geheiß Cosimos I. de' Medici (1519–1574) (s. Nr. 42, 43) leitete er den gesamten Umbau und den Ausbau des Palazzo della Signoria zum großherzoglichen Wohn- und Repräsentationsbau. Zu diesem Projekt gehört auch die Ausstattung des Saales, der der Vita des mediceischen Papstes Clemens VII. (1478–1534) gewidmet ist. Das Hauptbild der Decke, die in fünf große Kompartimente unterteilt ist, stellt die Krönung Karls V. zum Kaiser durch Papst Clemens im Jahre 1530 dar (Allegri 1980, S. 166f.).

Eines der beiden querovalen Freskenbilder, die sich an den Schmalseiten der Hauptszene befinden, zeigt die Hochzeit von Katharina de' Medici (1519–1589) mit Heinrich, Herzog von Orleans (1518–1559), dem späteren König Heinrich II. von Frankreich. Die Vermählung fand auf Betreiben des Papstes, der seine Familie mit dem französischen Herrscherhaus verbinden wollte, am 28. Oktober 1533 in Marseille statt. In einem nicht identifizierbaren Raum führt Papst Clemens, umgeben von einer großen Schar von Hofleuten, die beiden Arme der Verlobten zueinander. Links steht Heinrich, Herzog von Orleans, leicht nach vorne gebeugt, und ist im Begriff, Katharina den Vermählungsring auf ihren ausgestreckten linken Ringfinger zu stecken. Um diese Dreiergruppe herum stehen die Zeugen dieser Trauung. Links hinter Heinrich erkennt man dessen Vater, König Franz I. von Frankreich (1494–1547), rechts hinter der Braut die Königin von Schottland.

Zu den Hofleuten gehören auch zwei Zwerge: eine aufwendig gekleidete Hofzwergin, die wie eine Brautjungfer Katharina mit der linken Hand den Rock rafft, und der Zwerg des französischen Königs, Gradasso (Allegri 1980, S. 168). Er trägt ein ähnlich festliches Gewand wie sein Beschützer: einen kurzen, pelzverbrämten Mantel, enganliegende rote Hosen und braune Lederstiefel.

D.M.

*Die beiden Kleinwüchsigen weisen eindeutig zwei verschiedene Krankheitsbilder auf. Der männliche links hat einen relativ langen Rumpf mit kurzen rhizomelen Gliedmaßen. Die Stirn ist prominent und die Nasenwurzel eingezogen, was die Diagnose der **Achondroplasie** erlaubt. Die kleine weibliche Gestalt rechts besitzt einen sehr kurzen Rumpf mit relativ langen Armen. Die Stirn ist nicht prominent, eher hoch und leicht fliehend, so daß diese Person einer der Formen aus dem Kreis der **spondyloepiphysären Dysplasie** entspricht.*

1556
Fresko-Decke
Florenz, Palazzo Vecchio
Saal Clemens' VII.

33
Cornelis Cort
(Hoorn 1533 – Rom 1578)
nach Frans Floris
(Antwerpen 1516 – Antwerpen 1570)
Herkules und die Pygmäen

Der griechische, um 200 n. Chr. tätige Schriftsteller Philostrat schildert im 2. Buch seiner »Eikones« ein heute verlorenes Gemälde, das Herkules und die Pygmäen zeigte. Nachdem Herkules in einem gewaltigen Kampf den Riesen Antaios getötet hatte, schlief er erschöpft ein. Nun, so Philostrat, »greifen die Zwerge an, um Antaios zu rächen; sie seien nämlich Brüder des Antaios, mutig, zwar keine Athleten oder ebenbürtige Ringer, aber Söhne der Erde und sonst kräftig, und wenn sie aus der Erde aufsteigen, wogt der Sand empor; die Zwerge wohnen nämlich wie Ameisen in der Erde und legen sich Vorräte an, doch leben sie nicht von fremdem Brot, sondern von eigenem und selbstgebautem. Denn sie säen und ernten und fahren mit einem Zwerggespann, und sollen auch Äxte gegen die Ähren gebrauchen, die sie für Bäume halten. Doch welche Verwegenheit! Diese gegen Herkules! Und ihn im Schlafe morden! Doch sie würden ihn auch nicht fürchten, wenn er wach wäre.«

Die auf diese Einleitung folgende, eigentliche Bildbeschreibung regte den Antwerpener Maler Frans Floris zu einer Zeichnung an, die 1563 durch Cornelis Cort im Kupferstich reproduziert und durch Hieronymus Cock verlegt wurde (Förster 1922, S. 135f.): Links, in starker Verkürzung, der erwürgte Antaios, rechts Herkules, vom geflügelten Schlafgott Hypnos mit dessen Stab berührt. Etliche Pygmäen versuchen, die Keule des Herkules zu entführen; andere sind dabei, sein Haar mit Fackeln zu entzünden; wieder andere, darunter ihr König, messen und diskutieren die Größe seiner Füße. Weitere kleine Wesen drängen sich aus Felshöhlen unterhalb des Schlafenden hervor, beziehungsweise nähern sich in langem Zuge aus dem Hintergrund. Im Himmel links die olympische Götterversammlung, die dem Geschehen zuschaut.

Pygmäendarstellungen, wie die von Philostrat beschriebene, begegnen uns in der hellenistischen Kunst häufiger (vgl. Schönberger 1968, S. 449f.). In nachantiker Zeit scheint das besondere Herkulesthema sehr selten behandelt worden zu sein, wohl aber steht manche Illustration der von Jonathan Swift 1726 geschilderten Gefangennahme Gullivers im Lande Lilliput kompositorisch wie motivisch dem Stich Cornelis Corts nahe.　　　　　G.U.

Die in großer Zahl dargestellten Kleinwüchsigen sind proportioniert und muskulös. Sie entsprechen Herkules in Miniaturgestalt, was einem primordialen Kleinwuchs gleichkäme. Es läßt sich keine krankhafte Kleinwuchsform erkennen.

1563
Kupferstich, 330 x 469 mm
Wien, Graphische Sammlung Albertina

franciscus floris
inuentor

H Cock excudebat

1563

DVM DORMIT, DVLCI RECREAT DVM CORPORA SOMNO,   ALCIDEN PYGMAEA MANVS PROSTERNERE LETHO   EXCITVS IPSE, VELVT PVLICES, SIC PROTERIT HOSTEM
SVB PICEA, ET CLAVAM CAETERAQ; ARMA TENET,   POSSE PVTAT, VIRES NON BENE DOCTA SVAS.   ET SAEVI IMPLICITVM PELLE LEONIS AGIT.

34
Nach Valerio Cioli
(Florenz 1529 – Florenz 1599)
**Der Hofzwerg Morgante
als sitzender Bacchus**

Der manieristische Bildhauer Valerio di Simone Cioli, der seit 1561 als Hofkünstler der Medici arbeitete, war auch Verwalter und Restaurator der Antikensammlung der Familie.

Nach Ciolis Vorlage schuf ein heute unbekannter Florentiner Bildhauer diese kleine vergoldete Plastik. Der nackte Morgante, Hofzwerg der Medici, sitzt rittlings auf einem Objekt, das verloren ist; es könnte sich um ein Faß oder ein Reittier gehandelt haben. Der Zwerg stemmt seine rechte Hand in die Seite, in der Linken hält er eine Weinschale.

Als Vorbild für diese kleine Figur läßt sich ein Terrakotta-Modell, ehemals in Berlin, nachweisen, das den nackten Morgante, auf einer großen Schildkröte reitend, zeigt. Dieses Modell war höchstwahrscheinlich der Entwurf für die Marmorstatue der sogenannten Fontana di Bacco, die sich ehemals am Eingang zu den Boboli-Gärten des Palazzo Pitti in Florenz befand. Heute steht dort eine Kopie; das Original, das von Valerio Cioli zwischen 1561 und 1568 angefertigt worden ist, wird im Museum des Pitti-Palastes aufbewahrt (Kat. A. Wien 1978, S. 139, Nr. 55).

Der Spitzname des Hofzwerges Pietro Barbino, »Morgante«, wurde ihm ironischerweise von den Medici gegeben und leitet sich von dem sagenhaften Riesen »Morgante maggiore« ab. Der italienische Dichter Luigi Pulci (1432–1484) erzählte dessen Abenteuer in dem zuerst 1481 erschienenen, 28 Gesänge umfassenden Heldengedicht.

Obwohl er von den Künstlern (s. a. Nr. 35, 36, 56) mehrfach dargestellt wurde, ist über Morgantes Leben bis heute wenig bekanntgeworden. Der Hofzwerg Cosimos I. de’ Medici (1519–1574) (s. Nr. 42, 43) und seiner beiden unmittelbaren Nachfolger, Francesco I. (1541 bis 1587) und Ferdinand I. (1549–1609), wurde um 1535 geboren und lebte noch nach 1594. Ein Gemälde von Tiberio de Titi (1573–1627) zeigt Morgante als Hundeaufseher in den Boboligärten sitzend und von seinen Schützlingen umgeben, vielleicht ein Hinweis auf seine Stellung am Hofe der Medici.   D.M.

*Mit Morgante haben sich offenbar mehr Mediziner als Kunsthistoriker beschäftigt; er machte seine eigene Medizingeschichte. In der älteren Literatur wird seine Erscheinung als myxomatöser oder adipöser Zwergwuchs bezeichnet (RICHER 1901, RISCHBIETH und BARRINGTON 1912, BOULLET 1958). Doch MEIGE meldete 1896 bereits seine Zweifel an, indem er ausführt, daß ein Myxödem deshalb nicht in Frage komme, weil Morgante einen Bart trage und nicht den Eindruck einer geistigen Schwäche hervorrufe, was bei einer myxomatösen Schilddrüseninsuffizienz mehr oder weniger der Fall sein müßte. Auf eine definitive Diagnose wollte sich dieser Autor nicht festlegen. In der neueren Literatur hat man sich einhellig auf die Diagnose einer **Achondroplasie** geeinigt (SILVERMAN 1982, KUNZE und NIPPERT 1986, HECHT 1990). Offenbar schon im gesetzten Alter, kommt bei Morgante die unverkennbare Fettsucht (Adipositas) zu seinem Kleinwuchs noch hinzu. Die Diagnosestellung wird uns hier insofern erleichtert, als wir diese Gestalt mit ihren durchaus bacchantischen Zügen nackt beurteilen können, was nur selten bei bildlichen Darstellungen der Fall ist (Nr. 35, 36).*

Bronze, vergoldet, Höhe 7,5 cm
Berlin, Staatl. Museen Preussischer
Kulturbesitz
Skulpturengalerie, Berlin-Dahlem
Inv. Nr. 7107

35
Giambologna
(Douai 1529 – Florenz 1608)
Morgante, auf einem Cornetto blasend

Jean Boulogne, der unter der italianisierten Form seines Namens als Giambologna oder Giovanni da Bologna bekannt geworden ist, zählt zu den berühmtesten Bildhauern und Bronzebildnern der italienischen Hochrenaissance. Nachdem er, in Flandern ausgebildet, seit 1550 in Rom arbeitete, wurde er ab 1561 Hofkünstler der Medici-Familie in Florenz. Er baute dort einen gut funktionierenden Werkstattbetrieb auf, dessen Arbeitsweise Avery als »Fließbandproduktion« bezeichnet (Kat. A. Wien 1978, S. 64). Zu den bekanntesten Großbronzen Giambolognas gehört zum Beispiel die Reiterstatue Cosimos I. auf der Piazza della Signoria in Florenz. Der Künstler trug aber auch entscheidend zur Wiederbelebung der Gattung der Kleinbronzen bei, die für Kunstkabinette bestimmt waren.

Eine dieser Bronzestatuetten stellt den nackten Morgante vor, der Hofzwerg unter drei Medici-Herzögen war. Die kleine detailliert ausgearbeitete Bronzefigur wurde nach einem Modell von Giambologna um 1570 gegossen (Avery 1987, S. 266, Nr. 114) und mit rotbraunem Lack bestrichen. Der nackte Morgante ist in Kontraposthaltung dargestellt. Sein Haar und der Bart sind kurz gelockt. Er stützt sich mit der Linken auf einen Stab; mit der rechten Hand hält er ein Cornetto, das er mit vollen Backen bläst.

Eine Kopie der Kleinbronze wurde 1981 im Londoner Kunsthandel versteigert. Ein ähnliches Stück befindet sich im Stockholmer Königlichen Museum. Varianten der Statuette zeigen einen sich auf den Stock stützenden Morgante, statt mit dem Cornetto aber mit einer Weintraube oder einer Trinkschale in der ausgestreckten Rechten. Ein solches Stück befindet sich zum Beispiel im Bargello in Florenz.

Giambologna wurde zu dieser Darstellung wahrscheinlich durch das Portrait des Florentiner Malers Bronzino (1502–1572) angeregt, das den nackten Hofzwerg auf einer doppelseitig bemalten Leinwand mit einem Stab in der Linken und einen silbernen Becher in der erhobenen Rechten als Bacchus zeigt. Das in Öl auf Leinwand gemalte Portrait (150 x 100 cm), das zwischen 1546 und 1553 datiert wird (Kat. A. Florenz 1980, S. 273, Kat. 513), befindet sich heute im Palazzo Pitti in Florenz.   D.M.

Zur medizinischen Analyse s. Kat. Nr. 34.

Bronze, Höhe 13 cm
London, Victoria & Albert Museum
Inv. Nr. 65-1865

36
Giambologna
(Douai 1529 – Florenz 1608)
Morgante auf einem Faß

Die zweite Kleinbronze des Florentiner Bildhauers Giambologna, die den Hofzwerg der Medici darstellt, wurde um 1580 von seiner Werkstatt in einem Stück gegossen. Die Trinkschale, die Morgante in der linken Hand hält, ist zerbrochen, und es fehlen einige Teile.

Der nackte Morgante sitzt, das linke Bein zum Körper hin angezogen, rittlings auf einem Weinfaß mit einem Spund in der rechten Hand und prostet dem Betrachter mit einer Weinschale zu, die er in der erhobenen Linken hält. Morgantes Frisur und Bart sind kurz und lockig.

Die Kleinbronze wurde von Giambologna (s. Nr. 35) als Tischbrunnen angefertigt, aus dem Wasser oder Wein aus Öffnungen im Spund und in der Schale flossen (Avery 1987, S. 209). Eine Zuckerskulptur, die wahrscheinlich nach diesem Vorbild angefertigt wurde, war Teil der Tischdekoration anläßlich der Hochzeit Prinz Cosimos I. de' Medici mit Maria Magdalena von Österreich am 19. Oktober 1608, die im Salone dei Cinquecento des Palazzo Vecchio in Florenz gefeiert wurde (Kat. A. Wien 1978, S. 136, Nr. 51).

Eine weitere Figur des Morgante, die eine ähnliche Pose zeigt, schuf Giambologna 1583. Sie zeigt den nackten Hofzwerg auf einem Drachen reitend, der von dem Goldschmied Cencio della Nera gearbeitet wurde. Morgante stemmt hier mit der angewinkelten Linken einen Fisch auf seiner Schulter. Die 36 cm hohe Skulptur war als Bekrönung für einen Brunnen im Garten Großherzog Ferdinandos I. de' Medici (1549–1609) auf der Terrasse über der Loggia dei' Lanzi gedacht. D.M.

Zur medizinischen Analyse s. Kat. Nr. 34.

Bronze, Höhe 41 cm
Paris, Musée du Louvre, Inv. Nr. OA 8973

37
Teodoro Felipe de Liaño
(Valencia um 1515 – Madrid 1590)
**Die Infantin Isabella Clara Eugenia
von Spanien mit Magdalena Ruiz**

Das Doppelportrait wird heute Teodoro Felipe de Liaño zugeschrieben, einem Schüler des spanischen Hofmalers Alonso Sanchez Coello, der um 1515 bei Valencia geboren wurde und 1590 in Madrid starb.

Isabella Clara Eugenia, die schöne Tochter des spanischen Königs Philipp II. (1527 bis 1598), steht mit ihrer Hofzwergin Magdalena Ruiz auf einer schmalen Raumbühne, die nach hinten durch eine Wand links und eine Säule auf hohem Postament rechts abgeschlossen wird. Die Infantin, in ein mit Juwelen geschmücktes Brokatgewand mit weit ausgeschnittenen Ärmeln und hohem, spitzenbesetztem Kragen gekleidet, steht leicht nach rechts gewendet frontal zum Betrachter und blickt diesen an. Ihr Kopf wird durch einen perlenbestickten Hut mit weißer Feder und wertvoller Brosche geziert. Während sie mit ihrer Rechten eine geschnittene Kamee mit dem Portrait ihres Vaters präsentiert, hat sie die linke Hand im Schutzgestus der neben ihr stehenden Zwergin Magdalena Ruiz auf den Kopf gelegt. Die Vertraute der Infantin trägt ein schwarzes Hofkleid mit weißem Untergewand, das an den Ärmeln spitzenbesetzt ist. Das Untergewand ist einer Nonnentracht ähnlich über den Kopf gezogen, so daß nur das Gesicht sichtbar bleibt. Ein spitzenverbrämtes Tuch ziert ihr Haupt. Die Kleinwüchsige blickt zu Isabella hoch. Auf ihren beiden Unterarmen sitzen zwei kleine, an Ketten gebundene Meerkatzen. Magdalena Ruiz zeigt mit ihrer Linken dem Betrachter ein geöffnetes Medaillon, das ein gemaltes Portrait enthält. Das Schmuckstück hängt zusammen mit einem Kreuz an einer doppelt um ihren Hals geschlungenen, langen Perlenkette.

Magdalena Ruiz war für die Tochter Philipps II. eine Vertraute und Freundin. Auch der spanische König kümmerte sich um das Wohlergehen der Kleinwüchsigen. Philipps Briefe an seine Tochter machen deutlich, daß die Zwergin kein Spielzeug war, sondern als Familienangehörige behandelt wurde. In einem Brief von 1581 fragt der König, ob Magdalena böse mit ihm wäre, weil sie eine Verabredung mit ihm nicht eingehalten hätte. In anderen Briefen schreibt er über die schlechten Gewohnheiten der Kleinwüchsigen, zum Beispiel den übermäßigen Genuß von Wein, weshalb er auch wegen ihrer Gesundheit und ihrer Figur besorgt sei. In einem Brief von 1582 bemerkt Philipp II. an seine Tochter, daß das Taftkleid von Magdalena Ruiz sehr schäbig sei. Dies sei aber sein Fehler, weil er Magdalena nie etwas geschenkt hätte, was die Kleinwüchsige ihm auch täglich vorhalten würde (Mc Van 1942, S. 110).

Aus der Schule des Sanchez Coello stammt eine Studie des Kopfes von Magdalena Ruiz, die ebenfalls im Prado aufbewahrt wird. Es zeigt die Vertraute Isabella Clara Eugenias in der gleichen Haltung wie auf dem hier vorgestellten Gemälde.   D.M.

Von der Kleinwüchsigen sieht man nur Kopf und Hände, und an der Statur kann man vermuten, daß ein äußerst kurzer Rumpf besteht. Die Hände sind groß und die Arme relativ lang. Das alte Gesicht könnte als vorgealtert für einen Wachstumshormonmangel sprechen (KUNZE und NIPPERT 1986). Der kurze Rumpf und die großen Hände sprechen eher für eine **spondyloepiphysäre Dysplasie.**

Öl/Leinwand, 207 x 129 cm
Madrid, Museo del Prado, Inv. Nr. 861

144

38
Paolo Caliari, gen. Veronese
(Verona 1528 – Venedig 1588)
Die Hochzeit zu Kanaan

Der aus Verona stammende Paolo Caliari, der nach seinem Geburtsort »Veronese« genannt wird, gilt neben Tizian und Tintoretto als einer der bedeutendsten Vertreter der venezianischen Malerei des 16. Jahrhunderts. Er hinterließ ein umfangreiches Œuvre; mehr als 300 Gemälde und 150 Zeichnungen haben sich von ihm erhalten.

Das großformatige Gemälde mit der Hochzeit zu Kanaan wurde im Jahre 1652 für das Refektorium des Klosters S. Giorgio Maggiore zu Venedig in Auftrag gegeben. 1563 ist Veronese für das vollendete Bild bezahlt worden, das nach Höhe und Breite die gesamte Wand einnahm, für die es bestimmt war. Napoleon I. (1769–1821) ließ es 1797 während seines Feldzuges in Italien nach Paris schaffen (Hadeln 1978, S. 166).

Auf einer Terrasse, die von antikisierender Säulenarchitektur flankiert und nach hinten durch einen Balkon mit Balustrade abgeschlossen wird, findet die Hochzeit zu Kanaan statt, die im 9. Kapitel des Johannes-Evangeliums erzählt wird. Eine große Menschenmenge hat sich hier versammelt, um diese Hochzeit in der galiläischen Stadt zu feiern. Um eine große U-förmige Tafel, die den mit Marmorfliesen ausgelegten Platz fast vollkommen einnimmt, sitzen die vornehm gekleideten Gäste und speisen zu der Musik, die von dem in ihrer Mitte plazierten Orchester gespielt wird. Auf der Balustrade eilen Diener mit Speisen herbei, um die Gesellschaft an der Tafel zu bewirten. Hier halten sich Christus, seine Mutter und die Jünger auf. Der bärtige Christus und Maria – beider Kopf ist mit einem Nimbus umgeben – sitzen, von Veronese leicht herausgehoben, in der Mitte des Tisches. Zwei der Jünger beugen sich von rechts und links zu der Zweiergruppe.

Links im Vordergrund stemmt ein in die Hocke gegangener Diener einen der sechs Krüge mit dem von Jesus in Wein verwandelten Wasser. Rechts neben dem Knienden steht vor einer Rückenfigur ein elegant gekleideter Hofzwerg mit einem Turban auf dem Haupt. Er hat sich zu den beiden Männern, die rechts von ihm stehen, umgewendet und zeigt ihnen einen hellen Vogel, der in seiner linken Hand sitzt. Mit der rechten Hand hält er sich an der Tischkante fest.

D.M.

Der nicht einmal zum Tisch hochreichende Kleinwüchsige stellt das klassische Bild einer **Achondroplasie** *dar. Dafür sprechen die eingesunkene Nasenwurzel, die kurzen oberen Gliedmaßenanteile (Rhizomelie) an Armen und Beinen, die verstärkte Biegung der Lendenwirbelsäule (Hyperlordose) und die gebogenen Beine (Varusfehlstellung).*

Öl/Leinwand, 666 x 990 cm
Paris, Musée du Louvre, Inv. Nr. 1192

39
Paolo Caliari, gen. Veronese
(Verona 1528 – Venedig 1588)
Die Auffindung des Mosesknaben

Paolo Caliari, der unter dem Namen Veronese berühmt geworden ist, malte um 1580 »Die Auffindung des Mosesknaben«. Es gelangte schon früh in den Besitz von Philipp IV. von Spanien (1605–1665) (Hadeln 1978, S. 151). Das Thema hat der Künstler, der seit 1553 in Venedig ansässig war, zusammen mit seiner Werkstatt mehrmals behandelt. Eine genaue Wiederholung des Bildes befindet sich zum Beispiel in der Washingtoner National Gallery (Pignatti 1976, S. 146).

In dem Gemälde tritt eine biblische Geschichte aus den ältesten Zeiten des israelitischen Volkes im oberitalienischen Renaissancegewand auf. Der zugrunde liegende Text stammt aus dem Alten Testament. Im 2. Kapitel des 2. Buch Mose, Vers 1-10, ist die in Ägypten spielende Geschichte der Auffindung des Mosesknaben erzählt.

Ganz links außen strömt unter einer Brücke der Nil, an dessen Ufer im Hintergrund die Silhouette einer Stadt, in der man Verona annehmen kann, zu erkennen ist. Der Fluß hatte hier ein Körbchen mit einem drei Monate alten Knaben in das Schilf gespült, der von seiner israelitischen Mutter ausgesetzt worden war, um ihn davor zu bewahren, auf Befehl des Pharao von den Ägyptern ermordet zu werden.

Gerettet wird der kleine Mosesknabe von einer der ägyptischen Königstöchter, die sich mit ihren Gespielinnen zufällig zum Baden am Nilufer aufhielt. Ganz links haben zwei Mädchen das Körbchen aus dem Wasser geholt und ihm das in ein weißes Tuch eingewickelte Kind entnommen. Während der Schwarze vorne links den Korb abtransportiert, gelangt das schreiende Bündel in die Hände der alten Dueña, die, in würdiges Dunkelblau gekleidet, vor dem linken Baum steht, und das Linnen auseinandergefaltet hat. Nun fällt der nackte Knabe heraus und einem der vor ihr knienden Mädchen in die Arme. Das Mädchen wendet sich der Prinzessin zu, um der Tochter des Pharao das Kind zu präsentieren. Die Prinzessin ist in eine edelsteinbesetzte Robe gekleidet, und ihr Haar ist mit Perlen geschmückt. Sie hat die Rechte hinter den Rücken genommen und legt ihre Linke der rechts neben ihr stehenden Freundin auf die Schulter – wohl eine begütigende Geste; denn jene Vertraute zeigt mit ausdrucksvoller Handgebärde auf das Kind und scheint so der Prinzessin mit Nachdruck das Gefährliche ihres Handelns begreiflich machen zu wollen.

Ganz rechts außen schiebt ein Mädchen, das sich dazu nach vorne beugt, mit ermunternder Geste einen Hofzwerg näher an den Mittelpunkt des Geschehens heran. Sein Gewand mit Fransen und Zaddeln sowie seine Umhängetasche und das Blasinstrument scheinen Bestandteile eines Jagdkostüms zu sein.

D.M.

Die disproportionierte kleine Gestalt mit der auffallenden Kopfform, bei der man nicht nur die vorspringende Stirn und eingezogene Nasenwurzel, sondern geradezu auch die kurze Schädelbasis erahnen kann, gestattet die Diagnose einer **Achondroplasie** *auf den ersten Blick. Dies bestätigen auch die kurzen Gliedmaßen und ausgeprägten O-Beine.*

Öl/Leinwand, 50 x 43 cm
Madrid, Museo del Prado, Inv. Nr. 502

691.

40
Giacomo Vighi, gen. d'Argenta
(Argenta um 1510 – Turin 1573)
**Karl Emanuel I. als Kind
mit seinem Hofzwerg**

Giacomo Vighi, der auch nach seinem Geburtsort Argenta bei Ferrara benannt wird, war, nachdem er in Bologna ausgebildet worden war, ab 1561 in Turin, wo er dem Hause Savoyen diente. Der Herzog von Savoyen ließ d'Argenta nicht nur in Turin arbeiten, sondern schickte ihn auch nach Wien und Prag, wo er die kaiserliche Familie malen sollte. Giacomo war nicht nur Portraitmaler, sondern schuf auch Bilder religiösen Inhalts.

Eines seiner Portraits der herzoglich savoyischen Familie stellt den späteren Karl Emanuel I. den Großen (1562–1630) als Kind dar, begleitet von seinem Hofzwerg. Beide stehen in der Ecke eines mit dunklen Marmorfliesen ausgelegten Raumes. Das etwa zehnjährige Kind steht en face zum Betrachter und blickt ihn an (Kat. S. Turin 1971, S. 56). Karl Emanuel trägt eine kostbare spanische Robe mit einem in der Taille geschnürten Wams, einem kurzen Umhang, kurzen Hosen und enganliegenden Strümpfen. An einer doppelreihigen langen Perlenkette, die er um den Hals trägt, hängt ein Orden auf seiner Brust. Sein Kopf wird von einem schwarzen, mit Perlen und Federn bestickten Hut geziert.

Während der spätere Herzog von Savoyen seine Linke auf dem goldenen Knauf seines Schwertes ruhen läßt, das er an der Seite in einer dunklen Scheide trägt, hat er seine rechte Hand im Schutzgestus auf den Kopf seines bärtigen Hofzwerges gelegt. Dieser reicht dem Kind bis zur Hüfte. Der Kleinwüchsige hält seinen Kopf leicht nach rechts zu seinem Beschützer gedreht und blickt den Betrachter an. In der linken Hand hält er seine Handschuhe, mit der Rechten umgreift er einen Stab, der oben und unten hell abgesetzt ist. Er trägt ein schwarzes höfisches Gewand, aus dem an den Ärmeln und am Hals das weiße, mit Spitzen verzierte Untergewand herausschaut. Die pludrigen Hosen enden über hellen, durchbrochenen Lederschuhen.

D.M.

*Bei der hochgradig disproportionierten kleinen Gestalt erscheint der Kopf relativ groß. In Wirklichkeit entspricht er aber dem eines normalen Erwachsenen. Der Mantel läßt die Beurteilung des Rumpfes nicht zu, aber man kann annehmen, daß die Beine äußerst kurz sind. Die Arme sind allenfalls etwas zu kurz. Die Beinverkürzung ist so stark, daß es sowohl den Ober- als auch den Unterschenkel betreffen muß, obwohl dies nicht sichtbar ist. Damit käme eine **Dysmelie** mit weitgehend fehlenden Ober- und Unterschenkeln in Frage. Es ist aber auch an ein GREBE-Syndrom zu denken. Für RICHER (1901) ist eine Diagnose wegen der verdeckten Beine nicht möglich.*

vor 1572
Öl/Leinwand, 146 x 88 cm
Turin, Galleria Sabauda, Kat. Nr. 4

41
Florentinische Schule, um 1575
Zwerg auf einer Schnecke

Ein unbekannter florentinischer Künstler, der ein Zeitgenosse des Bildhauers Giambologna (s. Nr. 35, 36) war, schuf diese kleine, fein ausgearbeitete Bronze-Statuette. Sie zeigt einen nackten Zwerg, der auf einer Weinbergschnecke reitet. Während sein Unterkörper gerade auf dem Haus der Schnecke sitzt, hält der Kleinwüchsige seinen Oberkörper nach rechts gedreht. Mit der linken Hand stützt er sich auf dem Schneckenhaus ab. Die Hand des rechten angewinkelten Armes umgreift einen Gegenstand, der abgebrochen scheint, vielleicht ehemals eine kleine Reitpeitsche.
D.M.

Dem Diagnostiker kommt der unbekleidete Zustand zu Hilfe, so wie wir es bei den Kat.-Nrn. 34-36 ebenfalls antreffen. Die Gliedmaßen zeigen eindeutig eine Verkürzung, vorwiegend der Oberarme und -schenkel (Rhizomelie). Obwohl nur von vorne seitlich sichtbar, erkennt man eine verstärkte Lendeneinziehung (Hyperlordose) und geringe Buckelbildung (Kyphose). Da der Kopf die Zeichen der Achondroplasie vermissen läßt, handelt es sich hier um eine **Pseudoachondroplasie.**

Bronze, Höhe 37 cm
Paris, Musée du Louvre, Inv. Nr. OA 8252

153

42

Philipp Galle
(Haarlem 1537 – Antwerpen 1612)
nach Jan van der Straet, gen. Giovanni
Stradanus
(Brugge 1523 – Florenz 1605)
**Cosimo de' Medici vor Papst Pius V.
im Konsistorium**

Der Kupferstich, der hier vorgestellt wird, stammt aus einer Serie von vier Blättern, die die Krönung des Cosimo de' Medici (1519–1574) durch Papst Pius V. (1566–1572) am 5. März 1570 zum Großherzog der Toskana in Rom illustrieren (s. Nr. 43). Der flämische Künstler Jan van der Straet, der seit 1557 als Kartonzeichner für die Florentiner Teppichmanufaktur der Medici nachweisbar ist und von den Italienern Giovanni Stradano genannt wurde, schuf die Vorzeichnungen zu diesem Ereignis, die man im Amsterdamer Rijksprentenkabinet einsehen kann (Kat. S. Amsterdam 1978, S. 156f.). Der Antwerpener Stecher und Herausgeber Philips Galle setzte sie im Jahre 1582 spiegelverkehrt in das Medium des Kupferstichs um. Diese Serie gehört zu einem Zyklus von insgesamt 22 Blättern, die Leben und Taten Cosimos verherrlichen und die von den beiden Künstlern zwischen 1582 und 1583 geschaffen wurden (siehe Hollstein DF, Bd. VII, und Langedijk 1981, I, S. 138).

Die Szene spielt in einem Saal des päpstlichen Palastes in Rom. Der links unter einem Baldachin thronende Papst Pius V. hält im Kreise der Kardinäle und Würdenträger seines Hofes, die in langen Reihen vor den Wänden des Saales sitzen, eine zeremonielle Versammlung, ein Konsistorium, ab. Von der Höhe seines Thrones blickt der Papst einen fürstlich gekleideten Mann an, der von rechts her in die Mitte des Saales getreten ist und zu ihm aufblickt. Es handelt sich um Cosimo de' Medici. Er trägt ein Brokatgewand und darüber einen langen Mantel mit Hermelinkragen, auf dem die Kette des Ordens vom Goldenen Vlies liegt. Die beiden Männer, die rechts und links unmittelbar hinter ihm stehen, sind laut der lateinischen Unterschrift Cosimos Militärbefehlshaber. Zu dem großen Gefolge, das Cosimo und die genannten Männer begleitet, gehören auch zwei mit langen Spießen bewaffnete Landsknechte ganz rechts im Vordergrund. Vor ihnen steht, mit entblößtem Haupt dem Papst zugewandt und gekleidet wie die Militärbefehlshaber links hinter Cosimo, ein Zwerg.

D.M.

*Die kleine Gestalt läßt trotz Umhang einen sehr kurzen Rumpf vermuten und relativ lange Gliedmaßen erkennen. Die Beine sind leicht O-förmig gebogen (varus). Der Kopf zeigt zwar eine prominente Stirn mit etwas eingezogener Nasenwurzel, was eigentlich der Achondroplasie entspricht. Wegen des kurzen Rumpfes ist jedoch eine **spondyloepiphysäre Dysplasie** anzunehmen.*

Kupferstich, 216 x 297 mm

43
Philipp Galle
(Haarlem 1537 – Antwerpen 1612)
nach Jan van der Straet, gen. Giovanni
Stradanus
(Brugge 1523 – Florenz 1605)
**Cosimo de' Medici wird von Papst
Pius V. zum Großherzog von Toskana
gekrönt**

Die Szene des zweiten Kupferstichs aus der vier Blätter umfassenden Serie der Erhebung Cosimos de' Medici (1519–1574) zum Großherzog von Toskana, die von dem flämischen, in Florenz lebenden Künstler Jan van der Straet und dem Antwerpener Stecher und Herausgeber Philipp Galle geschaffen wurde (s. Nr. 42), zeigt die Krönung durch Papst Pius V. (1566–1572).

Der Kupferstich hat die Hauskapelle des vatikanischen Palastes zum Schauplatz, die berühmte Sixtinische Kapelle. An der Wand, die den Hintergrund des Raumes abschließt, ist zu beiden Seiten des Altares und des ihn bekrönenden Baldachins Michelangelos zwischen 1536 und 1541 geschaffenes »Jüngstes Gericht« zu sehen, genauer Szenen, die die Auferstehung der Toten zeigen. Wiederum thront Papst Pius V. im Beisein der Kardinäle und Würdenträger links unter einem Baldachin. Den Oberkörper vorgebeugt, vollzieht er eine Zeremonialhandlung: Er setzt dem vor ihm knienden Cosimo de' Medici die großherzoglich toskanische Krone aufs Haupt. Cosimo wird auch hier von seinen beiden Militärbefehlshabern begleitet; einer von ihnen hält einen Teller, auf dem das zur Krone gehörende Szepter des neuen Großherzogs liegt.

Im Vordergrund ist ein Stück des Fußbodens um eine Stufe niedriger gelegt. Hier befinden sich ganz rechts ein mit einem Spieß bewaffneter Landsknecht und eine Bank, auf der ein Kardinal, an seinem Barett kenntlich, und ein Würdenträger mit entblößtem Haupt Platz genommen haben. Neben letzterem steht, dem Betrachter ebenfalls den Rücken zukehrend und das Geschehen der Krönung aufmerksam verfolgend, ein prunkvoll gekleideter Zwerg; er stützt seine linke Hand auf einen hölzernen Stab, der ihm bis zu den Schultern reicht und in dem man wohl einen Feldherrenstab erkennen darf.   D.M.

Im Gegensatz zu der Kat. Nr. 42 zeigt hier der Kleinwüchsige kurze rhizomele Gliedmaßen mit relativ langem Rumpf. Die eingesunkene Nasenwurzel ist noch ausgeprägter. Deshalb ist eine **Achondroplasie** *zu diagnostizieren. Der Künstler hat damit auf seinen zwei Bildern klar und objektiv zwischen zwei Minderwuchsformen differenziert.*

Kupferstich, 216 x 297 mm

44
Crispijn de Passe d.Ä.
(Arnemuiden um 1565 – Utrecht 1637)
nach Jan van der Straet,
gen. Giovanni Stradanus
(Brugge 1523 – Florenz 1605)
Pilatus wäscht sich seine Hände

Der Kupferstecher Crispijn de Passe d.Ä., der sich auch in latinisierter Form Crispianus Passaeus nannte (s. a. Nr. 50), stach dieses Blatt, das rechts unten mit der Nummer »13« versehen ist, nach einer Zeichnung von Jan van der Straet. Es gehört zu einer Serie von insgesamt 20 Blättern, die die Passion, den Tod und die Auferstehung Christi zum Thema haben. Während die Vorzeichnungen alle von Stradanus' Hand stammen, sind die Kupferstiche von verschiedenen Stechern ausgeführt worden. Der Drucker und Verleger Philipp Galle (1537–1612) brachte die Serie in Antwerpen heraus. Das Deckblatt zeigt neben dem Titel eine Widmung an den Kardinal Alessandro de' Medici zusammen mit dem Wappen der Florentiner Familie. 1642 erschienen die Stiche erneut, jetzt als Illustrationen dem Buch »Le Throsne royal de Jesus Nazaréen« des César Ioachim Trognesius beigegeben (Alvin 1866, Nr. 1820).

Wie in einem großen Zelt sitzt Pilatus unter dem Thronbaldachin auf seinem Richterstuhl, der auf einem Podest aufgestellt ist. Während er sich von dem links stehenden Pagen das Wasser über seine Hände gießen läßt – denn er will sie ja »in Unschuld waschen« –, blickt er auf den halbentblößten Christus nieder, den er gerade verhört und nun den Juden überantwortet hat. Christus ist mit dem Heiligenschein ausgezeichnet und trägt die Zeichen der Verspottung: die Dornenkrone sowie den Rohrstab, den man ihm zur Verhöhnung seines Königtums in die Hand gedrückt hat. Er ist gefesselt und wird von dem Soldaten rechts am Strick gehalten. Diesem Soldaten rechts entspricht auf der linken Seite des Vordergrundes ein jüdischer Würdenträger, ein Priester mit dem Alten Testament, das er nicht liest, sondern nur unter dem Arm trägt. Während der Priester mit ausdrucksvoller Gebärde dem Unruhestifter Rache androht, hat der militärisch gekleidete Zwerg neben ihm bereits mit beiden Händen den Umhang Christi ergriffen, um ihn vor das Gericht der Juden zu zerren.

Nach alter katholischer Lehre ist das Leben Christi, wie wir es aus dem Neuen Testament kennen, bereits – wenn auch in verschlüsselter Form – im Alten Testament angekündigt und erzählt worden. Die in diesem Blatt illustrierte Episode wird, wie das Schriftfeld unterhalb der Figuren mitteilt, im Neuen Testament vom Evangelisten Matthäus im 27. Kapitel erzählt. Dort heißt es in den Versen 24 bis 26: »Da aber Pilatus sah, daß er nichts ausrichtete, sondern vielmehr ein Getümmel entstand, nahm er Wasser und wusch die Hände vor dem Volk und sprach: Ich bin unschuldig an seinem Blute, sehet ihr zu. Da antwortete das ganze Volk und sprach: Sein Blut komme über uns und unsere Kinder. Da gab er ihnen Barrabas los, aber Jesus ließ er geißeln und überantwortete ihn, daß er gekreuzigt würde.« Dieser Schriftstelle entspricht im Alten Testament das Zitat aus dem 38. Kapitel des Propheten Jeremia, das auf der oberen Rahmung des Bildfeldes steht. Es lautet: »Der König Sedecias sprach: Siehe, er ist in euren Händen.« D.M.

Die muskulöse, kleinwüchsige Gestalt mit kurzen Gliedmaßen und deutlicher Rhizomelie entspricht im Verein mit der prominenten Stirn und der leicht eingezogenen Nasenwurzel am ehesten dem Bild der **Achondroplasie**, *obwohl der Rumpf etwas kurz erscheint.*

signiert: Joannes Stradanus inventor, Crispin de Pas sculpsit, Philippus Galle excudit
Kupferstich, 198 x 156 mm

Ioannes Stradanus inventor. Crispin. de Pas scalpsit. Philippus Galle excudit.

Videns autem Pilatus quia nihil proficeret, sed magis tumultus fieret: accepta aqua, lavit manus coram populo, dicens, Innocens ego sum a sanguine iusti huius: vos videritis. Et respondens universus populus, dixit, Sanguis eius super nos, & super filios nostros. Tunc dimisit illis Barrabam: Iesum autem flagellatum tradidit eis ut crucifigeretur. Matt. 27.

13

45
Annibale Carracci
(Bologna 1560 – Rom 1609)
Rückenfigur eines Zwerges

Der Bologneser Maler Annibale Carracci gilt als der bekannteste Vertreter der Künstlerfamilie Carracci. Nachdem er sich zuerst einige Jahre in Bologna aufgehalten und dort schon Künstlerruhm erlangt hatte, ging er auf Geheiß Kardinal Odoardo Farneses vor 1598 nach Rom, um dort in dessen Palast die Fresken der Galerie anzufertigen, für die er unter anderem die Hilfe seines Bruders Agostino (s. Nr. 47) benötigte. Er starb 1609 in Rom und wurde ebendort im Pantheon neben Raffael begraben.

Die Rötelzeichnung zeigt einen Hofzwerg in Rückenansicht, der mit seiner erhobenen Linken einen langen Stab umgreift. Er hat seinen Kopf nach hinten gewendet und blickt den Betrachter an, so, als ob er ihm sagen wolle, daß man dem Gestus seiner rechten Hand folgen und in diese Richtung, nach rechts, schauen solle.

Diese Skizze gehört zu den vorbereiteten Arbeiten für ein um 1584 datiertes Gemälde (Posner 1971, I, S. 114), das sich heute im Marseiller Musée des Beaux-Arts befindet. Es trägt den Titel »Fête Champêtre« (Ländliches Fest) und zeigt eine große Gesellschaft, die unter Bäumen auf einer Wiese ein bukolisches Fest begeht. Ganz links außen steht der Zwerg der Skizze als Introduktionsfigur und weist den Betrachter auf die eigenartige Szene hin, die sich im Mittelgrund bietet (siehe ausführlich: Posner 1971 II, S. 9f.).   D.M.

Selten ist auf bildlichen Darstellungen die Rückenpartie so gut zu beobachten wie hier. Der kurze Rumpf zeigt eine verstärkte Ausbiegung der Brustwirbelsäule nach hinten (Kyphose) und der Lendenwirbelsäule nach vorne (Hyperlordose). Die Arme sind relativ lang. Damit kommt am ehesten eine **spondyloepiphysäre Dysplasie** *in Frage.*

Rötel, ca. 310 x 210 mm
Englische Privatsammlung

46
Lavinia Fontana
(Bologna 1552 – Rom 1614)
**Die Königin von Saba
bei König Salomon**

Lavinia Fontana begann um das Jahr 1570 bei ihrem Vater Prospero Fontana, einem manieristischen Maler, zu malen. Sie war eine Zeitgenossin der Brüder Carracci, die sie in ihrer Kunst stark beeinflußten (s. Nr. 45, 47). Lavinia Fontana ging im Jahre 1604 nach Rom, wo sie zehn Jahre später starb.

Das Bild »Die Königin von Saba« schuf die Künstlerin noch in Bologna. Es wird in die späten 1590er Jahre datiert (Kat. A. Washington 1986, S. 132). Die Geschichte der Königin wird im 1. Buch der Könige, 10, 1-13, erzählt.

Der Thronsaal eines königlichen Palastes öffnet sich im Hintergrund auf eine Terrasse, über deren Balustrade man in eine gebirgige Waldlandschaft blickt. Links thront drei Stufen hoch unter einem Baldachin ein orientalischer König mit einer Krone, die einem Turban aufgesetzt ist. Es ist der weise König Salomo, der mit ausgebreiteten Armen die vor ihm kniende Königin von Saba begrüßt. Die Königin ist in eine prunkvolle Robe gekleidet, die an die Hoftrachten um 1600 erinnert. Mit ausdrucksvoller Gebärde weist sie den König auf ihr Gefolge und auf die sich dort abspielende merkwürdige Szene hin. Das rechts aufgereihte Gefolge der Königin besteht aus mehreren Damen, die ähnlich wie sie gekleidet sind. Die vorderste, die hinter der Königin steht, trägt deren Insignie, die Krone. Der neben ihr stehende, in Rot und Schwarz gekleidete Zwerg macht sich mit der rechten Hand an den langen Perlenschnüren zu schaffen, die eine schwarze Dienerin, die eine große mit wertvollen Gegenständen beladene Schale in ihrer Linken hält, ihm präsentiert. Die zwischen beiden stehende Dame hat bemerkt, daß der Zwerg die Perlen durch seine Finger gleiten läßt. Sie weist mit dem ausgestreckten Zeigefinger der linken Hand auf ihn und blickt, wie um darauf aufmerksam zu machen, eine andere Person an, die jedoch – das Bild scheint an beiden Seiten etwas beschnitten – nicht mehr zu sehen ist.

Bei der Königin von Saba und ihrem Gefolge mit dem Hofzwerg scheint es sich um zeitgenössische Portraits der Bologneser Gesellschaft zu handeln. D.M.

*Durch das Wams ist die Rumpflänge des Kleinwüchsigen schwer abzuschätzen. Die Gliedmaßen sind verkürzt. Die Beine sind im O-Sinn leicht ausgebogen. Die Zeichen der Achondroplasie am Kopf fehlen: Die Stirn ist eher hoch und leicht fliehend, die Nasenwurzel ist nicht eingesunken, und es besteht auch kein betontes Kinn. Dementsprechend ist dann am ehesten eine **Pseudoachondroplasie** anzunehmen.*

Öl/Leinwand, 256 x 325 cm
Dublin, The National Gallery of Ireland

47

Agostino Carracci
(Bologna 1557 – Parma 1602)
**Arrigo peloso, Pietro matto
und Amon nano**

Der Bologneser Künstler Agostino Carracci ist der weniger bekannte der Carracci-Brüder (s. Nr. 45). Er arbeitete sowohl in Bologna als auch in Venedig, Rom und Parma. Zusammen mit Annibale malte er zwischen 1598 und 1600 die große Galerie des Palazzos von Kardinal Odoardo Farnese in Rom aus. Das Gemälde mit Arrigo, Pietro und Amon wird Agostino zugeschrieben und fällt in seine römische Zeit (Kat. A. Washington 1986, S. 261f.). Die Vorzeichnungen befinden sich heute im Berliner Kupferstichkabinett und im Louvre in Paris.

Das Bild zeigt drei Menschen und mehrere Tiere, die stark in den Vordergrund gerückt sind. In der rechten Bildhälfte bemerkt man eine Gestalt, die bis auf einige Felle um Hüfte und Schultern nackt ist. Es handelt sich hierbei um den Haarmenschen Arrigo, dem besonders im Gesicht lange blonde Haare wachsen. Er hat ein kleines Hündchen im Schoß, das freundlich aus dem Bild herausblickt, während eine seiner Vorderpfoten von dem rechts daneben hockenden Affen gestreichelt wird. Die rechte Hand hat der Mann halb erhoben und hält in ihr einige Kirschen. Die Hand mit den Kirschen hat die Aufmerksamkeit mehrerer Beteiligter auf sich gezogen: Nicht nur weist Arrigo selbst mit seiner Linken den Narren Pietro darauf hin, der, mit gestutztem Bart, gefälteltem Kragen und einer ausdrucksvollen Physiognomie versehen, sich ganz rechts oben ins Bild beugt – auch eine Meerkatze, die auf Arrigos rechter Schulter sitzt, sucht mit ausgestrecktem Arm die Kirschen zu ergreifen.

Die Kirschen haben aber schon einen Konsumenten gefunden. Es ist ein großer Papagei in schwarzweiß und orange, der links oben im Bild auf der Hand des Zwerges Amon hockt und sich weit vorbeugt, um die Früchte zu verschlingen. Der Zwerg, der ihn trägt, schaut dabei lächelnd zu, während er seine Rechte auf dem Rücken eines Jagdhundes ruhen läßt, der mit gespannter Aufmerksamkeit die Hand mit den Kirschen belauert.

Die drei Dargestellten lebten am Hof Odoardo Farnese. In einem Dokument von 1595 wird erwähnt, daß der Herzog von Parma, Ranuccio Farnese, dem Kardinal einen 18jährigen »wilden Mann« mit dem Namen Arrigo zum Geschenk gemacht hat (Zapperi 1985, S. 307). Tatsächlich finden sich in der Liste der Hofangehörigen der Haarmensch Arrigo Gonzalez, der von den Kanarischen Inseln abstammte, der Narr Pietro, der als verrückt gekennzeichnet wird, und der Zwerg Rodomonte mit dem Kurznamen »Amon«. Alle drei gehörten wie die Tiere zu den exotischen »Sammlungsstücken« des Kardinals (Zapperi 1985, S. 308).

Die Rolle von Rodomonte, oder Amon, am Hofe des Kardinals ist nicht leicht zu erschließen. Mit »Rodomonte« (»der Bergzertrümmerer«) ist an sich ein Held aus den Gedichten des italienischen Rittertums gemeint. Rodomonte gehört sowohl in das 1487 entstandene romantische Epos »Orlando inamorato« des italienischen Dichters Matteo Maria Bojardo (1434–1494) als auch in das Gedicht »Orlando furioso« von Ludovico Ariosto (1474–1533) aus dem Jahre 1516. In beiden Epen wird einer der Helden, ein sarazenischer König, als groß, kräftig und prahlerisch beschrieben, von Ariost sogar als frech und gefährlich (Zapperi 1985, S. 309). Den Namen einem Hofzwerg zu geben ist ironisch zu verstehen und macht deutlich, daß die Hofgesellschaft und die Besucher des Kardinals zum Lachen gebracht werden sollten. Allerdings hatte Amon auch eine Stellung am Hofe inne; er war Vorsteher der Pferde- und Hundehetzjagden.

D.M.

*Die kräftige, muskulöse, disproportionierte Gestalt mit leicht O-beinigen Unterschenkeln hat zwar nicht das ganz klassische Gesicht mit deutlich vorspringender Stirn und eingezogener Nasenwurzel, könnte aber trotzdem als **Achondroplasie** (evtl. Pseudoachondroplasie) bezeichnet werden.*

Öl/Leinwand, 101 x 134 cm
Neapel, Museo e Gallerie
Nazionali di Capodimonte

48
Deutsch, um 1600
Portrait eines bärtigen Hofzwerges

In den Sammlungen des Tiroler Schlosses Ambras, das der Lieblingsaufenthaltsort des Erzherzogs Ferdinand von Österreich (1529–1595) und seiner Gemahlin, der Augsburger Patriziertochter Philippine Welser, war, befindet sich das Portrait eines Zwerges in Hoftracht. Der Erzherzog legte nach 1564, dem Jahr seines Herrschaftsantritts in Tirol, den Grundstock zur Ambraser Sammlung, von der sich heute große Teile, zum Beispiel die Sammlung historischer Rüstungen und Waffen, in Wien befinden.

Das Bild gehörte in eine Reihe von insgesamt sieben Portraits, die Kleinwüchsige darstellen und in der Kunstkammer des Schlosses zusammen mit den Portraits des Hofriesen Giovanni Bona und des 1556 auf Teneriffa geborenen Haarmenschen Petrus Gonsalvus hingen (Primisser 1819, S. 141-142, Nr. 898, 902, 904-909). Von dieser Zwergengalerie hat sich nur dieses Gemälde erhalten (Scheicher 1979, S. 134). Der lebensgroß dargestellte Mann steht breitbeinig auf einer schmalen Raumbühne vor einer dunklen Wand, an der links ein grüner Vorhang drapiert wurde. Er blickt den Betrachter an und trägt eine schwarze Hoftracht mit weißem, mühlsteinförmigem, abstehendem Kragen. Von der linken Schulter fällt diagonal eine viersträngige, goldene Panzerkette. Der Porträtierte hält in seinem angewinkelten linken Arm, über den er locker einen Mantel geworfen hat, einen Degen mit goldenem Griff in einer schwarzen Scheide, deren goldene Spitze auf dem Boden steht. Seine rechte Hand hat er in die Seite gestemmt. Eine Identifizierung des Dargestellten ist heute nicht mehr möglich.

D.M.

Vorderarme und Unterschenkel sind relativ kurz. Aus der Handstellung könnte eine MADELUNG'sche Deformität ablesbar sein. Dies wäre mit der Diagnose eines mesomelen Kleinwuchses, speziell mit der **Dyschondrosteose** *(LERI-WEILL-Syndrom) vereinbar. Die starken O-Beine (Genua vara) weisen bei dem wenig ausgeprägten Minderwuchs auch auf eine Rachitis (Phosphatdiabetes) hin.*

Öl/Leinwand, 120 x 80 cm
Kunsthistorisches Museum
Sammlungen Schloß Ambras
Inv. Nr. GG 8228

49

Joseph Heintz der Ältere
(Basel 1564 – Prag 1609)
Erzherzog Ferdinand mit einem Hofzwerg

Das ganzfigurige Portrait des Erzherzogs Ferdinand von Steiermark, zusammen mit seinem Zwerg und einem Hündchen gehört in eine Serie von insgesamt sechs Bildnissen von Mitgliedern des steirischen Erzherzoghauses, die der rudolfinische Hofkünstler Joseph Heintz d. Ä. im Frühjahr 1604 anfertigte.

Erzherzog Ferdinand von Steiermark (1578–1637), der am 16. August 1619 als Ferdinand II. zum Römischen Kaiser gekrönt wurde, steht ein wenig nach rechts gewendet in leichtem Ausfallschritt auf einem Fliesenboden vor einem Portalgewände. Auf dem Fliesenboden steht links unten »FERDINANDUS E… ZU ÖSTERREICH«. Rechts hinter einem Tisch mit roter, bis zum Boden reichender Decke, auf dem der Hut des Erzherzogs liegt, ist ein Brokatvorhang mit dem Wappen Ferdinands zu erkennen. Seine rechte Hand hat er im Schutzgestus auf den Kopf seines Zwerges gelegt, der ein weißes Hündchen an einer Kordel festhält. Der Erzherzog trägt ein mit Brokatstickereien versehenes schwarzes Gewand mit Spitzenkragen. Er hat einen gefütterten schwarzen Mantel über die linke Schulter gelegt und hält ihn unter der linken Achsel zusammen, während er seine linke Hand auf den goldenen Griff seines Schwertes stützt, dessen Scheide auf dem Boden steht.

Joseph Heintz hat den Hofzwerg in Schrittstellung porträtiert. Während der Kleinwüchsige seinen Körper nach rechts gewendet hat, dreht er seinen Kopf dem Betrachter zu und blickt ihn an. Er ist mit einem dunklen gegürteten Rock mit weißem Spitzenkragen und Kniebundhosen mit Spitzenbesatz und Litzen bekleidet. An seinem Gürtel, der vorn eine Metallschließe aufweist, ist rechts ein Krummhorn angebunden, das der Kleinwüchsige mit den Fingern seiner Hand berührt, die er in die Seite gestemmt hat. Von seiner linken Schulter zieht sich diagonal über den Oberkörper eine lederne Schärpe, an deren unterem Ende an der rechten Hüfte ein weiteres kleines Blasinstrument und eine Quaste aus Lederstreifen befestigt sind. Der Hofzwerg, dessen Name nicht überliefert ist, führt mit der linken Hand am ausgestreckten Arm an einer Kordel einen kleinen weißen Hund, der nach rechts läuft.

D.M.

Die erkennbaren Stirnhöcker, die eingezogene Nasenwurzel, der rhizomele Typ der kurzen Gliedmaßen und die verstärkte Ausbiegung der Lendenwirbelsäule (Hyperlordose) sprechen für eine Achondroplasie. Das teigig myxomatös aufgedunsene und breite Gesicht mit den leicht wulstigen Lippen und das etwas struppige Haar weisen aber eher auf eine **Hypothyreose** *hin.*

1604
Öl/Leinwand, 200 x 116 cm
Wien, Kunsthistorisches Museum
Inv. Nr. 9453

50
Gabriel Rollenhagen
(Magdeburg 1583 – Magdeburg 1619)
und Crispijn de Passe d. Ä.
(Arnemuiden 1564 – Utrecht 1637)
»QUID SI SIC« (Wie wäre es so?)

Das Emblem stammt aus Gabriel Rollenhagens Buch »Nucleus emblematum«, das in lateinischer Erstveröffentlichung 1611/1613 in Arnheim und Utrecht zusammen mit den Kupferstichen Crispijn de Passes d. Ä. und seiner Söhne erschien. Dieses zweibändige Werk des Vikars am lutherischen Domkapitel in Magdeburg stellt eines der wichtigsten Emblembücher des Barock dar; mit seinen insgesamt 200 Bildern aus allen Bereichen des Lebens, der Natur, Mythologie und Symbolik wird es für den Leser zum belehrenden und unterhaltsamen Tugendspiegel (Reprint: Rollenhagen 1983). Den Plan, das Emblembuch herauszugeben, faßten Gabriel Rollenhagen und Crispijn de Passe in Köln, wo Passe bis einschließlich 1612 wohnte und arbeitete.

Das Sinnbild Nr. 22 des ersten Buches zeigt einen höfisch gekleideten Zwerg, der auf Stelzen vor einem Zerrspiegel steht und seine dadurch zweimal künstlich erhöhte Größe betrachtet. Von rechts fliegt ein Vogel ins Bild. Im Hintergrund fährt ein Zweispänner mit mehreren Personen in einer hügeligen Landschaft mit Weiler. Neben der Kutsche erblickt man einen Reiter und zwei Figuren mit Hund.

Um das runde Emblembild herum steht das Motto: »QUID SI SIC« (Wie wäre es so?), unter ihm das lateinische Epigramm: QUID SI SIC forsan cubito sim longior, heuheu/ Non ars Naturae, corrigit, Ingenium. (Wie wäre es, wenn ich so um eine Elle länger wäre? Weh, keine Kunst korrigiert die Anlage der Natur!)

Unter einem Emblem versteht man die bildliche Darstellung einer Sache, die durch bestimmte für sie kennzeichnende Eigenschaften auf andere, sonst unanschauliche Sachverhalte verweist; ein dem Bild hinzugefügter Text soll es dem Betrachter verständlicher machen. Der Schluß, der aus dem Emblem gezogen werden soll, bleibt aber dem Leser überlassen. In diesem Beispiel soll die Lehre anschaulich gemacht werden, daß niemand mit noch so vielen Kunstgriffen sein natürliches Wesen verändern kann. Sie bezieht sich nicht auf den dargestellten Zwerg, sondern muß im übertragenen, allgemein verbindlichen Sinn gesehen werden.

D.M.

Eine einwandfreie medizinische Zuordnung zu einem Kleinwuchstyp ist nicht möglich. Die Gliedmaßen sind gegenüber dem Rumpf als relativ lang anzusehen. Der Kopf und das Gesicht weisen keine auffälligen Merkmale auf. Damit könnte man eine **spondyloepiphysäre Dysplasia tarda** *vermuten.*

Kupferstich, ⌀ 95 mm

51
Jacques Callot
(Nancy 1592 – Nancy 1635)
**Der Zwerg mit dem Hängebauch
und hohem Hut
(Selbstkarikatur Jacques Callots?)**

Von Jacques Callot stammt nicht nur die berühmte Zwergenserie der »Gobbi« von 1616, sondern auch eine Reihe von Zwergenzeichnungen nach der Natur. Weitere Zwergendarstellungen finden sich in seinem umfangreichen graphischen Gesamtwerk, so zum Beispiel am Rande der »Versuchung des Hl. Antonius«, 1617/18, oder im Vordergrund des »Schloßparkes von Nancy«, 1628/29, und im Vordergrund des »Jahrmarktes von Impruneta« von 1622.

Die »Zwergenmode« in der europäischen Graphik geht im wesentlichen auf die groteske Serie der sogenannten »Gobbi« des großen Lothringischen Radierers Jacques Callot zurück. Callot lebte und arbeitete von 1612–1621 in Florenz, wo er täglich und vielfach Gelegenheit hatte, zwergisch kleine Leute und außergewöhnliche Menschen kennenzulernen. Dem damaligen Zeitgeschmack gemäß hatte der Medici-Fürst Cosimo II. eine große Zahl von Hofzwergen und wandernden Zwergen-Komödianten und -artisten an seinem prunkvollen Hof zusammengebracht und veranstaltete mit ihnen, so berichtet auch Solerti, unter vielen anderen Festivitäten große Zwergenpferderennen und Zwergenturniere. Diese seltsamen Veranstaltungen wurden von Zwergenmusikanten und Zwergenkomödianten in phantastischen Kostümen begleitet, und es wimmelte zum Beispiel am 6. Juli 1612 am Fest des Hl. Romulus in Florenz nur so von Zwergen und kleinwüchsigen Gestalten. Der Chronist Tinghi berichtet unter anderem, daß Cosimo II. sich zusammen mit Prinzessin Maria Magdalena und einigen Höflingen auf der Küchenwaage (!) des Palazzo Pitti gegen seine Hofzwerge und ihre Zwergenkameraden aufwiegen ließ, und daß er sie ein andermal mit vielen Bechern Wein trunken machte und sie danach für sich und den florentinischen Hof tanzen ließ. Man kann sich vorstellen, wieviel Gelächter und Ausgelassenheit solche Unternehmungen hervorriefen, und kann nur hoffen, daß die armen Zwerge für den Spaß wenigstens entsprechend entschädigt worden sind. Diese und viele andere Gelegenheiten benützte Callot zu einer Reihe höchst lebendiger Skizzen (heute im Louvre und in Leningrad), aus welchen schließlich 1616 die bekannte Serie der 20 »Gobbi«-Blätter mit dem bizarren Titelblatt, auf welchem weitere vier Zwerge zu sehen sind, hervorging. Dazu muß man allerdings auch noch die vier tanzenden und musizierenden Zwerge aus der sogenannten »Capricci«-Serie zählen, die 1617 entstanden ist. Und auch die seltsamen Groteskfiguren der »Balli di Sfessania« stehen in einem gewissen Zusammenhang mit dieser ausgelassenen Komödiantenwelt im Florenz des beginnenden 17. Jahrhunderts. Wenn wir die insgesamt 28 »Gobbi« näher betrachten und davon ausgehen, daß sie – im Gegensatz zu den zwergischen Groteskfiguren des »Calotto Resuscitato« von 1710 – nach der Natur gezeichnet worden sind, so sehen wir unter ihnen eine Reihe typischer Commedia-dell'-arte-Figuren, wie etwa den »Dottore« auf dem Titelblatt, einige gefährlich aussehende und ihre Waffen führende »Capitani«, eine Reihe pittoresker Krüppel, zwei tanzende Trinker, zwei Dickwänste, eine ganze Reihe von Musikanten und Tänzern und einen etwas aus der Reihe fallenden, fast würdigen »Zwerg mit einem Hängebauch« und einem riesigen, hohen Hut (s. Lieure 1927). Nach Meinung der einschlägigen Forschung ist auch dieser Zwerg nach der Natur gezeichnet, allerdings haben wir es hier mit einer echten Karikatur zu tun. Der so Karikierte ist niemand anderer als Jacques Callot selbst. Der damals noch sehr junge und ungemein einfallsreiche und begabte Künstler aus dem fernen Lothringen hat sich augenzwinkernd in der »Gobbi«-Reihe als Zwerg verewigt. Das Bildnis Callots (von einem unbekannten Künstler) aus seinen letzten Florentiner Jahren zeigt den »Vater der Zwerge« in ebendemselben Hut, mit ebenderselben Haartracht und in ebenderselben Kostümierung

1616 bzw. 1622
Radierung, 60 × 87 mm

172

– natürlich in vollkommen normaler Körpergröße – stehend mit Stock in einer mit Figuren belebten Landschaft (Schröder 1971, Band I. S. 20). Insgesamt sind die zwerghaften Gestalten der Gobbi-Serie ungeheuer realistisch und genau wiedergegeben. Wir haben damit sozusagen eine Bildreportage der an vielen Höfen Europas wiederauflebenden Mode der Hof- und Jahrmarktszwerge des 17. Jahrhunderts. Wir lernen nicht nur ihre phantastischen Kostüme, ihre Masken, ihre riesigen, federgeschmückten Hüte und gelappten Stiefel kennen, sondern auch die verschiedensten Requisiten, Instrumente und Waffen. Wir sehen aber auch (vor allem auf den Zeichnungen und später auf den sogenannten Doppel-Gobbi-Stichen des Callot-Schülers Lucini von 1630), wie sie miteinander umgegangen sind, wie sie miteinander gekämpft, getanzt oder musiziert haben. Lucinis eigene Zwergenserie von 1627 zeigt schreckliche Zwergen-Zweikämpfe und eine Reihe von Zwergen als – Kanoniere! Im großen und ganzen dürften sich all diese theatralischen Szenen nicht wesentlich von den Darbietungen der berühmten Liliputanertruppen der großen Zirkusse und Varietés des 19. und 20. Jahrhunderts unterschieden haben.

In der Folge dienten die Radierungen Callots einerseits als Vorlage zu zahllosen Kopien und seitenverkehrten Veränderungen und ergänzten Nachdrucken, andererseits als Vorlagen zu Gemälden, Plastiken, Gartenfiguren, Porzellanfiguren, Goldschmiedearbeiten und sonstigen kunsthandwerklichen Gegenständen. Auch als Vorlagen für Hoffeste mußten sie herhalten, und in den Kostümentwürfen von Inigo Jones aus dem Jahre 1630 kehren sie genauso wieder wie auf den barocken Würfelspielen, wie zum Beispiel den bekannten Gänsespielen.

Bekannt geworden sind vor allem die barocken Gartenfiguren. Um 1690 entstanden die bekannten mächtigen Marmorzwerge des Salzburger Mirabellgartens, welche teilweise direkt nach Callot-Vorlagen, teilweise nach (noch unbekannten) Monatsstichen angefertigt worden sind. Sie stellen das Werk eines Salzburger Bildhauerkollektivs dar, welches nach Plänen und Modellen Fischer von Erlachs den hochfürstlichen Garten des Lustschlosses Mirabell mit einem umfangreichen Figurenschmuck ausstattete. Die bald darauf einsetzende Mode der sogenannten »Callotto-Zwerge« (z. B. von Matthias Braun und Johann B. Wanscher) löste in der Gartenplastik und auch bei den Porzellanzwergen ab 1713/14 die Callot-Mode ab. Die »Gobbi« wurden altmodisch und gerieten mehr und mehr in Vergessenheit. In unseren Tagen sind sie allerdings wieder »modern« geworden, und man kann Repliken dieser grotesken Callot-Zwerge überall in Italien kaufen. Wie schrieb doch Goethe in seinem Epos »Hermann und Dorothea«: »So war mein Garten auch in der ganzen Gegend berühmt und / jeder Reisende stand und sah durch die roten Staketen / nach den Bettlern von Stein und nach den farbigen Zwergen.«

G.G.B.

*Unter dem hohen, breitrandigen Hut ist nur das Gesicht und nicht die Kopfform zu sehen. Das Gesicht erscheint normal. Der sehr kurze Rumpf und die kurzen Gliedmaßen symbolisieren das Bild einer **spondyloepiphysären Dysplasie** oder einer Osteogenesis imperfecta (Glasknochenkrankheit). Eine sichere nosologische Zuordnung ist nicht möglich.*

VARIE FIGVRE GOBBI
di Iacopo Callot
fatto in firenza
lanno 1616

excudit Nancei

52
Peter Sengelaub
(Martinroda 1558 – Coburg 1622)
**Schießscheibe von Jacob Eckel,
dem Zwerg**

Datierung: 25. 5. 1609
Aquarell- und Deckfarben, ⌀ 10,3 cm
Coburger Scheibenbuch Bl. 49r
Coburg, Kunstsammlungen der Veste
Coburg

Bei dem Scheibenbuch des Herzogs Johann Casimir von Sachsen-Coburg (1554–1633) handelt es sich um die Protokolle der 93 Büchsen-Schießwettbewerbe am herzoglichen Hofe zwischen dem 9. Januar 1609 und dem 28. April 1631, an denen sowohl der Adel als auch Bürger teilnahmen (siehe ausführlich: Kramer 1989). Vor jedem Schießbericht steht die Schießscheibe des Mannes, der sie für diesen Tag gestiftet hatte. Die Scheibe vom 25. Mai 1609 wurde von dem Hofzwerg Jacob Eckel, der ständiger Begleiter und auch Leibknecht von Herzog Johann Casimir war, gestiftet. Klein Jacob, wie er ferner genannt wurde, nahm fast an jedem Schießen teil. Nach dem Scheibenbuch war Eckel durchaus erfolgreich: Er schoß einmal das beste Ergebnis und achtmal den Ritter, den zweiten Preis (Kramer 1989, S. 82).

Auf grünem Grund sieht der Betrachter eine große Frau in rotem Kleid mit Mieder, die eine an sie gelehnte Leiter mit beiden Händen festhält. Auf ihr steigen drei Zwerge in unterschiedlicher Kleidung nach oben. Der oberste Zwerg hat seine Rechte an die linke Wange der Frau gelegt. Links neben der Szene steht Jacob Eckel in schwarzem Gewand. Über ihm die Inschrift: »steig auf hin bruder, ich muß auch hernach«. Rund um den Scheibenrand wurde eine weitere Inschrift angebracht: »Judas kuß ist worden New, gute Wort und falsche Draw, lag (= lach) mich an, Und gieb mich hin, dasselbig hat itzt die weld im sinn« (= Judas Kuß ist geworden neu, führt gute Worte, hält falsche Treu; Der dich anlacht, der reißt dich hin. Das ist dieser Welt Weis und Sinn (zitiert aus Kramer 1989, S. 82).

Der Spruch stammt aus Georg Rollenhagens (1542–1609) allegorisch-satirischem Lehrgedicht »Froschmeuseler, der Frösch und Meuse wunderbare Hoffhaltung« aus dem Jahre 1595, in dem auf die Zustände der Gegenwart mit Hilfe einer Fabel von protestantisch-polemischer Tendenz angespielt wird. Nach Kramer bezieht sich die Inschrift über Eckels Kopf direkt auf ihn und kann mit laszivem Hintersinn gedeutet werden. Die Randumschrift wäre dann als die Äußerung der Frau anzusehen. Obwohl der Zwerg im allgemeinen zu dieser Zeit als treulos angesehen wurde, wird es sich hier aber insgesamt um eine generelle Zeitkritik handeln.

Jacob Eckel wurde des öfteren dargestellt. So findet er sich beispielsweise noch zweimal im Coburger Scheibenbuch (s. a. Nr. 53). Im 1632 vollendeten Intarsien-Jagdzimmer auf der Veste Coburg, einem »Hornstube« genannten Prunkraum des Herzogs Johann Casimir, sieht man ihn als ständigen Begleiter in einigen Intarsienbildern, die verschiedene Szenen der Wildjagd zum Thema haben. In dem sich in der Forschungsbibliothek Gotha befindenden »Jüngeren Jagdbuch« aus dem Jahre 1639 zeichnete Wolfgang Birckner (1582–1651) Klein Jacob in der Szene »Herzog Johann Casimir empfängt seinen Jägersmeister zum Rapport« (Bl. 4) und ein weiteres Mal in »Herzog Johann Casimir mit Gefolge vor der Jagd« (Bl. 5).
D.M.

*Auf beiden Schießscheiben zeigen die skizzenhaften Darstellungen der Zwerge durchweg denselben Kleinwuchstyp mit kurzem Rumpf und relativ langen Gliedmaßen. Die Wirbelsäule ist verstärkt ausgebogen, und die Beine zeigen ebenfalls eine Verbiegung im Sinne des O-Beins (Varus). Am ehesten muß man hier eine **spondyloepiphysäre Dysplasie** im weitesten Sinne interpretieren.*

53
Peter Sengelaub
(Martinroda 1558 – Coburg 1622)
**Schießscheibe des Rentmeisters
Georg Hack**

Der Zwerg Jacob Eckel, der ständige Begleiter von Herzog Johann Casimir von Sachsen-Coburg (1564–1633), wird im Coburger Scheibenbuch noch ein weiteres Mal dargestellt (s. Nr. 52).

Der Rentmeister Georg Hack, der zweimal beim Büchsenschießen zu Gast war, stiftete die Scheibe für das Ereignis am 12. Mai 1609 (Kramer 1989, S. 80). Man sieht den Rentmeister bei seiner Amtstätigkeit in einem kapellenartigen Raum, der mit hellen Fliesen ausgelegt ist. Er sitzt am Kopf eines Schiefertisches mit breitem, hellem Holzrand direkt vor einer halbrunden Nische mit zwei goldgelben Fenstern. Im Scheitel des Tonnengewölbes direkt über dem Rentmeister hängt ein Käfig, in dem ein Papagei sitzt. Seitlich der Nische hängen an den Quadersteinwänden sieben beschriftete Tafeln.

Georg Hack, neben dem eine geöffnete Geldtruhe steht, ist mit dem Zählen von Gold- und Silbermünzen beschäftigt. Neben den Münzen sind auf dem Tisch kleinere Geldsäcke, geöffnete Bücher, im vorderen Teil ein Abakus, ein Krug und ein halbvolles Glas zu erkennen. Rechts und links des Rentmeisters stehen zwei weitere Männer, ebenfalls mit schwarzen Gewändern bekleidet. Sie halten Schriftstücke in ihren Händen. Hinter den beiden Stehenden befinden sich zwei geöffnete Türen, durch die zwei schwarz gekleidete Diener in den Raum eintreten. Der linke hält ein Schreiben in seiner rechten Hand, der andere kommt mit zwei Metallkrügen in den Händen herein.

Vor dem Tisch steht Herzog Johann Casimir von Sachsen-Coburg in grüngelb gestreiftem Gewand und hellbraunen Stiefeln. Er trägt einen hellen Hut mit weißroten Federn auf dem Kopf. Der Herzog unterhält sich mit einem von rechts sich nähernden Mann in schwarzem Gewand. Links neben Johann Casimir steht sein Leibknecht Klein-Jacob, der mit der gleichen Kleidung angetan ist. Er unterscheidet sich von seinem Herzog nur dadurch, daß er dunkle Stiefel und einen schwarzen Hut trägt. In der erhobenen Linken hält er einen flatternden Vogel, laut Kramer 1989 ein Stieglitz.   D.M.

Zur medizinischen Analyse vgl. Kat. Nr. 52.

Datierung: 12. 5. 1609
Aquarell- und Deckfarben, ⌀ 12,6 cm
Coburger Scheibenbuch Bl. 46v
Coburg, Kunstsammlungen der Veste
Coburg

179

54
Peter Paul Rubens
(Siegen 1577 – Antwerpen 1640)
**Alatheia Talbot, Gräfin Arundel,
mit ihrem Hofstaat**

Der berühmte flämische Barockmaler Peter Paul Rubens, der im Jahre 1598 Freimeister der Antwerpener St. Lukasgilde, der Zunft der Maler, wurde, ließ sich nach mehrjährigem Aufenthalt in Italien und ausgedehnten Reisen nach Spanien und Frankreich im Jahre 1608 endgültig in Antwerpen nieder. Dort begründete er im heutigen Rubens-Haus einen großen, gut funktionierenden Werkstattbetrieb mit zahlreichen Gehilfen. Rubens, der eine gute humanistische Ausbildung erfuhr, war nicht nur einer der geschätztesten und teuersten Künstler seiner Zeit, sondern wurde auch als erfolgreicher Diplomat gewürdigt.

Der Auftrag zu dem mehrfigurigen Portrait wurde Rubens während des zweitägigen Aufenthalts der Gräfin in Antwerpen im Juli 1620 erteilt. Die genaueren Umstände des Auftrags sind in einem Brief des Sekretärs der Gräfin vom 17. Juli 1620 an ihren Gatten, Thomas Howard, Graf Arundel (1586–1646), einen einflußreichen englischen Diplomaten und bedeutenden Kunstsammler, beschrieben: Rubens hätte trotz seiner Abneigung gegen das Portraitfach des Grafen Wunsch erfüllt und hätte mit Alatheia schon einen Termin für eine Portraitsitzung am nächsten Tag vereinbart. Als der Begleiter der Gräfin den Brief schrieb, hatte Rubens schon die Zeichnungen mit den Portraits von Alatheia, dem Hofzwerg Robin (s. Nr. 55), dem Hund und dem Narren angefertigt. Da Alatheia Talbot und ihr Gefolge nur zwei Tage in Antwerpen weilten, fertigte der Künstler viele Einzelstudien an, zum Beispiel von den Händen, den Posen und Kostümen (Vlieghe 1977, S. 49).

Eine prachtvolle barocke Loggia öffnet sich nach hinten auf eine weite Landschaft, in der man ein Schloß, wahrscheinlich Arundel Castle, erkennt. Die gedrehten Säulen, vor denen wie ein gehißtes Segel ein großer Wappenteppich im Winde flattert, erinnern an die Vorstellungen, die man sich zu dieser Zeit von den Säulen des Salomonischen Tempels in Jerusalem machte (Burchard 1987, S. 51; Huemer 1977, S. 87). Auf dem Wappenteppich sieht man das von den Insignien des Hosenbandordens (»Honni soit qui mal y pense«: Ein Schuft, wer böses dabei denkt) umgebene Wappen der Familie Arundel mit der Devise: »Sola Virtus Invicta« (Allein die Tugend bleibt unbesiegt). Der Betrachter wird dies als Hommage an die Tugend der Gräfin verstehen, die, in vornehmes Schwarz gekleidet und mit Juwelen geschmückt, auf einem rot ausgeschlagenen Stuhl thront. Der Herr rechts am Bildrand, der sich auf die Rückenlehne des Stuhles stützt, ist nicht Graf Arundel, wie lange Zeit vermutet wurde, sondern Sir Dudley Carleton, englischer Botschafter im Haag und ein Freund der Arundels (Kat. S. München 1983, S. 439; Burchard 1963, S. 199). Die Gräfin streichelt gerade einen großen Hund, hinter dem der in Schwarz und Gold gekleidete Hofnarr steht.

Ganz rechts im Bildvordergrund ist der in ein prachtvolles Gewand von Rot und Gold gekleidete Hofzwerg Robin zu sehen, der auf der linken Faust einen Jagdfalken mit roter Haube trägt.
D.M.

Die nur wenig minderwüchsige Gestalt hinter dem Hund fällt durch ihren kleinen, schmalen Kopf (Mikrozephalie) ins Auge. Sie signalisiert das Bild eines Schwachsinnigen. Dies läßt sich als **dyscerebraler mikrozephaler Minderwuchs** *interpretieren.*

Die kleinere Figur (Robin) im roten Gewand ist proportioniert. Das kindliche runde Gesicht weist auf einen **hypophysären Minderwuchs** *hin. Weder RICHER (1901) noch HOLLÄNDER (1911), die beide das Gemälde analysiert haben, weisen auf diesen zweiten Kleinwüchsigen hin und beschreiben nur den mit der Mikrozephalie.*

Öl/Leinwand, 261 x 265 cm
München, Bayerische Staatsgemälde-
sammlungen
Alte Pinakothek, Inv. Nr. 352

55
Peter Paul Rubens
(Siegen 1577 – Antwerpen 1640)
**Robin, Hofzwerg der Alatheia
Talbot, Gräfin Arundel**

Der flämische Maler Peter Paul Rubens schuf im Jahre 1620 mehrere Einzelstudien für das Portrait der Alatheia Talbot, Gräfin Arundel, mit ihrem Gefolge (s. Nr. 54).

Eine dieser detaillierten Studien, die der Sekretär der Gräfin in einem Brief vom 17. Juli 1620 an Thomas Howard, Graf Arundel (1586–1646) erwähnt, zeigt den Hofzwerg der Alatheia, Robin. Die Zeichnung fertigte der Künstler mit brauner Feder über roter, schwarzer und weißer Kreide auf leicht grauem Papier an.

Robin steht nach links gewendet, einen Fuß leicht nach vorne gesetzt. Seinen rechten Arm hält er ausgestreckt erhoben für den auf dem Gemälde ausgeführten Jagdfalken mit roter Haube. Er hat seine linke Hand in die Seite gestemmt. In mit brauner Feder geschriebenen Notizen hat Rubens die Farben und das Material der Kleidung vermerkt. Von oben nach unten liest man auf der linken Seite: »Het Wambuys vermach wesen root sattijn ende broek root flouwel« (Der Wams ist möglicherweise aus rotem Satin und die Beinkleider aus rotem Samt), zweimal »Tannayt flouweel« (dunkler Samt) für die Weste und die dreiviertellangen Hosen, »root« (rot) für die Schleife an der Hose, »Geel« (gelb) für die Strümpfe, »root« (rot) für die Schleife des Schuhs und »swart« (schwarz) für die Schuhe selbst. Unterhalb des Mantels erkennt man rechts »Geel Voyeringe« (gelbes Futter) (Rooses 1977, 5. Bd., S. 260).

D.M.

Zur medizinischen Analyse vgl. Kat. Nr. 54, Absatz 2.

Zeichnung, 403 x 258 mm
Stockholm, Nationalmuseum
Inv. Nr. 1913/1863

183

56
Jacopo Ligozzi
(Verona ca. 1547 – Florenz 1626)
**Hochzeit der
Johanna von Österreich
mit Francesco de' Medici**

Der Maler und Miniaturist Jacopo Ligozzi war seit 1575 als Hofmaler der Medici in Florenz tätig. Im Auftrag der Florentiner Familie fertigte er mit anderen Künstlern einen Zyklus von insgesamt zehn Bildern an, die die Geschichte der Medici zum Thema haben. Ligozzi scheint vor Vollendung der Bilder gestorben zu sein, denn obwohl der Künstler schon 1626 gestorben war, erfolgten die Schlußzahlungen für den Zyklus erst im Oktober 1627 (Blunt 1967, S. 566).

Die Serie befand sich seit Dezember 1627 in Paris, da Roberto Gondi, Florentinischer Gesandter in Paris, die Gemälde am 31. des Monats dort als eingetroffen beschreibt (Blunt 1967, S. 497). Sie waren im Cabinet Doré des Palais Luxembourg, des Palastes der Maria de' Medici (1573–1642), Witwe König Heinrichs IV. von Frankreich (1553–1610) (s. Nr. 104), aufgehängt worden. Zwischen 1803 und 1806 wurden sieben Gemälde des Zyklus durch Lord Elgin angekauft und nach Broomhall, Fife, gebracht. Die drei anderen Bilder gelten heute als verschollen (Blunt 1967, S. 493f.).

Die Hochzeit der Eltern der Maria de' Medici, Francesco de' Medici (1541–1587) und Johanna von Österreich (1547–1578), stellt der Künstler in einem schmalen dunklen Raum mit einem Fenster an der Rückfront dar. Das Paar ist gerade dabei, den Ehevertrag per Handschlag zu besiegeln. Johanna von Österreich, die Tochter Kaiser Ferdinands I. (1503 bis 1564) und Schwester Kaiser Maximilians II. (1527–1576), trägt die Medici-Krone mit einer Lilie in der Mitte auf dem Haupt. Die zentrale Figur der Zeremonie, die im Jahre 1565 stattfand, trägt die Züge des Großherzogs von Toskana, Cosimo I. de' Medici (1519–1574) (s. Nr. 42, 43), des Vaters von Francesco. Um die Dreiergruppe hat sich die Schar der Hofleute – links die Herren, rechts die Damen – versammelt, die an der feierlichen Zeremonie teilnehmen. Ganz links außen erkennt man Francescos jüngeren Bruder, Kardinal Ferdinand (1549–1609), der zum Zeitpunkt der Hochzeit 16 Jahre alt war.

Vor den Damen rechts steht ganz außen ein elegant gekleideter Hofzwerg, der einen Strauß Blumen in seiner linken Hand hält. An seiner Brust hängt an einer langen Kette eine zugeklappte Taschenuhr. Es soll sich hierbei nach Blunt 1967 (S. 494) um den Zwerg Morgante handeln, der am Hofe der Medici sehr geschätzt war (s. Nr. 34-36).   D.M.

Die kleine Person fällt auf durch den wohlgeformten Kopf und den kurzen Rumpf. Letzterer ist erkennbar an den relativ langen Armen. Damit kann eine Störung an der Wirbelsäule angenommen werden. Hände und Füße scheinen normal zu sein. Es kommt am ehesten die Tarda-Form der **spondyloepiphysären Dysplasie** *in Frage.*

Öl/Leinwand, 152 x 213 cm
Earl of Elgin, Broomhall, Fife

57
Rodrigo de Villandrando
(tätig 1. Hälfte 17. Jh.)
**Philipp IV. mit
dem Hofzwerg Soplillo**

Der spanische Künstler Rodrigo de Villandrando wurde von Antonio Moro (s. Nr. 31) ausgebildet. Er war seit 1628 als »pintor del Rey« (Hofmaler) der Vorgänger von Diego Velázquez. Über sein Leben ist bis jetzt wenig bekanntgeworden. 1639 wird in einer Urkunde vermerkt, daß Villandrando sechs Bildnisse der königlichen Familie angefertigt habe. Eines seiner bekanntesten Bilder ist das hier vorgestellte Doppelportrait des Infanten Philipp (1606–1665), der 1621 als Philipp IV. König von Spanien wurde, und seines Hofzwergs Soplillo.

Die beiden Personen stehen in einem nach hinten abgedunkelten Raum. Links erkennt der Betrachter eine Säule auf hohem Postament, rechts einen mit einer roten Samtdecke überzogenen Tisch, der vor einer vom Bildrand angeschnittenen Draperie steht. Auf dem Tisch liegt der mit Federn und einer kostbaren Juwelenbrosche besetzte Hut des Infanten. Philipp steht in leichtem Ausfallschritt frontal zum Betrachter und blickt diesen an. Er ist mit einem goldgelben Brokatgewand mit großem Spitzenkragen und einem schwarzen, hell gefütterten Mantel bekleidet. Auf seiner Brust hängt an einer langen goldenen Kette der Orden vom Goldenen Vlies, der bedeutendste habsburgische Orden. Seine rechte Hand hat er im Schutzgestus auf den Kopf seines elegant gekleideten Hofzwergs Soplillo gelegt. Soplillo trägt eine bestickte goldgelbe Jacke, ein dunkles gegürtetes Untergewand, einen großen Radkragen und schwarze Kniebundhosen. Seine linke Hand umgreift eine lange goldene Panzerkette, die diagonal von seiner rechten Schulter zur linken Hüfte fällt. In der rechten Hand hält er einen hellen Hut mit je zwei schwarzen und weißen Federn.

Die Infantin Isabella Clara Eugenia (s. Nr. 37) schickte 1614 Miguel Soplillo zu ihrem Bruder Philipp, der gerade den Tod seines damaligen Hofzwergs betrauerte. Bevor Soplillo Philipp vorgestellt wurde, ließ ihn Albert Struzzi, der den Zwerg aus Flandern mitgebracht hatte, neu einkleiden. Einer der besten Madrider Schneider machte für Soplillo ein kostbares Hofgewand in Grün, Silber, Rosa und Gold. Drei neue Hüte im letzten Chic wurden vom besten Hutmacher Madrids angefertigt, einer in Schwarz mit silbernem Band, ein anderer ebenfalls in Schwarz mit einem Seidenband und der dritte aus mehrfarbigem Material mit Bändern aus Silber und Gold. Nachdem Soplillo zu Philipp gebracht worden war, wurde er schnell der Vertraute des Prinzen. Anläßlich des Geburtstages von Philipp 1622 trat Soplillo auf Wunsch der Königin und ihrer Hofdamen in dem Schauspiel des Herzogs von Villamediana »La gloria de Niquea« als Retter des verzauberten Schildes auf. In einer Hofliste vom 15. September 1637, die unter anderem die jährlichen Geschenke an Kleidern verzeichnet, erscheint sein Name zusammen mit anderen Zwergen, Hofnarren, Musikanten, Schauspielern und weiteren Mitgliedern des königlichen Haushalts. In dieser Liste wird berichtet, daß Soplillo in diesem Jahr ein Seidengewand, eines aus Taft, ein weiteres aus gröberem Stoff, acht Hemden und Untergewänder erhalten habe, alle speziell auf seine Größe zugeschnitten. Miguel Soplillo starb 1659 (Mc Van 1942, S. 113f.). D.M.

Die kleine, wohlproportionierte, hübsche Gestalt mutet noch sehr jung an. Dies war Soplillo zu dieser Zeit wahrscheinlich auch, denn er starb 1659, und das Bild entstand um 1618. Man kann trotzdem davon ausgehen, daß er weitgehend ausgewachsen ist. Die Proportionen und das puppenhafte Gesicht sprechen für einen **hypophysären Minderwuchs** *(HODGE und RAVIN 1969, S 1694). Aber auch ein primordialer ist nicht auszuschließen.*

Öl/Leinwand, 204 x 110 cm
Madrid, Museo del Prado, Inv. Nr. 1234

58

Jan Miense Molenaer
(Haarlem ca. 1610 – Haarlem 1668)
Tanzendes Paar auf der Dorfstraße

Der holländische Künstler Jan Miense Molenaer ist besonders durch seine Bilder bekannt, die Genreszenen zum Thema haben. Von dem Maler sollen hier drei Gemälde vorgestellt werden, auf denen Zwerge eine Hauptrolle spielen (s. Nr. 59, 60). Alle drei Gemälde sind in die Jahre zwischen 1630 und 1646 zu datieren (Kat. A. Philadelphia 1984, S. 264).

Das Bonner Bild zeigt ein tanzendes, sich an der Hand haltendes Bauernpaar auf einer diagonal nach rechts in die Tiefe führenden Straße, die von einigen Gebäuden gesäumt wird. Mehrere fröhliche Personen nehmen als Zuschauer an dieser Attraktion teil. Ein links im Vordergrund stehender bärtiger Zwerg, auf den die lachende, nachlässig gekleidete Bauersfrau mit ihrem rechten Zeigefinger deutet, spielt den beiden mit seiner Geige zum Tanz auf. Der ebenfalls schludrig gekleidete Bauer hält eine sogenannte Kölner Zinnkanne in seiner linken Hand und scheint betrunken. Vorn rechts hockt ein auflachendes Mädchen und hat wie der neben ihr auf einem Faß sitzende Bauersjunge seine Arme jauchzend in die Höhe gestreckt, da sie beide auf das Mißgeschick warten, das dem Betrunkenen gleich zustoßen wird. Vor ihnen liegen eine Schaufel, eine Säge und eine Harke auf dem Boden, auf eines der Geräte wird der Bauer gleich treten, was die Kinder amüsiert. Selbst der behelmte Wachsoldat, der hinter den Kindern an einem Torpfosten steht und seine Lanze geschultert hat, schaut der Szene vergnügt zu. Hinter dem musizierenden Zwerg steht ein Paar in vornehm bürgerlicher Kleidung und nimmt an der Szene hämisch lächelnd teil. Die Bürgersfrau deutet mit ihrem linken Zeigefinger auf das tanzende Paar und tauscht mit ihrem Begleiter Blicke aus, so, als ob die beiden sich über den plumpen Bauerntanz lustig machten.

Der sorgfältig gekleidete Kleinwüchsige, neben dem sein kleiner Hund vor einem umgestürzten Tonkrug Männchen macht, steht in leichtem Ausfallschritt und blickt auf die beiden das Tanzbein schwingenden Bauern. D.M.

Der Kleinwüchsige fällt durch seinen äußerst gedrungenen Oberkörper und seine kurzen Gliedmaßen auf. Kopf und Gesicht, mit den etwas vergröberten Zügen, gleichen der Figur auf der nächsten Abbildung (Kat. Nr. 59). Am ehesten signalisiert die Erscheinung eine **spondyloepiphysäre Dysplasie**.

monogrammiert Mitte unten, auf der Säge
Öl/Leinwand, 72,5 x 101 cm
Rheinisches Landesmuseum Bonn
Inv. Nr. G.K. 160

189

59

Jan Miense Molenaer
(Haarlem ca. 1610 – Haarlem 1668)
Die Werkstatt des Malers

Das zweite Gemälde des Genremalers Molenaer zeigt, wie es in einem holländischen Maleratelier des 17. Jahrhunderts zugeht. Die Menschen und Ereignisse, die der Künstler malen will, holt er sich ins Haus. Ganz links im Bild steht an einem Tisch unter dem Fenster der vornehm gekleidete Maler, vielleicht Molenaer selbst. Während er auf dem Tisch frische Farbe für seine Palette anrührt, wendet er sich mit einem Augenzwinkern dem Betrachter zu und weist ihn – als ob dies noch nötig wäre – auf die lustige Szene im Bildvordergrund hin. Ganz rechts steht auf einer hohen Staffelei das Gemälde, das Molenaer gerade in Arbeit hat. Es besteht aus einem Stück Leinwand, das in einen Spannrahmen eingespannt ist und auf dem man Teile von dem sieht, was sich in dem Zimmer gerade abspielt: Im Bildvordergrund tanzen ein Zwerg und ein kleiner schwarzer Rüde auf Hinterbeinen miteinander nach der Musik eines bärtigen Spielmannes, der links an der Wand sitzt und lächelnd sein Instrument, eine Drehleier, bedient. Und was sich der Künstler rechts in seinem Bild im Bilde schon ausgedacht hat – daß die Szene von zwei Menschen beobachtet und kommentiert wird –, das spielt sich jetzt im Atelier gerade so ab. Neben der Landkarte an der Rückwand des Zimmers, vor der der Spielmann sitzt, hat sich eine Tür geöffnet und erlaubt den Einblick ins Nebenzimmer. Dieser Raum ist ebenfalls ein Maleratelier, und der dort arbeitende junge Künstler ist herübergekommen, um lachend dem lustigen Spektakel beizuwohnen. Mit Palette und Malstock bewaffnet, steht er vor der Türöffnung und wendet sich mit begütigendem Ausdruck der einzigen Person zu, die in diesem Durcheinander zu Anstand und Mäßigung mahnt. Wie eingeklemmt zwischen der Staffelei und dem Stuhl mit dem darübergeworfenen Mantel steht die große, würdig gekleidete Hausfrau mit Häubchen. Streng ins Profil gewendet, hat sie die rechte Hand erhoben und besteht mit mahnend ausgestrecktem Zeigefinger auf der Respektierung von Zucht und Ordnung, ohne daß ersichtlich wäre, wen der Anwesenden im einzelnen sie ansprechen wolle.

Der sorgfältig gekleidete Zwerg, der im Bildvordergrund mit seinem schwarzen Hündchen tanzt, ist das gleiche Modell, das Molenaer in dem Bonner Bild mit dem tanzenden Bauernpaar (s. Nr. 58) verwendet hat. Der Kleinwüchsige trägt sogar fast dieselbe Kleidung. Nochmals verwendete Molenaer dieses Modell bei der »Verleumdung Petri« von 1636 im Budapester Szépmüvészeti Múzeum (Kat. S. Bonn 1982, S. 355) und in dem Eindhovener Bild mit den Jungen und den Zwergen (s. Nr. 60).   D.M.

Die sehr kleine Gestalt hat kurze Gliedmaßen, aber auch einen auffallend kurzen Oberkörper. Der Kopf hat eine normale Größe, und das Gesicht zeigt etwas vergröberte Züge. Damit kommt eine **spondyloepiphysäre Dysplasie** *im weitesten Sinne, eventuell eine Mukopolysaccharidose in Frage. MEIGE (1896) sieht eine Rachitis mit im Spiele, und HOLLÄNDER (1901) spricht von Achondroplasie, was hier sicher nicht der Fall ist. Es könnte sich allenfalls dann um eine Pseudoachondroplasie handeln. Siehe auch Kat. Nr. 58.*

1631
Leinwand, 91 x 127 cm
Staatliche Museen zu Berlin
Gemäldegalerie, Kat. Nr. 873

60

Jan Miense Molenaer
(Haarlem ca. 1610 – Haarlem 1668)
Die verspotteten Zwerge

Die Szene des dritten Bildes spielt am Rande einer holländischen Stadt vor einem Haus, bei dem es sich laut Wirtshausschild, das über den Fenstern an einer schön verzierten Stange angebracht ist, um die Kneipe »Zum faulen Bauer« handelt.

An der Hausecke steht mit einer Dame, die etwas besorgt hinter ihm Schutz gesucht hat, ein vornehmer Städter in Spitzenkragen, mit rotem Überwurf und elegantem schwarzem Hut. Lächelnd und mit einer Geste der rechten Hand, die Zustimmung oder Billigung zu bedeuten scheint, blickt er auf einen rustikal gekleideten, höchst energisch agierenden Zwerg hinunter, der in weitem Ausfallschritt und mit kampfbereit ausgestreckten Armen sich seiner und der Haut seiner beiden Familienmitglieder wehrt, die rechts neben ihm am Bildrand stehen. Was macht dieser Zwerg, der nicht nur die erschreckt zum Himmel aufblickende Zwergin, die seinen Mantel trägt, sondern auch den heulenden Kameraden zu beschützen hat, der neben der Frau steht und, sich die Haare raufend, ebenfalls von oben Rettung erfleht? Er umklammert mit der rechten Faust einen Stein, der sogleich einen der beiden Bauernlümmel treffen wird, die vor ihm mit eindeutigen Gebärden einen Tanz des Hohns und der Verspottung aufführen. Und dieser Stein wird sein Ziel finden – denn ganz links vorn im Bild kniet schon heulend der erste Bursche, den ein Stein höchst schmerzhaft am Oberarm getroffen hat, während sich der Range mit der Schürze rechts hinter ihm zu retten versucht und zugleich mit schreckverzerrtem Gesicht den Aufprall des Steins erwartet, der ihn gleich an seinem Kopf treffen wird. – Im Hintergrund wohnen einige Zuschauer dem spannenden Geschehen bei; nur ein bärtiger Alter mit hoher blauer Mütze, der ganz rechts hinten an der Mauer des Hauses sitzt, scheint unbeteiligt. Da er mit der Hand offenbar einen Geldsack umklammert, könnte es sich um den Schausteller handeln, der zu Geschäftszwecken die Zwergenfamilie an diesen ungastlichen Ort geführt hat.

Jan Miense Molenaer hat für den steinewerfenden Kleinwüchsigen wieder das gleiche Modell benutzt wie bei den beiden vorhergehenden Katalognummern. Der heulende, sich die Haare raufende Zwerg und die nach oben blickende Zwergin scheinen ebenfalls Modelle zu sein, die er in den Niederlanden bei Schaustellern antreffen konnte.   D.M.

Der Kleinwüchsige mit dem Rücken zum Betrachter weist einen sehr kurzen Rumpf mit einem Buckel und kurzen Gliedmaßen auf. Damit handelt es sich am ehesten um eine **congenitale spondyloepiphysäre Dysplasie.** *Diejenige mit der weißen Schürze hat den gleichen Habitus mit etwas abgeflachtem Gesicht und entspricht somit demselben Krankheitsbild.*

Auf allen drei Bildern von Molenaer haben die dargestellten Kleinwüchsigen den gleichen Habitus mit kurzem Rumpf und kurzen Gliedmaßen. Es existiert ein weiteres Bild vom gleichen Maler (»Die Verleumdung Petri«, Museum der Bildenden Künste, Budapest), auf dem ein Zwerg von gleicher Gestalt erscheint. Dies weist im Gegensatz etwa zu Velázquez, bei dem jeder der dargestellten Kleinwüchsigen eine unterschiedliche Diagnose hat, auf eine sehr schematisierte Darstellungsweise hin (s. Nr. 62-65).

1646
Öl/Leinwand, 108 x 129 cm
Eindhoven, Stedelijk Van Abbemuseum

61
Antonius van Dijk
(Antwerpen 1599 – London 1641)
**Königin Henrietta Maria mit
Sir Jeffrey Hudson**

Als Maler der adligen Gesellschaft Englands porträtierte Antonius van Dijk 1633 die Königin Henrietta Maria mit ihrem Zwerg Sir Jeffrey Hudson. Sie stehen auf einer Terrasse. Hinter ihnen befindet sich eine Brüstung, auf der links ein kleiner Orangenbaum in einem Terrakottatopf steht. Rechts wird das Bild durch eine Säule auf hohem Postament abgeschlossen, an der ein roter Vorhang mit Fransen drapiert ist.

Henrietta Maria, leicht nach rechts gewendet, blickt den Betrachter an. Sie trägt ein blauseidenes Reitkostüm. Ein schwarzer Kavaliershut mit weißer Feder schmückt ihren Kopf. Ihre Krone liegt auf der Draperie hinter ihr. Mit der rechten Hand krault sie ihren kleinen Affen Pug, der auf der linken Schulter ihres Zwerges Sir Jeffrey Hudson sitzt. Hudson schaut zur Königin empor. Der Zwerg, der mit einer karmesinroten Kavaliersrobe und mit ledernen Stulpenstiefeln bekleidet ist, hält in seiner Rechten eine Birne. Er wird von dem Äffchen, das er an einer Leine mit seiner Linken festhält, spielerisch im blonden Haar gekrault. Hudson und der Affe Pug sollen unzertrennlich gewesen sein.

Sir Jeffrey stand des öfteren im Mittelpunkt des Künstlerinteresses. Der Flame Daniel Mijtens porträtierte ihn 1630 allein in einer Baumlandschaft (Ter Kuile 1969, S. 75). Ein weiteres Mal findet man ihn auf einem Gemälde von Mijtens, das das königliche Paar mit seinem Hofzwerg auf einer Loggia zeigt. Auf einer Graphik von John Droeshout (1596 – ca. 1652) ist Hudson ganzfigurig dargestellt (Hind 1955, S. 344, Nr. 2). Der englische Schriftsteller Thomas Heywood veröffentlicht in seinem 1636 erschienenen Buch »The Three Wonders of this Age« eine Illustration Hudsons zusammen mit dem Riesen Will Evans und mit Thomas Parr, einem sehr alten Mann (Corbett 1964, Nr. 68).

Die Königin hatte eine Vorliebe für alles Exotische, das sie als einen Teil ihres königlichen Schmucks ansah. Ihr Lieblingszwerg war Sir Jeffrey Hudson, der wegen seines Witzes und seines heiteren Gesichtes geschätzt wurde. Sir Jeffrey war 1619 geboren worden. Im Alter von sieben oder acht Jahren wurde Jeffrey dem Herzog von Buckingham gebracht. Er soll zu diesem Zeitpunkt ungefähr 46 cm groß gewesen sein.

Kurz nach der Heirat Henrietta Marias mit Charles I. von England im Jahre 1625 wurde Hudson dem königlichen Paar von der Herzogin von Buckingham in einer kalten Pastete bei Tisch in Burley on the Hill serviert und geschenkt. Er wurde daraufhin nicht nur sofort Mitglied des königlichen Haushaltes, sondern wegen seiner Klugheit auch für private Missionen der Königin verwendet. Seine überlieferten Taten sind bemerkenswert. Er soll einen Rivalen im Duell getötet haben. Auch wurde er von türkischen Piraten gefangengenommen und erst gegen ein hohes Lösegeld wieder freigelassen. Während des Bürgerkriegs 1642 bis 1649 hatte er den Rang eines Rittmeisters inne und floh 1644 mit der Königin nach Paris. Nach seiner Rückkehr nach England lebte er von einer Pension Charles' II.; 1682 starb er 62- oder 63jährig. Sir Walter Scott, der berühmte Schriftsteller des 19. Jahrhunderts, machte Hudson in seinem Roman »Peveril of the Peak« unsterblich (Wood 1868, S. 277-284).

D.M.

*Wüßte man nicht, daß Jeffrey Hudson der »Leibzwerg« der Königin gewesen ist, könnte man ihn mit seiner wohlgeformten Proportion und dem Kindergesicht für einen kleinen Jungen halten. Man weiß, daß er zu dieser Zeit 46 cm groß und 14 Jahre alt gewesen ist und daß er zwischen dem 8. und 30. Lebensjahr nicht mehr gewachsen ist. Danach wuchs er wieder innerhalb kurzer Zeit auf 140 cm (GEOFFROY SAINT-HILAIRE 1832). Dies ist mit einem **passageren Wachstumshormonmangel** vereinbar.*

1633
Öl/Leinwand, 219,1 x 134,8 cm
National Gallery of Art, Washington
Samuel Kress Collection, 1952.5.39 (1118)

62

Diego de Silva Velázquez
(Sevilla 1599 – Madrid 1660)
Don Sebastian de Morra

Diego Velázquez war seit 1623 Hofmaler König Philipps IV. von Spanien. Bis zu seinem Tode blieb er mit dieser Aufgabe seinem König treu und gilt neben El Greco und Goya als bedeutendster spanischer Maler. Die meiste Zeit verbrachte er in Madrid, und so hatte er genauen Einblick in das Leben am Hofe, das den Inhalt zahlreicher Gemälde aus seiner Hand darstellt.

Zum spanischen Hof gehörten die Hofzwerge, und Sebastian de Morra ist das eindringlichste Zwergenportrait, das Velázquez gemalt hat (J. Brown 1988, S. 174). Indem er die Figur vor einen dunklen, unbestimmten Hintergrund gesetzt hat, erzwang der Künstler eine direkte, durch nichts abgelenkte Konfrontation zwischen Beschauer und Modell. Der Sitzende ist mit einem dunkelgrünen Gewand bekleidet, darüber ein purpur- und goldfarbener Umhang, Zeichen eines Fürsten und wahrscheinlich ein Geschenk seines Dienstherrn. Kragen und Manschetten sind aus feinen Spitzen aus Flandern, die ein grundlegendes Staatsgesetz den Edelleuten verbot. Aber Morra war etwas Besseres: Er genoß die Gunst des Prinzen Baltasar Carlos (Gallego 1990, S. 326).

Das Eindringlichste der Darstellung ist das von vollem Haar und Bart umrahmte Gesicht des Zwerges, das seinen Betrachter offen anschaut und in ihm unterschiedlichste Empfindungen hervorruft: Ist das Gesicht mit den sprechenden Augen »das eines schlechtgelaunten und mürrischen Mannes«? (Pantorba 1955, S. 86) »Schaut er aus dem Kerker seines Körpers finster in die Welt«? (D. Brown 1978, S. 131) Ist »sein Ausdruck halb intelligente Neugier, halb kaum verhüllte Angriffslust«? (J. Brown 1988, S. 174) Spricht aus »dem furchtbar durchbohrenden Blick ein sinistres Wesen«? (Justi 1903, S. 578) »Schaut er feindselig und gequält«? (Diekmeier 1955) Oder kann der »tiefe intensive Blick nur Sympathie erwecken«? (Gallego 1990, S. 328) Ferner besteht die Meinung, daß, wenn nach dem Feuer im Alcazar, welches dieses ursprünglich ovale Bild beschädigt hat, nur der Kopf gerettet worden wäre, man ihn für einen Richter oder Philosophen hätte halten können (Gallego 1990, S. 328).

Don Sebastian kam 1643 aus Flandern in seine Heimat nach Spanien zurück und trat am Hofe in den Dienst des Prinzen Baltasar Carlos. Dabei muß es uns heute in Erstaunen versetzen, daß de Morra, wie auch noch andere Hofzwerge, seinen eigenen Knecht hatte. Als der Prinz 1646 starb, vermachte er seinem offenbar hochgeschätzten Diener einen versilberten Degen, ein Schwert und einen Dolch mit Wehrgehänge, ein Messer und zwei Ehrenkreuze mit bourbonischer Wappenlilie. Sebastian de Morra selbst starb im Jahre 1649 (Morena Villa 1939, S. 119).

Wahrscheinlich ist Sebastian de Morra noch auf anderen Bildern zu finden. Von einem anonymen Künstler gibt es ein Portrait mit dem gleichen Kopf und großem Schlapphut (Gallego y Burin 1960). Immer wieder wurde spekuliert, ob der Kleinwüchsige hinter dem Pferd auf Velázquez' »Baltasar Carlos in der Reitschule« (Herzog von Westminster) Sebastian de Morra darstellen könnte, dem er ohne Zweifel ähnlich sieht. Doch geht man davon aus, daß der Prinz auf diesem Bild sechs Jahre alt ist, wäre de Morra erst später in seinen Dienst getreten (Harris 1976, S. 271). Dies würde dann auch für das Bild von Juan Batista Maino, »Wiedereroberung von Bahia« (Madrid, Museo del Prado), gelten, was dem Aussehen nach den gleichen Zwerg, links neben Herzog Olivares kniend, aufweist, aber ebenfalls Mitte der 1630er Jahre entstanden ist. Mc Van (1942, S. 122) will de Morra auf einem Landschaftsbild von J. B. M. del Mazo, das jetzt in Bowood in England hängt, neben einem anderen Zwerg wiedererkennen.

um 1643/44
Öl/Leinwand, 107 x 82 cm
Museo del Prado, Madrid
Inv. Nr. 1202 (L-R.103)

Daß Velázquez' Zwerg auf spätere Künstler attraktiv gewirkt hat, beweisen Kopien von Goya (»Ein Zwerg«, Museum of Fine Arts, Boston) und von Salvadore Dalí (»Portrait des Zwergs und Hofnarren Sebastian de Morra, geboren in Cadaques in der ersten Hälfte des 20. Jahrhunderts«; Arroyo 1988, S. 93). A.E.

Die sitzende Gestalt weist alle Zeichen eines unproportionierten Körpers auf. Die Beine wirken durch die perspektivische Darstellung, indem sie dem Betrachter entgegenge-streckt werden, noch kürzer, als sie tatsächlich sind. Die Verbiegung im O-Sinne läßt sich eben ahnen. Die kurzen Oberarme lassen die Rhizomelie erkennen. Der leicht zur Seite geneigte Kopf zeigt eine prominente Stirn und eine eingezogene Nasenwurzel. Der Körper scheint fast normal. Damit ist die Diagnose einer **Achondroplasie** *unzweifelhaft. CASTILLO DE LUCAS (1952/53) spricht zwar ebenfalls von Achondroplasie, schreibt dem Zwerg aber eine Überfunktion der Keimdrüsen zu. Er sei so geil, zudringlich und unver-schämt gewesen, daß er der Schrecken aller Damen und Höflinge gewesen sei. Diese Ansicht über die Achondroplasie kann heute nicht mehr vertreten werden. DE MORAGAS (1964) liest aus dem Gesicht des Achondroplasten, daß ihn eine große Lebenserfahrung einerseits reserviert, pessimistisch und traurig gemacht habe, was andererseits dazu geführt habe, daß er Zuflucht im Humor suchte. In den zur Faust geballten Händen sieht J. BROWN (1988, S. 174) Trotz und Aggressivität und MEIGE (1896) sogar eine Mißbildung. Letzteres ist deshalb nicht anzunehmen, weil auf dem erwähnten anonymen Portrait die Hände nicht diese verkrampfte Haltung zeigen.*

63
Diego de Silva Velázquez
(Sevilla 1599 – Madrid 1660)
Diego de Acedo, genannt »El Primo«

um 1644
Öl/Leinwand, 107 x 84 cm
Museo del Prado, Madrid
Inv. Nr. 1201 (L-R 102)

Am spanischen Hof des 17. Jahrhunderts war es wie an anderen europäischen Höfen Sitte, neben Hofnarren auch Zwerge zu halten. Dies war eine überkommene Tradition aus dem Orient, welche auf den römischen Kaiserhof und auf das Mittelalter überging und bis zur Französischen Revolution andauerte. Aber wohl an keinem anderen europäischen Königs-hause waren sie so zahlreich vertreten wie am spanischen. Moreno Villa (1939) konnte aus der Zeit von 1563 bis 1700 neben zahlreichen Hofnarren 29 Zwerginnen und 40 Zwerge ausfindig machen und deren Lebensgeschichte mehr oder weniger ausführlich beschrei-ben. Von Velázquez, aber auch schon vor und nach ihm von anderen Malern porträtiert, sind uns nicht wenige Bilder von Kleinwüchsigen erhalten.

Warum sich diese Sitte gerade am spanischen Hof so lange gehalten hat, mag einesteils mit der Zwangsjacke strikter Etikette, der besonders die königliche Familie unterworfen war, zusammenhängen. Zum anderen ist bekannt, daß Philipp IV. schwermütig gewesen ist, und deshalb wurden die Späße und Tölpeleien der Narren besonders geschätzt. Der König war häufig seiner normalen Umgebung müde, weil soviel von seiner Gunst abhing.

Deshalb pflegte er den Umgang mit Zwergen, da er einen Zwerg verwöhnen konnte, ohne den Neid der Höflinge zu erregen (D. Brown 1978, S. 120). Wir wissen aber auch aus mehreren Gemälden (»Baltasar Carlos und ein Zwerg«, Museum of Fine Arts, Boston; »Baltasar Carlos in der Reitschule«, Herzog von Westminster; »Las Meninas«, Museo del Prado, Madrid), daß Zwerge die Spielgefährten der Prinzen und Prinzessinnen waren.

Bei Diego de Acedo, auch »El Primo« genannt, handelte es sich jedoch weder um einen Narren noch um einen Spaßmacher oder gar ein menschliches Spielzeug. Seit 1635 war er am spanischen Hof bedienstet und hatte die Position eines königlichen Kuriers inne. Außerdem war er als Palastbeamter verantwortlich für das Faksimile des königlichen Siegels (Moreno Villa 1939, S. 55). Darauf weisen auch die Sujets auf dem Gemälde hin. El Primo sitzt vor einer Landschaft mit Bergen im Hintergrund, die zu der Sierra de Guadarrama passen. Er hat damals offenbar seinen Herrn ins Feld begleitet. Der große Foliant auf seinen Knien gibt uns eine Vorstellung seiner verminderten Körpergröße. Um ihn herum befinden sich die weiteren Utensilien seines Berufes, wie Feder, Tintenfaß, Akten und Bücher. Die schwarze Kleidung, von Gold durchwirkt, ist elegant wie die eines Edelmannes. Der große, schneidig sitzende Hut hebt die kleine Person noch stärker heraus. Sein verlorener Blick ist nachdenklich und kündet von wacher Intelligenz.

Der Farbcharakter des Werkes ist düster, und trotzdem geht von dem Portrait große Strahlkraft aus. Dies ist zum einen in der psychologischen Konzeption des Modells begründet, das Velázquez als Individuum und nicht als bloße Zierde des Hofes aufgefaßt hat, zum anderen in dem besonderen Blickwinkel, durch den sich die Figur hoch von der Landschaft erhebt (J. Brown 1988, S. 154).

El Primo wurde zu der Zeit, als er noch in Diensten des mächtigen Herzogs Graf Olivares stand, durch einen Schuß im Gesicht verletzt, als er seinen Herrn in seiner Kutsche begleitete und diese bei einer Militärparade durch eine Kugel getroffen wurde (Pita Andrade 1988, S. 158). Ferner wurde der Zwerg mit einem Eifersuchtsdrama in Verbindung gebracht. Der Quartiermeister des Palastes, Marcos de Encinillas, ermordete seine Frau aus Eifersucht auf einen Zwerg des Hofes, der – so nimmt man an – Don Diego de Acedo war. Hatte er doch, so merkwürdig dies erscheinen mag, auch den Ruf eines Frauenhelden (Gallego 1990, S. 330).

Über seinen Spitznamen »El Primo« sind zahlreiche Vermutungen geäußert worden, und es sind auch neuerdings immer noch welche entstanden. Das Geheimnis wird aber auch fürderhin kaum gelüftet werden können.

Von Goya wurde Velázquez' »El Primo« in einer Radierung kopiert (Lafuente Ferarri 1964, S. 257).

A.E.

Auffallend an der proportionierten kleinen Gestalt sind der große Kopf, die kleinen Hände und Füße. Der rechte Unterschenkel weist eine geringe O-Verbiegung auf. Daraus vermutet DIEKMEIER (1955) einen rachitischen Minderwuchs. Die Vermutung von GREBE (1953), daß es sich um eine Morquiosche Erkrankung handle, und diejenige von RICHER (1901), MORGAS (1964) und HERMANUSSEN (1991), daß El Primo eine Achondroplasie gehabt habe, ist wegen der Kopfform sicher nicht haltbar. Der These von SILVERMAN (1982), es liege eine **Pseudoachondroplasie** *vor, kann man zustimmen. Es könnte sich bei der kleinen Gestalt, bei der die Proportion nicht klar beurteilt werden kann, auch um einen hypophysären oder primordialen Kleinwuchs handeln.*

64
Diego de Silva Velázquez
(Sevilla 1599 – Madrid 1660)
Francisco Lezcano

Abbildung auf Seite 203

Mit diesem Gemälde hat Velázquez seine hervorragende Beobachtungsgabe und Darstellungskunst bewiesen. Der Knabe, dessen Bild man auch »El Nino de Vallecas« (Der Knabe aus Vallecas) nennt, repräsentiert auf den ersten Blick seinen geistig reduzierten Zustand und nicht so sehr seinen Kleinwuchs. Wir sind also hier in der Lage, eine sogenannte Blickdiagnose (Diagnosestellung auf den ersten Blick) zu stellen.

»El Nino« sitzt an einem Felsen oder am Eingang einer Höhle. Seine Kleidung ist mit dem weißen Kragen zwar nicht schmutzig, macht aber einen verwahrlosten, schlampigen Eindruck, was seine Mentalität geradezu unterstreicht. Über das, was er in den Händen hält, ist man sich durchaus nicht einig. Vom einfachen Pinselstrich, den der Maler spaßeshalber gemacht haben soll, werden ein Stück Brot, Splitter eines Dachziegels und ein Kartenspiel diskutiert (Gallego 1990, S. 318). Obwohl man die Fähigkeit, Karten zu spielen, dem schwachsinnigen Jungen sicher nicht zutrauen kann, sieht J. Brown (1988, S. 154) in dieser sinnlosen Beschäftigung einzig die motorische Aktivität, mit welcher der Maler die Pose beleben und die psychologische Situation klären wollte.

Daß Francisco Lezcano mit dem Zwerg auf Velázquez' »Baltasar Carlos und ein Zwerg« (Museum of Fine Arts, Boston) identisch sei, halten wir nach dem äußeren pathologischen Habitus für unwahrscheinlich, wofür nach Gallego (1990, S. 316) auch kunsthistorisch stichhaltige Fakten sprechen. Wie attraktiv und stimulierend auch dieses Werk für andere Künstler war, beweisen die Kopien von Goya (Hofnarr, das Kind von Vallecas, Kunsthalle Hamburg) und Fernando Botero (das Kind von Vallecas, Pastell auf Leinwand, 1971; Spies 1986, Abb. 13).

Hier taucht natürlich die Frage auf, warum Velázquez von der Natur an Körper und Geist benachteiligte Geschöpfe so eindringlich dargestellt hat? Man muß davon ausgehen, daß sie zu großer Zahl am Spanischen Hof vorhanden waren. Sie lebten aber nicht nur am Hofe, auch wurden ihre Portraits reihenweise in Gängen und Treppenhäusern des Palastes aufgehängt (J. Brown 1988, S. 97). Damit hatte der Maler ausreichend lebende und bildliche Anschauungssubjekte. Doch das, was der Künstler uns an Bildern hinterlassen hat, waren Geschöpfe, die er am Hofe selbst erlebt hat und die ihre eigene Geschichte hatten. Ferner können wir davon ausgehen, daß er sie freiwillig aus Interesse und nicht im Auftrag malte (Moragas 1964, S. 14).

Gerade die Zwerge hat er auf ganz andere Weise dargestellt, als es viele der damaligen Maler taten. Seine Bildnisse zeugen nicht wie die der anderen von Leibeigenen, denen man die Hand als Zeichen des Besitzes auf den Kopf legte, von Objekten, die durch Kleinheit und Häßlichkeit das Ansehen ihres Herrn (Herrin) aufzubessern hatten oder von seelenlosen Statisten, die eben noch einen Raum auf dem Bild zu füllen hatten. Velázquez' Bilder zeugen von seiner Einsicht, daß diese unglücklichen Geschöpfe ebenso Menschen waren wie ihre Herren. Seine Portraits respektieren ihre Menschenwürde und stellen sie als eigenständige Persönlichkeiten dar (D. Brown, 1978, S. 120). Damit hat er sich zu ihrem Anwalt gemacht, indem er uns dies wahrheitsgetreu zu erkennen gab. Bestimmt ist es nicht so, wie Holländer (1913, S. 225) meint, hinter dieser Vorliebe für Abnormitäten und naturalistischer Neigung des Genies verstecke sich eine gewisse Perversität. Für Velázquez gilt, was Toulouse-Lautrec viel später für sich und sein eigenes Schaffen formuliert hat: »Immer und überall drückt sich im Häßlichen Schönes aus, und das zu entdecken, wo niemand es sieht, ist passionierend« (Arnold 1989, S. 55).

A.E.

1643–45
Öl/Leinwand, 107 x 83 cm
Madrid, Museo del Madrid Prado
Inv. Nr. 1204 (L-R 99)

Bei dem hier vorliegenden Kleinwuchs sind Rumpf und Gliedmaßen proportioniert. Der etwas in den Nacken und zur Seite fallende Kopf sowie auch die ganze schlaffe Haltung des Sitzenden deuten auf eine Muskelschwäche (Hypotonie) hin. Der große Kopf mit vorgewölbter Stirn und eingezogener Nasenwurzel mag GREBE (1953) wohl bewogen haben, von einer Chondrodysplasie des sogenannten Mops-Typs zu sprechen. Der leicht geöffnete Mund könnte auf eine etwas zu große Zunge hinweisen. Die Augen sind weit auseinander (Hypertelorismus). Damit sind im Verein mit der Geistesschwäche alle Zeichen einer Schilddrüsenunterfunktion, am ehesten eines **Kretinismus**, gegeben. Nach JUSTI (1903, S. 580) soll sein Geburtsort Vallecas ein Endemiegebiet für Kretins gewesen sein. DIEKMEIER (1955) weist jedoch mit der angedeuteten rechtsseitigen Gesichtsnervenlähmung und den O-Beinen, die an beiden Unterschenkeln nicht zu übersehen sind, auf eine mögliche rachitische Ursache hin, vielleicht mit einem »adenoiden Antlitz«, wie MEIGE (1896) meint.

65
Diego de Silva Velázquez
(Sevilla 1599 – Madrid 1660)
Las Meninas

Abbildung auf Seite 205

1656
Öl/Leinwand, 310 x 276 cm
Madrid, Museo del Prado
Inv. Nr. 1174 (L-R 124)

Das vielgerühmte Bild »Las Meninas« wird als das absolute Meisterwerk Velázquez' angesehen. Kaum ein anderes Werk hat in der Geschichte der Kunst so viele und so verschiedenartige Interpretationen wie dieses Bild hervorgerufen (J. Brown 1988, S. 253).

Auf dem Bild ist die königliche Familie versammelt. Alle Personen sind bis auf eine namentlich bekannt (D. Brown 1978, S. 179). Der Maler selbst steht an der übergroßen Leinwand auf der linken Seite. Rechts davon sieht man zwei Hoffräulein, welche sich um die im hellen Licht stehende Infantin Margarita kümmern. Hinten an der Wand ist das Königspaar in einem Spiegel sichtbar. Ganz in den Vordergrund gerückt, stehen auf der rechten Seite zwei Zwerge. Obwohl sie am Geschehen etwas unbeteiligt erscheinen, gehören sie doch voll zur Familie.

Wir wissen, daß Velázquez ein Verfechter der Wahrheit war, und er liebte die Realität. Wenn wir mit dieser Kenntnis das Bild betrachten, können wir sicher sein, daß die beiden Zwerge in die Familie integriert waren, daß sie dazugehörten wie die Hofdamen, die Prinzen und die Prinzessinnen selbst. Sie nahmen am aktuellen Leben teil, wie diese Momentaufnahme – das Gemälde wurde oft mit einer Fotografie verglichen – aus dem täglichen Leben am Hofe erkennen läßt.

Besonders ins Auge springt die Hofzwergin Maria Barbola mit ihrem auffallend großen Kopf. Sie überragt den Zwerg Nicolas Pertusato rechts von ihr um Haupteslänge. Maria Barbola war Deutsche und stand ursprünglich im Dienst der Gräfin de Villerbal. Als diese 1651 starb, kam sie an den königlichen Hof, um bei Königin Mariana von Österreich zu dienen. Zur Zeit, als das Gemälde entstand, war sie wahrscheinlich im Dienst der kleinen

203

Infantin. Im Jahre 1700 kehrte sie in ihre Heimat zurück (Moreno Villa 1939, S. 66). Auf dem Gemälde ist die Zwergin so in Positur gesetzt, daß sie, obwohl kleinwüchsig, mit ihrer mächtigen Erscheinung fast die Schau der kleinen Infantin stiehlt. Man kann es aber auch so sehen, daß Barbola's derbe Auffälligkeit Margarita um so zartgliedriger erscheinen läßt.

Man findet diese Zwergin auf zwei anderen Gemälden von Juan Bautista Martinez del Mazo, dem Schwiegersohn von Velázquez, wieder: »Donna Mariana von Österreich«(Maison-Musée du Greco, Toledo) und »Die Kaiserin Donna Margareta von Österreich«(Museo del Prado, Madrid). Letztere ist die Infantin, welche auf »Las Meninas« dargestellt ist.

Nicolas Pertusato, mit langem Haar einem Mädchen ähnlich und im Gegensatz zur Barbola im Profil zu sehen, setzt keck den linken Fuß auf den Rücken des vor ihm liegenden schläfrigen Hundes. Der Zwerg kam 1650 an den Hof, trat in den Dienst der Königin Donna Mariana und avancierte zum Kammerdiener, was ihm ein beträchtliches Salär einbrachte. Als er mit 65 Jahren starb, erbte sein Vermögen eine gewisse Donna Paula de Esquivias (Moreno Villa 1939, S. 128).

Genau wie bei anderen Velázquez-Gemälden finden wir auch hier Kopisten. So hat Picasso 1957 eine Serie von 45 Versionen von »Las Meninas« gemalt, nachdem er zuvor Hunderte von Skizzen angefertigt hat (Ravin und Fried 1974). Ebenso kennen wir von Goya eine Radierung (»Las Meninas«, Kupferstichkabinett, Berlin).　　　　　　　　　　A.E.

*Maria Barbola's imponierender Kopf ist im Verhältnis zum Körper sehr groß, die Stirn ist prominent, die Nasenwurzel eingezogen, und die Augen haben einen weiten Abstand (Hypertelorismus). Der Unterkiefer ist sehr mächtig. Trotz der hochgeschnürten Kleidung scheint der Rumpf normal zu sein, die Gliedmaßen sind jedoch zu kurz mit besonders kurzen Oberarmen (Rhizomelie). Auch die Finger erscheinen kurz und dick. Dies sind alles die Zeichen der **Achondroplasie**. Die Ansicht von HOLLÄNDER (1913), es handle sich um eine schwerste Rachitis, ist unwahrscheinlich. Für MORAGAS (1964) ist das Gesicht etwas oligophren, und er will daraus einen Kretinismus erkennen.*

*Der kleine Pertusato soll nach MORAGAS (1964) gar kein Kleinwüchsiger sein, obwohl er im Archiv des Palastes als Zwerg geführt wird. Der Autor meint, daß seine Größe bei seinem Alter von elf bis zwölf Jahren normal sei. Der zierliche, wohlproportionierte Körper könnte allenfalls einen **hypophysären Kleinwuchs** darstellen, so wie er auch von CASTILLO DE LUCAS (1952/53) bei Pertusato als Infantilismus beschrieben wird. DIEKMEIER (1955) will eine Spinnenfingrigkeit erkennen und diagnostiziert eine Arachnodaktylie. Bei dieser würden wir aber genau das Gegenteil, eine überlange Person erwarten.*

66
Stefano della Bella
(Florenz 1610 – Florenz 1664)
Zwergenparade

Stefano della Bella hat als Zeichner und Radierer ein vielfältiges und umfangreiches Werk hinterlassen, zu dem auch einige Darstellungen des Zwergengenres gehören. Hier ist das ein von hinten links kommender und am rechten Bildrand sich wieder nach links wendender Aufzug martialisch dreinblickender Zwergsoldaten, angeführt von einer ebenso kindlich wie entschlossen wirkenden Gestalt mit Schild und Hellebarde. Ihr folgt ein im Kontrast fast riesiger Offizier, in Kleidung, Haltung und Mimik ganz eitler Geck. Dahinter eine schier unübersehbare Zahl von Lanzenträgern, die von den klar umrissenen Gestalten im Vordergrund zunehmend zu einer ameisenhaften Masse im linken Hintergrund verschmelzen.

Angeregt von Callots »Gobbi« (vgl. Kat. Nr. 51) hat della Bella vier Radierungen zum Zwergenthema geschaffen (Kat. A. Providence 1971, Nr. 23, und Bauer 1991, S. 41), auf die sich die Zuschreibung dieses und auch des folgenden Blattes stützt (Parker 1972, Nr. 789). Neben der motivischen Anlehnung an Callot scheint della Bella sich für die Komposition an der eigenen, zeitgeschichtlich illustrierenden Folge »Einzug des polnischen Botschafters im Jahre 1633« orientiert zu haben.
G.U.

Die skizzenhafte Darstellung der kleinwüchsigen Figuren vereinigt zahlreiche Symptome verschiedener Formen von Wachstumsstörungen, wie Verkürzung von Rumpf und Gliedmaßen, Gesichtsdysmorphien, O-Beine (varus) und X-Beine (valgus). Die Symptome ergeben bei der einzelnen Figur jedoch keinen nosologischen Zusammenhang. Dem Künstler waren die einzelnen Symptome also offenbar bekannt. Er hat sie aber nicht mit medizinischer Kenntnis der einzelnen Figur als ein definiertes Krankheitsbild zugeordnet.

Feder, laviert, 141 x 271 mm
Oxford, Ashmolean Museum

67
Stefano della Bella
(Florenz 1610 – Florenz 1664)
Zwerge beim Pallone-Spiel

Auf steil in die Tiefe führender, von Bäumen und Architektur begrenzter Fläche sind im Vordergrund acht Zwerge beim Pallone-Spiel gezeigt; ein neunter füllt angestrengt einen Ball mit Luft. Vorn links teils lässige oder gar hingeflegelte Zuschauer. Die gleiche Szene scheint sich auch in der Ferne abzuspielen.

Wie bei der vorhergehenden Zeichnung, so setzt Stefano della Bella auch hier alltägliches Geschehen ins Zwergengenre um. Nicht die Handlung als solche, vielmehr die Akteure verleihen der Darstellung den Reiz des liebevoll Komischen, dem die gelegentlich karikierende Übertreibung von Callots »Gobbi« durchaus fehlt (zu Callot vgl. Kat. Nr. 51). G.U.

*Die zahlreichen kleinwüchsigen Ballspieler zeigen insgesamt eine sehr variationsreiche Morphologie. Alle Symptome der unterschiedlichen Kleinwuchsformen wie X- (valgus) und O-Beine (varus), Gelenksteifen in Hüft- und Kniebeugestellung, Klumpfüße, Buckelbildung (Kyphose) und Gesichtsdysmorphien sind auf dem Bild vereinigt. Eine klare diagnostische Zuordnung ist allerdings nicht immer möglich. Aber durchaus könnte der vorne sitzende Kleinwüchsige links einer klassischen Mukopolysaccharidose, zum Beispiel dem **HUR-LER-Syndrom** entsprechen. Die Figur vorne rechts, die einen Ball aufpumpt, könnte eine **Pseudoachondroplasie** darstellen.*

Feder über Bleistift, laviert
171 x 267 mm
London, Victoria & Albert Museum

68
Luca Giordano
(Neapel 1634 – Neapel 1705)
Christus vor Pilatus

Luca Giordano gehört zur neapolitanischen Schule der italienischen Barockmalerei und war einer der am meisten geschätzten Künstler seiner Zeit. Wegen seiner hohen Produktivität und Geschwindigkeit im Malen wurde er auch »Luca fa presto«, Luca der Schnellarbeiter, genannt. Er war hauptsächlich in seinem Geburtsort tätig, daneben aber auch in Rom, Florenz, Venedig und Bergamo. Das Gemälde mit Christus vor Pilatus wird von Ferrari 1966 (Bd. I., S. 37) um 1653 datiert. Luca Giordano hielt sich zu diesem Zeitpunkt wieder in Neapel auf, nachdem er aus Rom über Florenz und Livorno zurückgekehrt war.

In seinem Palast, den der Maler des 17. Jahrhunderts merkwürdigerweise mit Architektur- und Ornamentformen der späten Gotik andeutet, sitzt rechts unter einem Baldachin Pilatus, der römische Statthalter in Jerusalem. Gerade hat er Christus verhört und dem Gericht der Juden überantwortet. Nun läßt er sich von einem Pagen, der links hinter ihm steht, Wasser über seine Hände gießen, um sie in Unschuld zu waschen (Matthäus 27,24). Der an den Händen gefesselte Christus steht mit gebeugtem Haupt vor dem Statthalter. Schon greift ihm ein Soldat in Kettenhemd und Panzer, der links neben ihm steht, ins lange Haupthaar, um ihn abzuführen. Ein junger Mann ganz links, der streng ins Profil gewendet ist, und zwei Männer, die im Hintergrund vor der gedrehten Säule der Loggia stehen, schauen dem Soldaten zu.

Links hinter dem Rücken des Soldaten steht ein Zwerg. Auch er ist ein Soldat, denn er trägt zu seiner Fellmütze einen Brustpanzer, und er hält in seiner Linken den Strick, an dem Christus gefesselt ist.

D.M.

*Außer der kleinen Statur steht nur der große Kopf mit der Dysmorphie des Gesichtes und eine Hand zur Beurteilung zur Verfügung. Die Nase ist bei leicht eingezogener Nasenwurzel platt. Die breit ausladenden Wangen und die Handrücken sind teigig aufgetrieben, so daß dies ein Hinweis auf einen **Kretinismus** wäre.*

Öl/Holz, 45 x 69,3 cm
Philadelphia, John G. Johnson Collection
at Philadelphia Museum of Art
Inv. Nr. 249

69
Luca Giordano
(Neapel 1634 – Neapel 1705)
David und Abigail

In den Jahren zwischen 1692 und 1702 lebte der Neapolitaner Luca Giordano als Hofmaler König Karls II. von Spanien (1661–1700) in Madrid (Ferrari 1966, s.a. Nr. 68).

Das zweite Gemälde, das hier von ihm vorgestellt wird, zeigt die Geschichte von David und Abigail. Es entstand zwischen 1697 und 1700 für den spanischen Hof. Es bietet eine vielköpfige Figurenszene auf – nur um zu verdeutlichen, was zwischen den beiden Hauptpersonen vorgeht. Die Geschichte, die das Bild illustriert, stammt aus dem ersten Buch Samuel, Kapitel 25.

Links kniet, prunkvoll gewandet und üppig dekolletiert, die ebenso kluge wie schöne Abigail. Sie ist die Ehefrau eines Mannes namens Nabal, der in der Wüste Maon große Viehherden besaß, es aber trotz oder wegen seines Reichtums abgelehnt hatte, dem König David Tribut zu entrichten. David, rechts im Bild an seiner Krone zu erkennen, der Rüstung sowie dem darübergeworfenen Feldherrnmantel, war mit seinen Kriegern erzürnt herbeigeeilt, um sich an Nabal zu rächen. Nun trifft er mit Abigail zusammen. Die kluge Frau wollte den Zorn Davids besänftigen, sie hatte »zweihundert Brote und zwei Krüge Wein und fünf zubereitete Schafe und fünf Maß Röstkorn und hundert Rosinenbrote und zweihundert Feigenkuchen« (I. Sam. 25, 18) auf Esel geladen, war dann zusammen mit ihren Leuten dem König entgegengezogen und bietet ihm nun kniend und mit ausdrucksvoller Gebärde ihre Geschenke dar, die in Krügen und Säcken verpackt sind. David legt die Rechte aufs Herz und erklärt seine Ansprüche für befriedigt, während die ihn begleitenden Soldaten, zu allem bereit, auf des Königs Befehle warten.

Links neben David steht, zu ihm hinaufblickend, einer seiner Kampfgefährten. Es ist ein Zwerg in Schuppenrüstung und Mantel, mit Schwert, Spieß und Schild; im Gegensatz zu den restlichen Soldaten ist er nicht behelmt.   D.M.

Der muskelkräftige Kleinwüchsige mit großem Kopf, prominenter Stirn und eingesunkener Nasenwurzel ist neben seiner rhizomelen Gliedmaßenverkürzung ein klassisches Beispiel einer **Achondroplasie**. *Sollten hier Beugekontrakturen der Hüften vorliegen, muß auch an einen metatropischen Kleinwuchs gedacht werden.*

Öl/Leinwand, 216 x 362 cm
Madrid, Museo del Prado, Inv. Nr. 166

70
Georg Philipp Harsdörffer
(Nürnberg 1607 – Nürnberg 1658)
und Andreas Kohl
(Nürnberg 1624 – Nürnberg 1657)
Ein Monsieur à la mode

Ein Kupferstich: Im Vordergrund und erhöht stehend ein gedrungener, großköpfiger Stutzer, nach neuester französischer Mode gekleidet und die gesamte Bildhöhe einnehmend. Ein zweiter, die Hand aufs Herz gelegt, steht verschattet rechts hinter ihm; ein dritter disputiert links mit einem bärtigen Alten, dessen schlichter Mantel mit dem Aufputz der jungen Gecken kontrastiert. Man mag an einen antiken Philosophen erinnert sein. Hinterfangen wird die auf schmaler Bühne angelegte Straßenszene von architektonischer Kulisse.

Der Stich, mit zweizeiliger Unterschrift und der Nr. 82 versehen, stammt aus dem 1654 bei Paul Fürst in Nürnberg erschienenen »Erneuerte(n) Stamm- und Stechbüchlein«. Als Verfasser wird ein Fabianus Athyrus genannt; der Titelkupfer ist von Andreas Kohl signiert, einem der weniger bekannten, aber doch qualitätvollen Nürnberger Stecher, dem auch die insgesamt 100 Tafeln zuzuschreiben sind.

Erst 1970 gelang es Henri Stegemeier, den ansonsten unbekannten Fabianus Athyrus dingfest zu machen. Hinter diesem Pseudonym verbirgt sich Georg Philipp Harsdörffer, einer der bedeutendsten Dichter des deutschen Barock und führendes Mitglied der Poetenvereinigung »Fruchtbringende Gesellschaft«. Zu deren vornehmsten Zielen gehörte es, die deutsche Sprache von ausländischer, vor allem französischer »Sprachverderberey« zu reinigen. Hierauf, und mehr noch auf die Übernahme französischer Kleidung und französischen Benehmens, spielen Bild und Text an. In zahlreichen barocken Gedichten und Flugblättern wurden die Alamodo-Monsieurs, die nach der Mode gekleideten Männer (aber auch Frauen!) verspottet. Mehr noch: Im prunkvollen Äußeren erkannten die kritischen Zeitgenossen einen inneren, das heißt sittlichen Niedergang (Kat. A. Hannover 1984, S. 282 und Kat. 207f., mit weiterer Literatur).

Tafel 82 des »Stamm- und Stechbüchleins« ist also moralisierenden Inhalts. Das Buch enthält, wie der Titel weiter sagt, »Abbildungen der Tugenden und Laster«. Die ersten 50 Tafeln sind den Tugenden und Lastern der Frauen vorbehalten, die weiteren 50 denen der Männer. Der ungewöhnliche Name »Stechbüchlein« verweist auf die ursprüngliche Funktion: Mit zwischen die Seiten gestochenen Nadeln oder kleinen Messern wurde eine der Tafeln blind ausgewählt, die dann – aufgeschlagen – gleichsam orakelhafte Auskunft über die Stechenden gab. Das war ein geselliger Zeitvertreib, der zu mancherlei Heiterkeit geführt haben mag. Ferner waren die unbedruckten Tafelrückseiten geeignet, im Sinne eines Stammbuchs für freundschaftliche Widmungen genutzt zu werden. Auch auf diesen im Poesiealbum nachlebenden Brauch spielt der Titel des Buches an. G.U.

*Der kurze Rumpf, erkennbar an den relativ langen Armen, und der große Kopf mit sonst unauffälliger Physiognomie signalisieren eine **spondyloepiphysäre Dysplasie**. Eine sichere Einschätzung ist bei der skizzenhaften symbolisierten Darstellung natürlich kaum zu treffen.*

1654
Kupferstich, quer-8°
Nürnberg, Germanisches Nationalmuseum

Diß ist ein neüe Tracht zü äffen die Frantzofer
Ich hab inn meinem Mund daß Hertz, ünd auch in Hofen. 82

Das

71
David Teniers d. J.
(Antwerpen 1610 – Brüssel 1690)
**Erzherzog Leopold Wilhelm
in seiner Gemäldesammlung
zu Brüssel**

Der Genre- und Landschaftsmaler David Teniers d. J., Sohn und Schüler von David Teniers d. Ä., war einer der bedeutendsten und bekanntesten Genremaler seiner Zeit. Bis 1649 hielt er sich in Antwerpen auf. Er siedelte in diesem Jahr nach Brüssel über, wo er als Hofmaler für den habsburgischen Erzherzog Leopold Wilhelm (1614–1662) arbeitete, der von 1647 bis 1656 als Generalstatthalter die sich im spanischen Besitz befindlichen südlichen Niederlande, das heutige Belgien, beherrschte. Der Erzherzog hatte Teniers schon 1647 zum Kustos seiner umfangreichen italienischen Gemäldesammlung gemacht und beauftragte ihn, durch Ankauf flämischer Bilder die Galerie zu erweitern und abzurunden. Auch sollte der flämische Künstler verschiedene Ansichten der Gemäldegalerie anfertigen, um die Sammlung des Erzherzogs, etwa 1357 Bilder umfassend, bekannt zu machen (ausführlich: Terlinden 1962). Eines dieser Galeriebilder soll hier vorgestellt werden.

In einem der Galerieräume im Coudenberg-Palais zu Brüssel, in dem die italienische Abteilung untergebracht war, läßt der einen Hut tragende Erzherzog sich von David Teniers das Portrait eines »Mannes im blauen Mantel« zeigen, das Catena gemalt hat. Um den Erzherzog herum bedecken 50 Gemälde die Hauptwand des Saales. Die in fünf Reihen übereinander angebrachten Bilder sind so dicht gehängt, daß die Rahmen aneinanderstoßen. Auf dem Boden stehen, an Stühle gelehnt, weitere Bilder. Man erkennt unter anderem Gemälde von der Hand Tizians, Veroneses und Guido Renis (Kat. S. Wien 1892, S. 474f.). Links steht unter dem hohen Fenster, durch das man einige Baumwipfel sehen kann, ein Tisch mit Zeichnungen und Kunstkammergegenständen. Zwei Begleiter des Erzherzogs schauen sich dort einige Kunstwerke an. Vorne in der Mitte tollen zwei gefleckte Hunde mit einem Stab im Maul herum.

Links unten steht am Fenster inmitten einer Dreiergruppe ein schwarzgekleideter Zwerg, nicht viel höher als der Tisch hinter ihm. Es handelt sich um den Blumenmaler, Hofkaplan und Kanonikus Jean Antoine van der Baren, der den Erzherzog 1656 nach Wien begleitete und dort für ihn 1659 ein Inventar seiner Kunstschätze anfertigte (Terlinden 1962, S. 14). Er starb 1686 im Alter von 71 Jahren in Wien.   D.M.

Die kleine Gestalt offenbart nur ihren Kopf mit einem ebenmäßigen, etwas puppenhaften Gesicht zur Beurteilung. Der übrige Körper unter dem Talar mit der wahrscheinlich kleinen Hand läßt eine proportionierte Gestalt vermuten. Unter dieser Voraussetzung würde es sich um einen **hypophysären Minderwuchs** *handeln. Aber auch ein primordialer könnte in Frage kommen.*

Öl/Leinwand, 123 x 163 cm
Wien, Kunsthistorisches Museum
Gemäldegalerie, Inv. Nr. 739

72
Jan Steen
(Leiden 1625/26 – Leiden 1679)
Der Hühnerhof

Jan Steen zählt zu den holländischen Genre-Malern der zweiten Hälfte des 17. Jahrhunderts. Seine künstlerische Blütezeit erreichte er um 1660, als er in Warmond und Haarlem arbeitete. Der Hühnerhof ist eine seiner originellsten und ansprechendsten Kompositionen. Steen malte dieses Bild, als er sich in Warmond bei Leiden aufhielt. Wahrscheinlich war er sogar ein Freund der Familie des Mädchens, die wie er katholisch war, und besuchte die katholische Messe in deren Privatkapelle (Kat. S. Den Haag 1985, S. 296).

Vor dem Türbogen einer Mauer sitzt ein kleines Mädchen in gelbweißem Kleid auf der unteren Treppenstufe an einem kleinen Fluß. Rechts von ihr steht ein fast abgestorbener Baum, auf dem ein Pfau thront. Sie ist von Nutzvögeln umgeben: Enten, Puten und verschiedene Arten von Hühnern, die durch den Türbogen drängen oder sich im Wasser und am Ufer aufhalten. Von rechts kommt ein Diener mit einem Krug und einem Korb in den Händen heran und blickt lächelnd auf das Kind, das einem Lamm aus einer Schale Milch gibt. Der ältere Mann mit Halbglatze hat seine Schürze mit der rechten Hand am unteren Saum zu einem Beutel gerafft.

Auf dem oberen Absatz der Treppe steht links hinter dem Mädchen ein Zwerg mit einem Korb voll Küken im rechten Arm; im linken hält er eine Glucke; hinter ihm befindet sich ein Verschlag mit Taubenhaus, der an die Mauer gebaut wurde. Der ärmlich gekleidete Zwerg schaut lächelnd auf die Szene am Flußufer. Durch den Türbogen erblickt man ein Schloß, das von Wasser umgeben ist.

Das junge Mädchen im Vordergrund stellt Bernardina Margriet van Raesfelt dar, die um 1650 geborene Adoptivtochter der Anna van den Bongaerd. Diese war die Witwe des Cornelis van Mathenesse und Schwiegertochter von dessen Vater Nicolaas van Mathenesse. Oberhalb des Türbogens sind die Wappen des Nicolaas, gestorben 1617, und seiner Frau Geertrui van Lockhorst, gestorben 1630, angebracht.

1653 heiratete Anna van den Bongaerd ihren zweiten Ehemann, Johan van Raesfelt, und adoptierte seine Nichte Bernardina. Nachdem sie ein zweites Mal verwitwet war, lebte sie zusammen mit Bernardina in Lockhorst von 1657 an bis zu ihrem Tode im Jahre 1663. Das Herrenhaus ist durch den Bogen im Hintergrund zu sehen. Der Bau hieß ursprünglich Schloß Oud-Teylingen und liegt im Dorf Warmond, wo Steen von 1656 bis 1660 lebte (Kat. S. Den Haag 1985, S. 296).

Lyckle de Vries interpretierte 1977 (S. 47) die Tiere, die sich um das Mädchen aufhalten, mit Hilfe von Cesare Ripa's »Iconologia«, einem Sammelwerk symbolischer Bilder, als Metaphern auf Bernardinas Pflegschaft; besonders aussagekräftig sind das Lamm, das aus einer von der Adoptivtochter gehaltenen Schale Milch trinkt, und die Küken im Korb, den der vor dem Verschlag stehende Zwerg in seinem rechten Arm hält. B. Broos deutete 1986 das Bild mit Hilfe des Baumes, der sowohl tot als auch lebendig ist, als eine Anspielung auf den inneren Widerstreit des Menschen, der sich zwischen zwei Wegen befindet. In dieser Hinsicht ist das Bild als ein Gleichnis von Unschuld und Sünde, Reichtum und Armut oder Tod und Leben zu verstehen (Kat. S. Den Haag 1985, S. 296).   D.M.

signiert und datiert unten links:
JSteen (ligiert) 1660
Leinwand, 107,4 x 81,4 cm
Den Haag, Koninklijk Kabinet van
Schilderijen »Mauritshuis«, Inv. Nr. 166

*Die kräftige, nur mäßig kleinwüchsige Gestalt wurde bereits von MEIGE (1896) als **Rachitis** eingestuft. Das geringe O-Bein, vor allem am linken Unterschenkel sichtbar, könnte dafür sprechen. Aber auch eine metaphysäre Chondrodysplasie ist in Betracht zu ziehen, da die leichte Rückwärtsneigung des Oberkörpers auf eine vermehrte Ausbiegung der Lendenwirbelsäule (Hyperlordose) hindeutet.*

73
Jaques d'Agar
(Paris 1640 – Kopenhagen 1715)
**Portrait der Hofzwergin
Frl. Marichen**

Bevor der französische Maler Jaques d'Agar 1683 am dänischen Hofe tätig wurde, malte er bereits für den französischen Königshof. Nachdem er wegen seines protestantischen Glaubens 1682 aus seinem Heimatland nach England geflohen war, war er dort am Hof Karls II. Portraitist im Stil der Van Dijk Schule. 1684 erhielt er vom dänischen König Christian V. (1646–1699) den Titel eines »Peintre ordinaire du Roi«. Er führte bis zu seinem Tode viele Portraits der königlichen Familie und anderer dänischer Adliger aus.

Frl. Marichen, die laut Morch (1930, S. 17) von dem Künstler idealisiert dargestellt wurde, steht, einer adeligen Hofdame gleich, auf einer Terrasse vor einer mächtigen Säule, die vom oberen Bildrand abgeschnitten wird. Nach hinten öffnet sich der Ausblick auf eine weite Parklandschaft, davor ein mit einer Brüstung gefaßter Teich, in dessen Mitte eine Fontäne aufsteigt und sich zwei Schwäne befinden. Marichen blickt den Betrachter stolz und freundlich an. Vor einer schweren goldenen Draperie ist eine skulpierte große Vase, in der ein bunter Blumenstrauß steckt, am Rande einer Stufe aufgestellt. Die Kleinwüchsige ist gerade dabei, eine mehrfarbige Nelke aus dem Strauß herauszuziehen. Ihre linke Hand stemmt sie in die Seite. Sie trägt ein Spitzenhäubchen mit blauen Bändern auf dem Kopf und ein rotbraunes, schulterfreies Hofkleid, das mit Litzen und Spitzen verziert ist. Das Kleid besitzt eine lange Schleppe mit rotem Futter, die auf dem Boden schleift.

Jaques d'Agar stellte nicht nur die Hofzwergin Frl. Marichen dar. Im Schloß zu Frederiksborg befinden sich beispielsweise noch die Portraits des Zwerges Grev Hans und der Hofzwergin Frl. Elschen. Beide Bilder sind als Pendants angelegt (Krabbe 1930, S. 125). Das Museum von Frederiksborg besitzt noch einige andere Zwergenportraits, so zum Beispiel das Bildnis des Narren Hänsel, der »Marquis Sans Pareille« (der unvergleichliche Marquis) genannt wurde, von der Hand eines unbekannten Künstlers. Man könnte schon von einer Art Zwergengalerie sprechen, wie sie von Diego Velázquez für die spanischen Könige angelegt wurde (s. Nr. 63-64).
D.M.

Die wohlproportionierte Gestalt mit dem pausbackigen, puppenhaften Gesicht entspricht einem **hypophysären Minderwuchs.**

Öl/Leinwand
Nationalhistoriske Museum
på Frederiksborg, Inv. Nr. 1635a

74
Juan Carreño de Miranda
(Avilez 1616 – Madrid 1685)
**Eugenia Martinez Vallejo,
genannt »La Monstrua«**

Der spanische Maler Don Juan Carreño de Miranda, der sich an den Werken Rubens' (s. Nr. 54, 55), Velázquez' (s. Nr. 62-65) und Anthon van Dijks (s. Nr. 61) im Portraitfach übte, war als Hofmaler und Kammerdiener König Karls II. von Spanien (1661–1700) angestellt. Neben zahlreichen Portraits hat er auch mythologische Fresken und religiöse Historienbilder ausgeführt.

Carreño malte neben »La Monstrua« noch mehrere Portraits von anderen am spanischen Hofe lebenden Hofzwergen und -narren. Leider sind von diesen Bildern nur wenige auf uns gekommen. Zwei der erhaltenen Portraits, die beide Eugenia Martinez Vallejo (s. Nr. 75) idealisiert darstellen, waren wahrscheinlich beim Tod des Künstlers im Jahre 1685 noch nicht vollendet. Sie werden erst in einem Inventar des königlichen Alkazar-Palastes von 1694 erwähnt, wo sie im Zimmer des Prinzen aufgehängt waren. Die Gemälde befinden sich seit 1939 im Madrider Museo del Prado, nachdem sie Anfang des 19. Jahrhunderts getrennt worden waren (Kat. A. Paris 1987,2, S. 194).

Eugenia steht in einem prächtigen rotweißen Brokatkleid mit silbernen Knöpfen, das ihr Karl II. geschenkt hatte, en face zum Betrachter vor einem dunklen, nicht identifizierbaren Hintergrund. Ihren linken Arm hat »La Monstrua«, wie sie wegen ihrer Figur genannt wurde, angewinkelt, und sie hält in ihren Händen jeweils einen Apfel.

Das kleine Mädchen ist im Jahre 1674 in Barcenas, im Erzbistum von Burgos gelegen, geboren worden. Schon 1680 wurde sie an den spanischen Hof gebracht. Zu diesem Zeitpunkt wog die Sechsjährige beinahe 60 Kilogramm. Nach Moreno Villa scheint sie nur als Kuriosum auf einigen Hoffesten zugegen gewesen zu sein, da sie nicht in den Hoflisten geführt wurde. Noch im gleichen Jahr veröffentlichte Juan Cabezas in Madrid einen Bericht über dieses Naturphänomen, das sich am spanischen Hofe aufhalten würde. Er beschreibt hier Eugenia mit wenig schönen Worten aufs detaillierteste. Das Werk, das mit einem Holzschnitt von »La monstrua« versehen ist, wurde kurz danach in Sevilla und Valencia nochmals ediert, was die Begeisterung über die Kuriosität der Erscheinung des Riesenkindes Eugenia Martinez Vallejo unterstreicht (Kat. A. Paris 1987,2, S. 193f.).   D.M.

Zur medizinischen Analyse vgl. Kat. Nr. 75.

Öl/Leinwand, 165 x 107 cm
Madrid, Museo del Prado, Inv. Nr. 646

75

Juan Carreño de Miranda
(Avilez 1616 – Madrid 1685)
**Eugenia Martinez Vallejo,
genannt »La Monstrua«**

Das zweite Gemälde des spanischen Hofmalers Carreño, das als Pendant zur bekleideten Eugenia (s. Nr. 74) wahrscheinlich zur gleichen Zeit entstanden ist, zeigt das Mädchen nackt. Sie steht frontal zum Betrachter vor einem dunklen neutralen Hintergrund, vor dem sich ihr Körper hell abzeichnet. Sie hat ihren rechten angewinkelten Arm auf einen Steinblock gestützt, auf dem verschiedene Früchte liegen.

Ihre linke Hand umgreift den Ast einer Weinrebe mit Früchten und Laub, mit dem ihr Geschlecht verdeckt ist, und auf ihrem Kopf trägt sie eine Krone aus Weintrauben. Ihr Portrait verschmilzt so mit der mythologischen Darstellung eines kindlichen Bacchus oder eines kleinen Silens.   D.M.

Die imponierende Korpulenz des jungen Mädchens mit kleiner Gestalt bezeichnet MEIGE (1896) einfach als fettleibige Zwergin. HOLLÄNDER (1912) spricht von einem adipös-myxomatösen Zwergwuchstyp. Heute wissen wir jedoch etwas mehr über das Krankheitsbild der Monstrua. Wir sind in der seltenen Lage, ihren unbekleideten Körper, so wie es bei MORGANTE (s. Nr. 34-36) der Fall ist, beurteilen zu können. Bei dem Mädchen wird sichtbar, daß die Fettsucht (Adipositas) nicht nur Kopf und Rumpf, sondern auch die Gliedmaßen befällt. Damit scheidet der von MARANON (1941) und CASTILLO de LUCAS (1952/53) angenommene Hyperkortizismus (Überfunktion der Nebennierenrinde), bei dem nur eine sogenannte Stammfettsucht bestünde, praktisch aus. Nachdem dann GREBE (1956) und MORAGAS (1964) ein LAURENCE-MOON-BIEDL-Syndrom diagnostiziert haben, wurde schließlich von WIEDEMANN (1984) die Diagnose eines PRADER-WILLI-Syndroms gestellt. Diese beiden Syndrome sind eng miteinander verwandt, wobei letzteres mit Minderwuchs, Fettsucht, geistiger Rückständigkeit und Unterentwicklung der Geschlechtsorgane einhergeht. Da außerdem Hände und Füße bei Eugenia sehr klein sind, der Mund etwas dreieckig gestaltet ist, die Augen mandelförmig erscheinen und kein überzähliger Finger oder Zeh sichtbar ist, muß man sich dem **PRADER-WILLI-Syndrom** *anschließen.*

Öl/Leinwand, 165 x 108 cm
Madrid, Museo del Prado, Inv. Nr. 2800

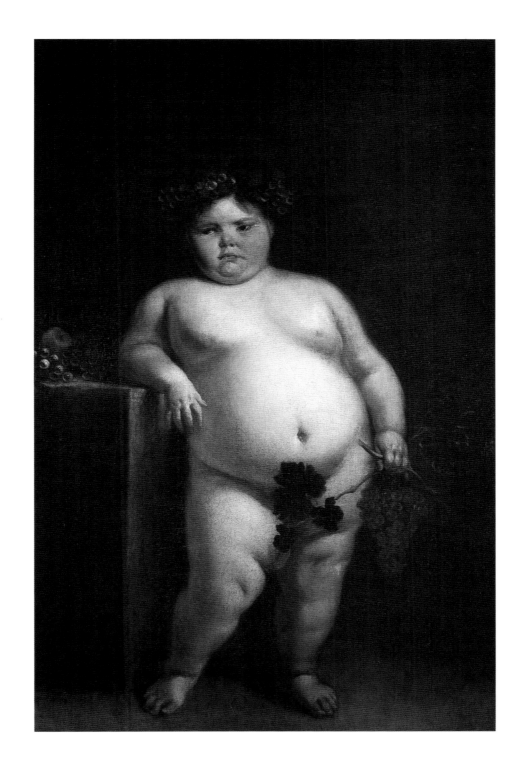

76
Unbekannter (Hamburger?)
Kupferstecher
**Abriß des sehr kleinen Männleins
aus der Schweiz,
Hanß Worrenberg genannt**

Der kleinwüchsige Hans Worrenberg (oder Worienberg und Wormbergh) war zweifellos der am vielfältigsten abgebildete Schaubudenzwerg seiner Zeit (1650? – 1695). Ein knappes Dutzend verschiedener Drucke aus Deutschland, Frankreich, Holland und England zeigen ihn in den verschiedensten Posen und Kostümierungen. Die Bildtexte berichten von seiner unglaublichen Kleinheit und seiner großen Berühmtheit. So kann man zum Beispiel unter seinem englischen Konterfei von 1688 in London lesen: »Das wahre Portrait von John Wormbergh, durch Geburt ein Schweizer, in seiner Religion ein Protestant, seine Größe überschreitet kaum 2 Fuß und 7 inches, sein Alter ist 38 Jahre. Er hatte die Ehre, vor den meisten Fürsten Europas gezeigt zu werden, zuletzt vor dem König von England und dem höchsten Adel, der bisher nichts Ähnliches gesehen hat, da er wohl die seltsamste Verirrung der Natur, ein Weltwunder und die größte Überraschung aller Zuschauer darstellt. Zur Zeit zu besichtigen in der Fleet-street.« Ähnlich müssen auch die Ankündigungen in Hamburg und Amsterdam gelautet haben, wo von ihm zwischen 1687 und 1689 mindestens fünf verschiedene Bildnisse von bekannten Künstlern in Umlauf waren (u. a. von Jacob Gole, G. Drapentier und Peter Schenk).

Wer war nun dieser Schweizer Zwerg, und was wissen wir von ihm wirklich? Geboren war er (angeblich?) um 1650 (?) in Hartshausen in der Schweiz. »Er sey eines armen Bauern Sohn gewesen und habe sich durch Spinnen ernähren müssen, wo ihm einst etwas vom Flachse ins rechte Auge fiel, davon er endlich blind wurde. Im zweiten Jahre seines Alters war er todkrank gewesen und von einem Marktschreier kuriert worden. Er wuchs zwar noch ein wenig, kam aber jedoch nur zu der Größe, die er nachher behielt. Seiner kümmerlichen Nahrung zu entgehen, ging er auf Reisen, ließ sich in einen Kasten stecken und durch Holland und Deutschland herumtragen. Wollte man ihn sehen, kam er aus dem Kasten heraus, grüßte die Zuschauer höflich, sang und tanzte. Seine Arme konnt er nicht so leicht wie seine Beine bewegen, sein Kopf war ungemein dick. Er trug nach damaliger französischer Mode ein blaues, mit silbernen Posementen besetztes Kleid, Hut und Degen. Seine langen, schwarzen Haare bedeckten den Rücken, aber sein Bart war eben nicht stark; übrigens – ratione membri, quo sexus dignoscitur – war er von gesunder und guter Natur« (Curiositäten, III. Band, Weimar 1813).

Offenbar ist Worrenberg eine Zeitlang auch mit einem etwa zwei Meter großen »Riesen« aufgetreten. Auf einem Schabkunstblatt Peter Schenks sehen wir den Zwerg in der bekannten degenziehenden Pose neben einem sehr großen »Kavalier«, der ihn offenbar mit einer eleganten Handbewegung präsentiert, nachdem er soeben aus dem im Hintergrund offenstehenden Transportkasten aufgetreten ist. Auf dem prächtigen Kupferstich von G. Drapentier heißt es von ihm: »The figure here above most lively represents / The world's great wonder little Switzer Hans / Two foot and seven Inches is his Height / Allthough so little, Yet he's thirty Eight.« Das Blatt zeigt ihn in Kavalierskleidung mit Stock und Degen. Der lange Rock ist reich mit Knöpfen und Borten verziert, die Weste ist offenbar mit zahllosen Quasten geschmückt. Er trägt dazu Wäsche mit Brüsseler Spitzen, und seinen goldbordierten Hut ziert eine teure, weiße Straußenfeder. Das etwas gelangweilt blickende Gesicht wird eingerahmt von einer dunklen Allongeperücke, Kinnbart und einem hochgezwirbelten französischen Schnauzbärtchen. Er macht so – wie auch auf allen anderen früheren und späteren Blättern zu sehen – den Eindruck eines höfischen Kavaliers auf Reisen.

Diese »Europatourneen«, wie man heute sagen würde, endeten allerdings tragisch: 1695, als er sich wieder einmal in seinem berühmten Kasten transportieren ließ – angeb-

1687 datiert
Kupferstich 240 x 170 mm
Wien, Privatbesitz

226

Abriß des sehr kleinen Männleins auß der Schweitz, Hanß Worienberg genant, ist lang zwey
fuß und sieben Zoll alt 36 Jahr wie Er in Hamburg Anno 1687 im Martz und Junio
gesehen worden.

lich um vom Volk nicht unentgeltlich besichtigt und angestarrt zu werden –, war er rettungslos verloren, als ihn ein Diener oder Schiffsknecht in Rotterdam vom Kai auf das wartende Schiff (nach England?) trug, wobei die Planke brach und Träger, Zwerg und Kasten ins Wasser stürzten. So starb Hans Worrenberg fern seiner Schweizer Heimat (?) etwa 45jährig und auf der Höhe seines Ruhmes. Sein Portrait ist heute noch in fast jeder größeren Kupferstichsammlung zu finden, und er hat sicher auch zur Zwergenmode des beginnenden 18. Jahrhunderts wesentlich beigetragen.

Mit dem Namen Hans Worrenberg ist aber auch eine bis heute nicht aufgeklärte Mystifikation verbunden. Auf drei sehr genauen Kupferstichen unter anderem von Gaspard Bouttats und Jacob Gole sehen wir nämlich ein ebensolches Männlein mit ganz genau denselben Posen und Kostümierungen wie Worrenberg und mit einem bis aufs Haar gleichen Transportkasten mit einem Kleeblatt- oder Kreuzluftloch, allerdings mit der Unterschrift: »Der Herr John S'Kinner, geboren zu Plymouth in England, ist 2 Fuß und 6 Daumen groß und 35 Jahre alt.« Diesem Jan von S'Kinner begegnen wir dann 1716 auf einem (nach wem kopierten?) Kupferstich von P. van Buys in der holländischen Ausgabe des sogenannten »Calotto«. Dort steht unter dem degenziehenden (!) Zwerg zu lesen: »Der Herr Jan von S'Kinner rechtschaffener Zwerg von Pleimeyden in England der Größe 2½ Schuh, geboren den 3. January Anno 1663«. Dann folgen in drei Sprachen je drei großsprecherische Vierzeiler, in welchen er im Stile der Zeit seinen unsichtbaren Feind bedroht. (Hat Worrenberg/S'Kinner auch solche bramarbasierenden Texte bei den jeweiligen Auftritten von sich gegeben?) Vielleicht wird das Rätsel eines Tages zu lösen sein, ob John S'Kinner/Hans Worrenberg eine Person gewesen sind, oder ob ein schierer Zufall es wollte, daß zwei gleich große, das heißt extrem kleine Zwerge zur selben Zeit in derselben Aufmachung durch Europa reisten? Hans Worrenberg ist jedenfalls als der berühmteste Zwerg in die europäische Geschichte des ausgehenden 17. Jahrhunderts eingegangen – nicht zuletzt durch die Vielzahl seiner Drucke und Bildnisse.

G.G.B.

Auffällig ist ein sehr kurzer Rumpf, denn bei gestreckten Armen würden die Fingerspitzen bis fast zu den Knien reichen. Es ist überliefert, daß »Worrenberg in seinen Armen und Beinen so groß und stark wie jeder ausgewachsene Mann gewesen ist« (WOOD 1868, S. 304). Dies läßt auf eine **spondyloepiphysäre Dysplasie** *schließen. Sein hängendes rechtes Augenlid (Ptose) ist auch auf allen anderen Darstellungen von ihm mehr oder weniger deutlich zu registrieren. Ein Zusammenhang mit einer in Frage kommenden Kleinwuchsform ist daraus nicht herzustellen. Im obigen Text lesen wir, daß er eine Augenverletzung durch einen Flachsfremdkörper erlitten habe, was eine Erblindung dieses Auges zur Folge gehabt habe. LAUNOIS (1911) will noch eine Ohrmißbildung erkennen, was allem Anschein nach eher eine Haarlocke darstellt.*

77
Süddeutschland 17./18. Jahrhundert
Narr

Abbildung auf Seite 230

Bronzestatuette, hohl gegossen
7,5 cm ohne Sockel
Staatliche Museen Preussischer
Kulturbesitz
Skulpturengalerie, Berlin-Dahlem
Inv. Nr. 5869

Die Figur könnte dem Berliner Bronzenkatalog von 1923 zufolge der Entwurf für eine groteske Brunnenfigur sein (s. a. Nr. 78). Der Künstler beziehungsweise die Werkstatt, die dieses Figürchen angefertigt hat, ist nicht bekannt. In der Forschung nimmt man als Entstehungsort Süddeutschland an.

Der sitzende Narr trägt einen Hut mit breiter Krempe sowie lange Hosen und einen enganliegenden Rock, der am Hals mit einem großen Kragen abschließt. Mit seinen Händen drückt der Narr sich auf die linke Bauchseite, wo sich ein unter dem Gewand versteckter Gegenstand abzeichnet. In der Höhe des Bauchnabels befindet sich ein kreisrundes Loch; dies stützt die These, daß es sich um eine Brunnenfigur handelt.

Diese Figur ist eine freie Umsetzung nach dem »Callotto« (vgl. Kat. Nr. 81) und ist laut Braun (1954) mit Meißner Porzellanfiguren aus dem ersten Viertel des 18. Jahrhunderts verwandt. D.M.

*Die körpernahen Gliedmaßenabschnitte sind offenbar kürzer als die körperfernen (Rhizomelie). Der Leib ist relativ kurz. Damit würde bei dem unauffälligen Kopf die Figur in die Gruppe der Pseudoachondroplasien oder **spondyloepiphysären Dysplasien** einzureihen sein.*

78
Süddeutschland 17./18. Jahrhundert
Zwerg mit hohem Hut

Abbildung auf Seite 231

Bronzestatuette, hohl gegossen
9 cm ohne Sockel
Staatliche Museen Preussischer
Kulturbesitz
Skulpturengalerie, Berlin-Dahlem
Inv. Nr. 2731

Auch diese kleine Figur stammt aus der Berliner Skulpturensammlung (s. Nr. 77). Wie die vorherige stellt sie einen kleinen Narren dar und könnte als ein Entwurf für einen Brunnen mit Groteskfiguren gedient haben (Kat. S. Berlin 1923, S. 40).

Die Figur ist wie der Narr mit dem Loch im Bauch mit einem weiten Gewand bekleidet. Der einzige Unterschied besteht darin, daß die hier gezeigte Figur einen sehr hohen und breiten Hut auf dem Kopf trägt. Der dicke Narr faßt sich mit der rechten Hand an sein entblößtes Gesäß. Gleichzeitig hält er mit seinem rechten, leicht nach innen angewinkelten Bein die heruntergerutschte Hose fest. Mit der linken Hand stützt er sich auf eine Krücke.

Nach Braun 1954 erinnert dieser Zwerg durch die Gebärde des entblößten Gesäßes an eine Gartenfigur in Neuenstein/Jagstkreis, die aus dem Hohenloheschen Schloßpark in Friedrichsruhe stammt. D.M.

*Der kugelrunde Leib spricht, abgesehen von der Bauchesfülle, für eine Wirbelsäulenverbiegung (Kyphoskoliose). Die Gliedmaßen scheinen sehr kurz zu sein. Ebenso besteht ein kurzer Hals. In Verbindung mit dem Gesicht könnte es sich um eine **Osteogenesis imperfecta** (Glasknochenkrankheit) handeln. Auch an eine spondyloepiphysäre Dysplasie ist zu denken. Eine sichere nosologische Zuordnung ist jedoch nicht möglich.*

79
David von Krafft
(Hamburg 1655 – Stockholm 1724)
Der Miniaturist Andreas von Behn

Der schwedische Hofmaler David von Krafft porträtierte im Jahre 1700 den Stockholmer Hofminiaturmaler Andreas von Behn. In einer Zahlungsanweisung vom 14. Oktober dieses Jahres an David von Krafft heißt es: »Monsr. Behn sein Conterfeijt in lebens gröss – Reichstl 50.« (Kat. A. Gripsholm 1988, S. 52).

David von Krafft stellt sein Modell en face in voller Lebensgröße dar. Andreas von Behn, genannt »Norvagus«, stützt seine rechte Hand auf den Silberknauf seines Stockes. Er trägt eine Allongeperücke auf dem Kopf und ist mit dem Gewand eines Edelmannes sowie mit Schnallenschuhen bekleidet. Der Künstler steht neben einem Tisch, auf dessen Platte er seinen linken Arm gelegt hat und der ihm bis auf die Höhe der Schulter reicht. Auf dem Tisch mit seiner bis auf den Boden reichenden Decke sieht der Betrachter die Utensilien des Miniaturisten: ein Pult, mehrere Pinsel und eine Miniatur sowie verschiedene Papiere, wahrscheinlich Zeichnungen des Künstlers.

Andreas von Behn wurde 1650 in Christianopel in Schweden geboren. Bevor er 22jährig zum Kammermaler des schwedischen Hofes ernannt wurde, war er Zeichenlehrer des Kronprinzen und späteren Königs Karl XII. (1697–1718). Sein Schüler pflegte ihn als »Affen« zu bezeichnen. Am 22. Juli 1693 erhielt Andreas von Behn seine Bestallung als Hofminiaturmaler. Die Königinmutter Hedvig Eleonora sicherte im Jahre 1710 seine Existenz mit einer lebenslangen Pension; allerdings liegen nach 1713 keine Zahlungsbelege an Andreas von Behn mehr vor. Er soll noch in Wien gewesen, muß aber in dieser Zeit gestorben sein, weil es keinerlei Hinweise auf ihn mehr gibt (Kat. A. Gripsholm 1988, S. 52).

Andreas von Behn wurde zu Lebzeiten als Portraitminiaturist geschätzt. Seine besten Arbeiten fertigte er in Öl auf Kupfer, eine Kunsttechnik, auf die er sich spezialisiert hatte.
D.M.

Der lange Mantel verdeckt den Körper der kleinen Figur so, daß die Proportionen nicht mit Sicherheit beurteilt werden können. Die perspektivische Schräge der Arme läßt die Einschätzung ihrer Länge kaum zu. Das Gesicht ist unauffällig, so daß bei der Annahme einer proportionierten Gestalt ein **hypophysärer Minderwuchs** *in Frage käme. Bei zu kleinen Gliedmaßen und relativ langem Rumpf stünde eine Pseudoachondroplasie und bei kurzem Rumpf eine spondyloepiphysäre Dysplasie zur Diskussion.*

1700
Öl/Leinwand, 116 x 97 cm
Schloß Gripsholm
Schwedische Nationale Portraitgalerie
Inv. Nr. Grh 478

80
Unbekannter (Augsburger/Wiener?)
Kupferstecher (Martin Engelbrecht?)
Jacob Ries

1710
Kupferstich, 250 x 170 mm
Wien, Bildarchiv der österreichischen
Nationalbibliothek, beigebunden dem Wie-
ner Exemplar des »Calotto Resuscitato«

Ein im Herbst 1991 in Auftrag gegebener Forschungsauftrag, über den Wiener Aufenthalt des Hof- und Kammerzwerges Jacob Ries im Jahre 1710 neue Fakten ans Tageslicht zu bringen, blieb – wie fast zu erwarten – völlig ergebnislos. Nicht eine einzige Spur dieses ungewöhnlichen Mannes war im Wiener Haus-, Hof- und Staatsarchiv zu finden, keine Spur in der Wiener Nationalbibliothek und keine Spur in den Wiener Zeitungen und Diarien von 1710 bis 1720. Die – zu ihrer Zeit – sicher sensationellen »Auftritte« von Riesen und Zwergen, Zauberern und Taschenspielern, Rhinozerossen und Krokodilen, Mißgeburten und Weltwundern aller Art fanden in den Hofprotokollen, Tagebüchern und Journalen keinen Niederschlag. Entstandene Kosten wurden meist aus der Privatschatulle der Fürsten beglichen, und so bleiben wir auf die wenigen erhaltenen Flugzettel und bildlichen Darstellungen geschäftstüchtiger Kupferstecher und Holzschneider angewiesen.

Jacob Ries wurde nach eigenem Zeugnis 1660 in Prag geboren. Die hebräische Inschrift auf seinen beiden Wiener Darstellungen lautet: »Mein Name geht vor mir her, als einer eines Riesen, aber wer mich sieht, sagt, ich sei die Erscheinung eines Zwerges. Jacob, Sohn des Mordechai (Markus) seligen Angedenkens von der heiligen Gemeinde Prags, seiner Geburtsstadt im Monat Ab (Juli/August) des Jahres 5420 (1660). Früher war ich bekannt im Hause des... (unleserlich) als Menachem, aber nun ist die Zeit für Zwerge gekommen und für meinen Auftritt vor einem gerechten Publikum.« Darüber steht in deutscher Sprache: »Jacob Ries, der Sohn Markus', gebohren in der königl. Böheimb. Haubtstatt Prag, jetzo aber in der kay: Resid:statt Wien sich aufhaltend. 1710«. (Auf dem holländischen Raubdruck des Blattes in dem niederländischen »Callotto Resuscitato« des Wilhelm Engelb. Koning, in Amsterdam, ist die Jahreszahl auf 1716 – dem Erscheinungsjahr der holländischen Ausgabe – geändert). Die sechszeilige Bildunterschrift aber lautet: »Ein Ries dem Namen nach, ein Zwerg in seiner Länge / Ein Schalk in folio, in einem kleinen Leib / Zeigt sich auf diesem Blatt in seinem Staatsgepränge / Der jüdische Hanswurst, der Fürsten Zeitvertreib./ Der Schnitt konnt ihm nichts von seiner Mannheit reißen / Und dessen hat sein Weib sechs Zeugen aufzuweisen.«

Beim zweiten Wiener Druck von G. Falk sind die 3. und 4. Versezeile vertauscht, der Druck ist anders angeordnet, und auch Vorder- und Hintergrund sind leicht verändert. Damit wissen wir aber wenigstens mit Sicherheit, daß der jüdische Hof- und Kammerzwerg Jacob Ries sich – schon fünfzigjährig und in Prag sechsfacher Vater – 1710 in Wien aufgehalten hat. Das Hofzahlamt hat von seinem Erscheinen leider keine Notiz genommen, und so wissen wir nicht, wie erfolgreich beziehungsweise lukrativ seine Wiener »Gastspielreise« gewesen ist. Sehr erfolgreich war er zweifellos am Hofe Augusts des Starken (1670 bis 1733) in Dresden. Als er dort 1721 oder 1722 eintraf, stieß er jedenfalls auf einen ganzen Zwergenhofstaat, und es ist zu vermuten, daß er den »Doyen« der Zwerge, Mathis Frieser, der von 1680 bis 1722 als Kammerzwerg am feudalen Dresdener Hofe diente und über 80jährig gestorben war, ersetzen mußte. (J. Ries war damals aber auch schon 62 (!) Jahre alt.)

Außer ihm waren damals noch folgende Zwerge in Hofdiensten: Stephan Salewsky und Johann Wiesnewsky. Beide hatten ein Gehalt von 120 Talern. Dann noch der Zwerg Reinhard als Kammerzwerg und Zigeuner, ein Peter Psowsky und der berühmte exotische Kammerzwerg Hans. Dazu müßten noch die beiden auf dem Fröhlich-Stich dargestellten Zwerge »Mons. Weidemann« und »Mons. Winkelshofen« kommen, denen der Dresdener Hofnarr auf dem Salzburger (!) Kupferstich von 1729 seinen »närrischen Segen« erteilt.

Jacob Xie, der Sohn Marcus, gebohren in der königl. Böheim. haubtstatt Prag, jetzo aber in der kay. Resid. statt Wien sich aufhaltend 1710

שמי הולך למרחקים : כאהד מכני הענקים :

אבל הרואה אותי : יאמר בן ננס דמותי :

יעקב בר מרדכי זל מקק פראג ארץ מולדתי · ובחדש מנחב סנת הלך לפק
לידתי : ועתה על לחנה כי בא מועד לסבר רודכי גרק למה דתך :

Ein Xie, dem Nahmen nach, ein Zwerg in seiner Länge
Ein Schalck in folio, in einem kleinen Leib
Zeigt sich auff diesem blatt in seinem Staats geprange
Der Jüdische Hanß Wurst, der fürsten zeit vertreib.
Der schnitt kont ihme nichts von seiner Mannheit reißen
Und dessen hat sein Weib sechs Zeugen auffzuweisen.

235

»Inspektor der Kuriositäten« war ein weiterer Leibzwerg namens Mons. de Peine, und die Kurfürstin Eberhardine besoldete zur selben Zeit einen Leib- und Kammerzwerg namens Hans Tramm aus Bayreuth. Jacob Ries wurde von August II. gut bezahlt. Er erhielt jährlich von der Oberen Kammer zuerst 190 und bald darauf 200 Taler Lohn. (Also genausoviel wie z. B. der Bildhauer Balthasar Permoser!) Über seine Aufgaben und Tätigkeiten bei Hofe wissen wir wenig. Es ist wahrscheinlich, daß er in verschiedenen höfischen Kostümen aufgetreten ist, wie aus unterschiedlichen Darstellungen hervorzugehen scheint. Der Tod seines Brotgebers 1733 dürfte ihn in der Folge um seine Stellung gebracht haben, und er scheint in polnische Dienste getreten zu sein, da in einem Dokument vom 26. April 1751 zu lesen steht: »Der Hofkanzlist Franz Joseph Gittinger berichtet, daß der Jude Jacob Marx Ries, der königlich polnische Hofzwerg (Sic) im Wittiberstand im Göttenbergischen Hause in der oeberen Bräunerstrasse verstarb. Die meiste Zeit seines Lebens war er selbst der Hofnarr, der die Gesellschaft mit Selbstironie unterhielt. Sein Beruf scheint nicht immer einträglich gewesen zu sein, denn Jacob Ries starb in großer Armut.« J. Ries starb jedenfalls (angeblich 100 Jahre alt!) am 26. April 1751. Sein Grabstein ist nicht mehr aufzufinden. Der Zwerg mußte vor seinem Hinscheiden übrigens viele Jahre von Samuel Wertheimer unterstützt und erhalten werden, offenbar in Anrechnung seiner früheren Verdienste bei Hofe. Wie bekannt, hatte die Zwergenmode am Dresdener Hof eine echte Blütezeit erlebt. Sowohl in der prächtigen Schatzkammer als auch in den Porzellan- und Kupferstichsammlungen finden sich unzählige Zwergendarstellungen. Das »Zwergenfieber« war also an der Elbe zwischen 1680 und 1740 in jeder Weise lebendig, und der Dresdener Hof dürfte anderen europäischen Höfen als Muster und Vorbild gedient haben. Übertroffen wurde er nur noch von der ausufernden Zwergenliebhaberei am Zarenhof in Sankt Petersburg.   G.G.B.

Der Kopf und das Gesicht können als normal bezeichnet werden. Unter dem Mantel verbirgt sich ein zu kurzer Rumpf, und kurz sind auch die Gliedmaßen. Der kurzleibige Kleinwuchs entspricht dann am ehesten der Tardaform einer **spondyloepiphysären Dysplasie.**

81
Martin Engelbrecht
(Augsburg 1684 – Augsburg 1756)
nach Vorlagen von Johann Andreas
Pfeffel (Bischofingen 1684 – Augsburg
1748) und Elias Baeck, gen. Helden-
muth (? 1681 – Augsburg 1747)
**Hans Sausakh von Wurstelfeld
(= Hans Wurst)
Karikatur Joseph Stranitzky's**

Abbildung auf Seite 239

um 1710
Kupferstich, 165 x 105 mm
Salzburg, Privatbesitz

Der Augsburger Kupferstecher Martin Engelbrecht war der Stecher und Herausgeber des berühmten »Callotto Resuscitato oder Neueingerichtetes Zwerchenkabinett« und weiterer bekannter Zwergenserien und Zwergenbilderbogen zwischen 1710 und 1750.

Bereits Otto Rommel, der bekannte Wiener Theaterhistoriker, hat in seinem groß ange- legten Werk »Die Alt-Wiener Volkskomödie« 1952 auf den Zusammenhang der Zwergenka- rikatur Nr. 34 des »Hans Sausakh von Wurstelfeld, berühmter Zahnluken-Architekt und Zottenprofessor auf der hohen Baurn-Schul« mit dem Callotto Resuscitato oder den neuer- richteten Zwerchenkabinett (um 1710) und dem Wiener Volksschauspieler Josef Anton Stranitzky hingewiesen. Inzwischen hat Heinz Verfondern 1991 den Nachweis erbracht, daß das berühmte Zwergenkabinett einerseits auf die noch textlosen Karikaturenserien der sogenannten Pfeffelblätter (1704/05) zurückgeht, an denen Elias Baeck beteiligt gewe- sen sein könnte, und daß andererseits die Buchausgabe (um 1710) von Martin Engelbrecht in Augsburg gestochen und verlegt worden sein muß, und daß sie dabei mit den »pseudo- wienerischen«, das heißt übermundartlichen Alexandrinern (Rommel) versehen worden ist. Möglicherweise stammen die originellen Bildunterschriften von keinem Geringeren als J. A. Stranitzky selbst. Der Sechszeiler unter dem Hans-Wurst-Blatt lautet: »I bin holt wie I bin, bin wia maß hobn will / Bins gleichwohl nit alloan, da Norn gibs holt gar vill / Reiß I an Zohnt hear, so thoan holt d'Norrn locha / Ma kon Leuthn jo da possn nit gnua mocha / Bekemmt a moncha schon dabey an plumpn stich / Lekt er's zum bestn auß und sogt, daß ghert für dich.«

Otto Rommel hat sich mit den 50 grotesken Bildtexten nicht mehr auseinandergesetzt, sonst wäre ihm aufgefallen, daß fast alle in der Ichform gehalten sind und, so wie sie daste- hen, typische Bühnentexte der Alt-Wiener Volkskomödie darstellen könnten. Aber nun zur uns interessierenden, entscheidenden Frage: Stellt die Karikatur Nr. 34 Johann Anton Stra- nitzky portraitähnlich dar? Und, noch wichtiger: War J. A. Stranitzky ein kleinwüchsiger Schauspieler oder gar ein Zwerg? Die erste Frage wird von Otto Rommel mit einem eindeu- tigen Ja beantwortet, und er weist in seinen Begründungen einerseits auf die Kostümde- tails und die Spielsituationen (z.B. mit den beiden Wachen oder der briefempfangenden Dame im Hintergrund) hin, andererseits auf den eindeutig auf J. A. Stranitzky passenden Bildtitel und die Bildunterschrift. Der Wiener Komiker war ja, wie wir wissen, auch »Zahn- brecher« und hatte an der Wiener Universität Medizin studiert; und er war ebenso bekann- termaßen »in seinen Rollen, vielleicht auch in seinem Herkommen« ein Sauschneider aus dem Salzburger Lungau – wie dieser Beruf auf dem sogenannten Riepl-Blatt Nr. 41 der Cal- lottoserie genau beschrieben wird.

Da Rommel 1952 aber die Pfeffelblätter noch nicht kannte, konnte er nicht wissen, daß Stranitzky-Hanswurst auch dort schon als Zwerg in der »Krautwachter Szene« und in der »Sauschneider-Riepl-Szene« als Sauschneiders Knecht dargestellt wird. Dabei sitzt er ritt- lings auf einem Eber, während ein zweiter Knecht sein Werk tut. (Dieser mit einem Eber kämpfende Hanswurst taucht um 1720 in einer Nürnberger Handwerker-Karikatur von G. D. Heumann wieder auf!) Aber nun kommt das Merkwürdige: Auch auf einer Reihe von Kupferstichen, welche nicht als Karikaturen anzusprechen sind, sondern eher als Portrait- stiche, wird der Wienerische-Salzburgische Hanswurst als besonders kleiner, großköpfiger Mann – also als Zwerg – dargestellt.

Besonders auffällig ist dies auf einem wenig bekannten Blatt mit der Unterschrift: »Vera effigies rustici dicti Hans Wurst alias IND« beziehungsweise auf der seitenverkehrten Fassung mit dem Titel: »Wäre Bildnis des artigen und lustigen Bauern Hans Wurst«. Auf beiden Blättern (in H. G. Asper: Hanswurst Abb. 44, 45) ist ein zwergisch kleiner Mann zu sehen, einmal auf einer Bühne, einmal vor einer Dorfkulisse im bekannten Hanswurst-Kostüm mit auf dem Rücken verschränkten Armen. Auffallend ist sein stechender Blick, und auffallend sind auch seine extrem kurzen Beine. Auf einem anderen anonymen Kupferstich, »Quacksalber mit Hanswurst«, sehen wir den Wienerischen Hanswurst neben einem normalwüchsigen, seine Medizin anpreisenden Quacksalber auf einer Bank stehen. Hanswurst, in seinem bekannten Kostüm, den Hut auf den Rücken gebunden, reicht aber dem Marktschreier nicht einmal bis zur Schulter! Und auch auf der bekannten Illustration zur »Lustigen Reiß-Beschreibung« von 1717 ist Hanswurst wesentlich kleiner dargestellt als der Schauspieler, welcher den französisch gekleideten Helden spielt.

Es wäre die dankenswerte Aufgabe einer tiefschürfenden theaterwissenschaftlichen Forschungsarbeit, die vielen mit diesen Fragen verbundenen Probleme im Zusammenhang mit den Originaltexten Stranitzkys und seiner Nachfolger zu lösen.

Es hat jedenfalls zu allen Zeiten auf allen Bühnen der Welt kleine und auch sehr kleine Komiker und Schauspieler (und Sänger!) gegeben, welche ihren Kleinwuchs ganz bewußt als Kunst- und Stilmittel eingesetzt haben. Selbstverständlich spielten Zwerge auch im Zirkus und Varieté immer eine große Rolle, besonders als Pausenclowns, aber auch in eigenen berühmten Clownnummern. Warum sollte es beim Ur-Hanswurst Johann Anton Stranitzky anno 1704/05 bis 1726 anders gewesen sein?   G.G.B.

*Diese karikaturhafte Darstellung zeigt einen normalen Kopf, einen kurzen Leib und relativ lange Gliedmaßen. Hüften und Knie sind gebeugt (Beugekontrakturen). Daraus ließe sich ein **metatropischer Kleinwuchs**, ein Kniest-Syndrom oder eine kongenitale spondyloepiphysäre Dysplasie ableiten.*

Cum Priv. S. C. M.

Hans Sausakh von Wurstelfeld, Berühmter Sahnlüken
Architect ü. Zossen Professor auff der Hohe Baürn Schühl.
I bin holt wie I bin, bin wia maß hobm will,
Bins gleichwohl nit alloan, da Norn gibts holt gar vill,
Reiß i an Zohin hear, so thoan holt d'Norrn locha,
Ma kon a Leüthn jo da possn nit gnua mocha,
Bikemta moncha schon daben an plümpm stich,
Lekt Ers zum bestn auß, ünd sogt doß ghert sia dich.

82

Werkstatt der Brüder Sommer
Groteskfigur: Tänzer

Die Bildhauer- und Ebenistenfamilie Sommer lebte und arbeitete über mehrere Generationen hinweg im württembergischen Künzelsau an der Kocher. Ihre Werke finden sich im größeren Umkreis ihrer Heimatstadt, etwa im Kloster Schöntal an der Jagst.

Die an einen Moriskentänzer erinnernde Groteskfigur steht in einem weiten Ausfallschritt nach rechts; mit seinen linken Zehenspitzen berührt er gerade den Boden, während er seinen rechten Fuß fest auf einen Stein gesetzt hat. Seinen Kopf, den er leicht nach oben gedreht hat, ziert eine rote Mütze mit grüner Krempe. Diese reicht ihm bis über die Ohren. Sein Gesicht wird durch die großen Augen und die überlange Nase beherrscht. Der Zwerg trägt eine enganliegende Hose, die in kurzen roten Stiefeln steckt. Um die Hüfte hat er über der Jacke einen Lederriemen gebunden. Der linke Arm hängt nach unten, die Finger sind gespreizt. In der erhobenen Rechten hielt er einen heute verlorenen Gegenstand, vielleicht einen Stock.

D.M.

Beschreibend ist lediglich eine proportionierte Statur festzustellen. Auffallend sind die großen Augen und Hände, denen man aber keine krankhafte Bedeutung beimessen kann. Eine diagnostische Abgrenzung ist nicht möglich.

um 1715
Holzschnitzerei, farbig gefaßt, Höhe 40 cm
Stuttgart, Württembergisches
Landesmuseum
Inv. Nr.: 1969-363

83
Francesco Trevisani, gen. Romano
(Capodistria 1656 – Rom 1746)
Das Gastmahl der Kleopatra

Der Künstler Francesco Trevisani ging um 1675 nach Rom. Er wurde von den Kardinälen Flavio Chigi und Pietro Ottoboni gefördert. Trevisani schulte sich zuerst an den Werken der Brüder Carracci (s. Nr. 45, 47) in der Galleria Farnese und gilt heute als einer der Begründer und führenden Künstler der römischen Rokoko-Malerei.

»Das Gastmahl der Kleopatra« entstand in den Jahren um 1717. Eine Studie des Gemäldes befindet sich in den Uffizien in Florenz.

Folgende Geschichte aus der »Naturalis Historia« (9. Buch, Kap. LVII, §§ 119-121) des römischen Historienschreibers Plinius d. Ä. wird mit diesem Bild illustriert: Der römische Heerführer Antonius, links am Tisch in Helm, Rüstung und blauem Feldherrenmantel, hatte Ägypten erobert. Nun hält er zusammen mit seiner besiegten Gegnerin, der ägyptischen Königin Kleopatra, in deren Palast ein festliches Gastmahl ab. Auf einer Terrasse, deren Bogenstellungen sich auf einen Park und eine andere Architektur öffnen, ist für die beiden hohen Personen ein runder Eßtisch mit wertvollstem Tafelgeschirr aufgestellt worden. Antonius ist mit militärischen Begleitern gekommen, deren einer ganz links mit Fell und Keule einem Herkules ähnelt. Rechts hat Kleopatra, geschmückt mit der Krone und einem roten Obergewand und begleitet von ihren Hofdamen, darunter eine Nubierin, Platz genommen. Die kultivierte Ägypterin hatte mit dem ungeschlachten Römer, der auch ihr Liebhaber war, gewettet, sie werde ihm ein Gastmahl ausrichten können, dessen Wert die ungeheure Summe von zehn Millionen Sesterzen übersteige. Und nun ist Kleopatra im Begriff, ihre Wette zu gewinnen: In der einen Hand hält sie ein goldenes Gefäß, das mit Essig gefüllt ist; mit den elegant gespreizten Fingern der anderen Hand aber hält sie eine Perle von unschätzbarem Wert, die sie sogleich im Essig auflösen wird. Der von dieser Verschwendung besiegte und in höchstes Erstaunen versetzte Antonius beugt sich mit ausgestrecktem Arm über den Tisch, um der Königin die Perle zu erhalten.

Die Mitte des Bildvordergrundes wird von einem Zwerg mit Turban beherrscht, der offensichtlich zum Hofstaat der Kleopatra gehört. Während er wie erschrocken zu Antonius hinaufblickt, versucht er unter Einsatz seines Körpergewichts einen gefleckten Hund, der links vorn einen Knochen erschnüffelt hat, an einer langen Leine nach rechts zu zerren. – Was der Hofzwerg mit dem Hund tut, scheint der Maler als eine Art Kommentar zu der Handlung zwischen Königin und Feldherr verstanden wissen zu wollen. So wie Antonius Kleopatra daran hindern will, die Perle zu vernichten und ihren Sieg über ihn zu vollenden, so zerrt der Zwerg den Hund von seinem Knochen weg. D.M.

*Vorherrschend sind die kurzen rhizomelen Gliedmaßen, die vorspringende Stirn und die eingesunkene Nasenwurzel. Dies gestattet die Diagnose einer **Achondroplasie**, obwohl der Rumpf etwas kurz erscheint.*

Öl/Leinwand, 65 x 63 cm
Rom, Galleria Spada

84

Harding (tätig Mitte 18. Jh. in London)
Matthias Buchinger in London 1724

Obwohl Matthias Buchinger (1674–1740) überall – vor allem in der englischen Literatur – als Zwerg aufscheint, kann man ihn eigentlich nicht zu den berühmten kleinwüchsigen Menschen des 18. Jahrhunderts zählen. M. Buchinger war nämlich ein normal gewachsener Mann – geboren allerdings ohne Hände, Beine und Füße. Aber trotz dieser schwersten körperlichen Behinderung spielte der Ansbacher Taschenspieler – das war sein tatsächlich erlernter Beruf – mehr als ein halbes Dutzend Instrumente, tanzte (!) einen alten englischen Matrosentanz, die »Hornpipe«, zauberte »aus der Tasche«, spielte Karten und Würfel und führte unter anderem eine Reihe ausgefallener Kunststücke mit Kegeln vor. Außerdem konnte er in verschiedenen Sprachen vor- und rückwärts und spiegelverkehrt schreiben und zeichnete Portraits, Landschaften, Ornamente und Wappen. Buchinger war zweifellos einer der seltsamsten und »merk-würdigsten« Erscheinungen seiner Zeit und verstand es offenbar glänzend, seine Person und seine Kunststücke in ganz Europa wirkungsvoll darzustellen und entsprechend zu vermarkten. Eine Reihe von Portraits und Selbstportraits sowie Darstellungen seiner Kunstfertigkeiten sind ebenso bekannt wie zahllose Schriftproben und Ornamente von seiner »Hand«.

Matthias Buchinger wurde am 2. oder 3. Juni 1674 in Ansbach geboren, erhielt offenbar eine hervorragende Erziehung und muß wohl schon 1709 zum ersten Mal öffentlich aufgetreten sein, da er schon 1701 in Kopenhagen zum ersten Male heiratete. Ein Jahr darauf wurde seine erste Tochter geboren, 1703 starb seine erste Frau in Rotterdam (!). 1706 heiratete der kleine Mann zum zweiten Male. Aus dieser Ehe stammen drei Kinder, aber bereits 1710 verlor er seine zweite Frau in Zürich. Schon vier Monate nach deren Tod heiratete er am 24. Juli in Hildesheim seine dritte Weggefährtin, welche ihm im Laufe der folgenden zwölf Jahre fünf Kinder schenkte. Sie starb 1722 in Galeway in Irland (!). Noch im selben Jahr heiratete das »Wunder aus Anspach« ein viertes Mal. Aus dieser Ehe entstammen weitere vier Kinder – das war zumindest der Stand der Dinge, als er 1734 seinen berühmten Familienstammbaum schrieb und zeichnete. M. Buchingers Todesjahr ist ungesichert. Aber er dürfte 66jährig 1740 (in Irland ?) gestorben sein. Eine ausführliche Biographie erschien 1868 in »Giants and Dwarfs« von Edward J. Wood in London und schließt mit einer mehrseitigen, wortreichen Elegie und einem kurzen Epitaph, welcher nach Buchingers Tod in Dublin (!) erschienen ist. Unter den vielen Selbstzeugnissen des ungewöhnlichen Mannes ist die Bildlegende des Stiches von 1724 äußerst informativ, welche Buchinger selbst geschrieben hat. (Mr. Isaac Herbert zahlte dem Kupferstecher Harding 50 Guineas, also 1100 englische Schillinge, um die kunstvolle Zeichnung stechen zu lassen!). Der Text lautet: »London, 29. April 1724. Das ist das Bildnis des Herrn Matthias Buchinger, gezeichnet und geschrieben von ihm selbst. Er ist ein wundersamer kleiner Mann, nur 29 Inches (etwa 75 cm) groß, geboren ohne Hände, Füße und Oberschenkel am 2. Juni 1674 in Deutschland, im Kurfürstentum Brandenburg, in der Nähe von Nürnberg. Er war das letzte von neun Kindern von einem Vater und einer Mutter, darunter waren acht Söhne und eine Tochter. Eben derselbe kleine Mann war viermal verheiratet und hat elf Kinder gezeugt, eines mit seiner ersten Frau, drei mit seiner zweiten, sechs mit seiner dritten und eines mit seiner jetzigen.

Dieser kleine Mann führt so wundervolle Kunststücke vor, welche – außer von ihm – noch von keinem anderen gezeigt worden sind. Er spielt bewundernswert verschiedene Arten von Instrumenten wie z.B. Oboe, Flöte und Dudelsack, Hackbrett und Trompete und erfindet auch Maschinen, um praktisch alle Arten von Instrumenten spielen zu können.

1724 datiert
Kupferstich nach Buchingers
Handzeichnung, 295 x 190 mm
London, im Kunsthandel

LONDON, April the 29. 1724. This is the Effigies of Mr. Matthew Buchinger, being ɣ Drawn and Written by Himself He is the wonderful Little Man of but 29. Inches high, born without Hands, Feet, or Thighs, Iune the 2. 1674. in Germany, in the Marquisate of Brandenburgh, near to Nurenburgh, He being the last of nine Children, by one Father and Mother, Viz: Eight Sons, and one Daughter The same little Man has been married four times, and has had Issue eleven Children, Uiz: one by his first Wife, three by his second, six by his third, and one by his present Wife.

This little Man performs such Wonders as have never been done by any, but Himself. He plays on various Sorts of Music to Admiration, as the Hautboy, Strange Flute in Consort with the Bagpipe, Dulcimer and Trumpet; and designs to make Machines to play on almost all Sorts of Music. He is no less eminent For Writing, Drawing of Coats of Arms, and Pictures to the Life, with a Pen: He also plays at Cards and Dice; performs Tricks with Cups and Balls, Corn and live Birds; and plays at Skittles or Nine-Pins to a great Nicety, with several other Performances, to the general Satisfaction of all Spectators.

245

Nicht weniger geschickt ist er im Schreiben, Zeichnen von Wappenschildern und Portraits nach der Natur mit seiner Feder. Ebenso spielt er Karten und Würfel, zeigt Tricks mit Bechern und Bällen, Körnern und lebenden Vögeln, er spielt auch Kegel Nine-Pins (ein englisches Kegelspiel) mit großem Geschick und einige andere Darbietungen zur größten Zufriedenheit aller Zuschauer.«

In einer deutschen Ankündigung auf dem Stich von Elias Baeck, genannt Heldenmuth, von 1711 (?) heißt es in den Titeln der einzelnen Kleindarstellungen: »Spilt aus der Taschen, Mischet Karten, Steckt ein Faden in Nadel, Präsendiert ein Stück mit Geld, Zeichnet mit der Feder, Spilt mit Würfflen, Alhier schreibt er, Schneid ein Feder sich selber, Spilet auf einem Hack-Brett, Ladet ein Gewehr, Balbiert sich selber, Schneid curiose Sachen von Holz, Schiebt Kegel.« Kein Wunder, daß der kleine Mann ohne Hände und Beine Weltruhm erlangte und an allen europäischen Fürstenhöfen, aber auch auf Jahrmärkten und Messen bewundert wurde und dabei sicher nicht schlecht verdiente. Auch seine vielen Frauen und Kinder werden zu seiner Zeit ein unerschöpfliches Thema des wundergläubigen und sensationslüsternen Publikums gewesen sein.

Auffällig sind auf den bisher bekanntgewordenen Darstellungen wieder die prächtigen Kostüme (die u. a. auch an Hans Worrenbergs Ausstattung erinnern!), die verschiedenen Prunkpolster, auf denen er sich bewegte (oder bewegt wurde?) und die zeitgemäßen großen Perücken. Auf der Londoner Perücke von 1724, die er in wochenlanger Kleinstarbeit selbst gezeichnet und beschriftet hat, sind in die einzelnen Locken sechs ganze Psalmen und das Vaterunser (!) gestochen scharf hineingeschrieben, also integriert. Und das von einem Menschen ohne Hände! Aber dafür mit einem unglaublichen, fast unvorstellbaren Mut und einem eisernen Willen und Fleiß. Tausende Stunden harter Arbeit und tägliches Training, wie bei allen Artisten, haben das unmöglich scheinende möglich gemacht: Matthias Buchinger war tatsächlich ein Weltwunder an Geschicklichkeit und Willenskraft und könnte noch heute vielen Behinderten ein Vorbild sein! An großer Phantasie, Besessenheit und geistiger, seelischer Kraft und Stärke.

G.G.B.

Buchinger gehört zu den »unwahren Zwergen« der alten Nomenklatur. Er litt nicht an einer Wachstumsstörung, sondern an einer **Dysmelie** *mit Gliedmaßenstummeln.*

85

anonym, vor 1725, vielleicht Ferbecq
Tanzender Zwerg

Abbildung auf Seite 248

Große Barockperle, Gold, Email
Diamanten, Höhe 8 cm
Grünes Gewölbe
Staatl. Kunstsammlungen Dresden
Inv. Nr. VI 97

Das Dresdner Grüne Gewölbe, die Schatzkammer der sächsischen Herrscher, besitzt die umfangreichste und qualitätvollste Sammlung derartiger Groteskfigürchen vom Anfang des 18. Jahrhunderts. Im Pretioseninventar von 1725 wird unter anderem diese kleine Figur eines Trinkers genannt. Laut Inventar stammt sie, wie auch einige andere, »von Ferbecq aus Frankfurth (am Main)«. Ferbecq war ein Frankfurter Händler und Juwelier, wird aber im Zusammenhang mit dieser besonderen Gattung der Juwelierplastik als Händler aufgetreten sein (Kat. A. Essen 1986, S. 417).

Der Körper dieses Groteskfigürchens wird von einer großen schimmernden Barockperle gebildet. Eine Reihe von Diamanten dient als Andeutung von Knöpfen. Der Kopf, die Arme und Füße wurden in Gold angefertigt, mit Email überzogen und an die Perle montiert. An seiner bunten Narrenkappe hat der Zwerg eine Spielkarte, die Karo Zehn, befestigt. In der rechten Hand hält er den goldenen Henkel einer blauen Weinkaraffe, mit seiner Linken hält er einen Trinkbecher in die Höhe, dem er seinen Blick zugewendet hat. Er wird dadurch als Trinker und Spieler gekennzeichnet.

Diese Pretiose gehört in die Reihe von freien Umsetzungen der von Jacques Callot um 1620 geschaffenen Kupferstichserie »Varie figure gobbi« (s. Nr. 51), die insgesamt 20 Blätter umfaßt. Bei der Gestalt des trinkenden Zwerges sind es zwei Stiche, die der Groteskfigur als Vorbild gedient haben (siehe Abb. am Rand). Im Kunsthandwerk des Barock und Rokoko haben die »Gobbi« von Callot eine wichtige Rolle gespielt. So haben nicht nur Goldschmiede diese Stiche umgesetzt (s. Nr. 86, 87), sondern auch in Porzellanmanufakturen oder Schnitzwerkstätten fanden sie Verwendung.
D.M.

Die Figur läßt sich nur schwer einer nosologischen Kleinwuchsform zuordnen. Die fast kugelige Gestalt würde einer exzessiven Verbiegung der Wirbelsäule (Kypho-Skoliose) entsprechen und könnte bei den dünnen Gliedmaßen als **Osteogenesis imperfecta** *(Glasknochenkrankheit) gedeutet werden.*

86

anonym, vor 1725, vielleicht Ferbecq
Ausgelassener Koch,
der auf dem Bratrost geigt

Abbildung auf Seite 249

Große Barockperle, Gold, Email
Diamanten, Höhe 8 cm
Grünes Gewölbe
Staatl. Kunstsammlungen Dresden
Inv. Nr. IV 88

Auch diese Groteskfigur stammt aus dem Dresdner Grünen Gewölbe. Im Pretiosen-Inventar von 1725 wird wieder der Name des Frankfurter Händlers Ferbecq aufgeführt, von dem auch der Trinkende angekauft worden war (s. Nr. 85).

Der Juwelier hat eine große Barockperle als Körper verwendet, auf die mehrere kleine Diamanten als Knopfreihe aufgeklebt worden sind. Der Kopf und die Gliedmaßen bestehen aus blau emailliertem Gold, mit dem die Perle gefaßt wurde. Die Figur stellt einen tanzenden Zwerg als Koch dar, der mit dem Bratspieß auf einem Bratrost »geigt«.

Wie der Trinker ist der fröhliche Koch eine freie Umsetzung nach Callots »Varie figure gobbi«, die um 1620 entstanden (siehe Abb. am Rand).
D.M.

Die symbolisierte Figur ist keiner definierten Wachstumsstörung zuzuordnen.

248

87
Anonym, zwischen 1716 und 1725
Zwei Salzfässer

Diese beiden Elfenbeinstatuetten, die Bergkristallschalen auf dem Kopf balancieren, wurden in der Leipziger Werkstatt entweder der Goldschmiedefamilie Lauch (Kat. A. Altenburg 1975, S. 125) oder Lücke (Kat. A. Essen 1986, S. 418) für das Grüne Gewölbe in Dresden angefertigt. Im Pretiosen-Inventar der sächsischen Schatzkammer von 1725 findet sich der Hinweis »Ist vom Gold Schmidt Lauch in Leipzig«, was sich aber wahrscheinlich auf die nicht gemarkte Fassung der Stücke bezieht (Kat. A. Essen 1986, S. 418). Von den ursprünglichen farbigen Bemalungen der höfischen Kostüme sind nur noch Reste vorhanden.

Die beiden tanzenden Figuren entstanden nach Vorlagen des Kupferstichwerks »Neu eingerichtetes Zwerchen Cabinet«, das 1716 in Augsburg erschienen war. Der Autor beruft sich auf Jacques Callots Radierungen verwachsener Zwerge, die um 1620 in Florenz entstandenen »Varie figure gobbi« (s. Nr. 51), aber er hat seine Figuren ins Burlesk-Komische abgewandelt und mit lustigen Versen versehen.

Die Unterschrift für die Zwergin lautet in der Augsburger Vorlage »Mademoiselle Jolicoeur, danceante avec son Amant l'Opera du Village en Provence«, für den Zwerg »Mons.r Gilles Plattfues, Maitre de Danse a l'Academie des Lourdeaux«.   D.M.

Die großen Köpfe der beiden Figuren, ihr gedrungener Leib und die rhizomelen Gliedmaßen lassen sich kaum nosologisch exakt einordnen. Allenfalls könnte eine **spondiloepiphysäre Dysplasie** *in Frage kommen.*

Elfenbein, Bergkristall, vergoldetes Silber
Diamanten, Farbsteine, Kameen
Höhe 20,5 cm
Grünes Gewölbe
Staatl. Kunstsammlungen Dresden
Inv. Nr. VI 180 und Inv. Nr. VI 181

88

Frans von Stampart (?)
(Antwerpen 1675 – Wien 1750)
Der Salzburger Hofzwerg
Franz von Meichelböck

um 1727
Öl/Leinwand, 90 x 70 cm
Berlin, Deutsches Historisches Museum

Frans von Stampart war unter anderem Hofmaler am Hofe der Salzburger Erzbischöfe, besonders tätig in der Regierungszeit Franz Anton von Harrachs (1709–1727).

Die Lebensgeschichte des Salzburger Hofzwerges Franz von Meichelböck konnte aufgrund der Tatsache, daß in jahrelanger Kleinarbeit ein reiches Archivmaterial über ihn ausgeforscht werden konnte, ziemlich lückenlos rekonstruiert werden. Der Favorit des Salzburger Erzbischofes Franz Anton von Harrach wurde – und das ist höchst selten – als Sohn des Stifterzwerges Johann Adam Meichelböck am 24. Januar 1695 im Benediktinerstift Kempten geboren. Er scheint dort eine gediegene Ausbildung erhalten zu haben und dürfte etwa 13- oder 14jährig nach Salzburg gekommen sein, da er schon unter dem kranken Erzbischof Ernst Thun diente. In den Privatausgaben Harrachs taucht sein Name erstmals im Frühjahr 1711 auf. Damals spendierte der Salzburger Landesfürst »... für das Franzl Zwergl seine zwei Kleider laut extract und beilagen... 278 Gulden, 23 Kreuzer«. Ein kleines Vermögen, wenn man bedenkt, daß zum Beispiel ein Galakleid des Fürsten nur 37 Gulden 3 Kreuzer gekostet hatte. 1712 bekam Meichelböck zu seiner prächtigen Husarenuniform noch einen »Hungarisch-reichen Gürtel aus Silber« (wohl mit einem Zierdegen) um 63 Gulden und 24 Kreuzer. Leider ist bis heute noch kein Bild aufgetaucht, das Meichelböck in seiner Parademontur zeigt, aber sie läßt sich sicher ohne weiteres mit der Husarenuniform Eibeggers (s. Kat. Nr. 96) oder des Fuldischer »Kerz« vergleichen. Das lebensgroße Portrait aus der Firmianischen Sammlung zeigt ihn als Edelmann mit Perücke, Stock und Degen, einem altmodischen, aber für Hofzwerge typischen Kleid. Man kann aber davon ausgehen, daß Meichelböck mindestens sieben verschiedene Kostüme besessen hat, denn er hatte bereits ab 1717 einen Zwergenlakaien, zu welchem später auch noch ein »Famulus« kam, von dem wir aber nicht wissen, welche Funktion er hatte. In der prächtigen Salzburger Residenz und in den Lustschlössern Mirabell und Kleßheim, ja sogar im Schloß Tittmoning hatte der Hofzwerg seine eigenen Gemächer, prächtig ausgestattete Zimmer mit eigens für ihn gezimmerten Möbeln, wie das berühmte Zwergenbett »le Tombeau«. In den Residenzinventaren haben sich die genauen Einrichtungslisten erhalten, und so haben wir eine genaue Vorstellung, wie »fürstlich« der Salzburger Hofzwerg wohnte. Er ist aber auch von Harrach fürstlich für seine Dienste und für seine Treue belohnt worden. Sein Herr legte für seinen Lieblingszwerg bei der Landschaftskasse 5000 Gulden an, so daß Meichelböck mit den 5 Prozent Zinsen jederzeit sein Auskommen gehabt hätte. (Als er starb, hinterließ er seiner Schwester diese 5000 Gulden unangetastet, eine Weile mußte er allerdings auf die Zinsen zurückgreifen, weil der Nachfolger Harrachs seinen Hofzwerg auf schmale Kost setzte bzw. seinen nirgends festgeschriebenen hohen Lohn kürzte.) In der Harrachzeit ist es dem kleinen Mann aus Schwaben jedenfalls beneidenswert gutgegangen, und der Tod seines Gönners am 18. Juli 1727 muß für ihn ein furchtbarer Schlag gewesen sein. Da sein Name nicht in der Liste des Trauerkonduktes auftaucht, ist anzunehmen, daß der Tod seines Herrn ihn so getroffen hatte, daß er nicht an dem Fürstenbegräbnis teilnehmen konnte. Dafür erfahren wir, daß er sich in der sedevacanten Zeit um die hohen Gäste kümmerte und zum Beispiel am 27. September 1727 mit dem Bayerischen Wahlkommissär Graf von Arco und dem Salzburger Grafen Überacker tafelte. Beim prächtigen Einzug des neuen Erzbischofs Graf Firmian wird an 21. Stelle der damals sicher in höchster Gunst stehende Hof- und Kammerzwerg folgendermaßen beschrieben: »Nach dem Leibwagen (des Erzbischofs) folgte Franz von Meichelböck, hochfürstlicher Zwerg zu Pferde mit einer von Gold gestickten Schabracke und reich vergoldetem Zaumzeug, in einem von blauem Samt und goldge-

stickten Hungarischem Kleid auf dem Haupt eine dergl. Hungarische Mütze mit Zobel ausgeschlagen und mit geschmuck verputztem Reiher-Busch.« Hinter ihm ritten dann in rotgoldenen Livreen die sechs Herren Edelknaben und der weitere Hofstaat. Mit Erzbischof Firmian scheint sich Meichelböck allerdings ein paar Jahre später überworfen zu haben, denn dieser kürzte seine Einkünfte auf 250 Gulden, und sein Name taucht in den folgenden 17 Jahren nur noch selten auf. Bei Firmians Tod und Leichenbegängnis finden wir den inzwischen fast 50jährigen Hof- und Kammerzwerg wieder in den gedruckten Verzeichnissen. Und beim Einzug seines vierten Herrn, dem Fürsten Ernst von Liechtenstein, reitet Meichelböck wieder »in Hungarisch reichem Kleid« hinter dem erzbischöflichen Leibwagen in die Stadt ein. Offenbar hatte er seine Reputation wiedergewonnen, denn auch sein Lohn wurde von Liechtenstein, wie in früheren Zeiten auf 500 Gulden erhöht, und im März 1745 wird Meichelböck sogar zum Stifter eines kostbaren Kreuzpartikels, welches er umständlich und verbunden mit den entsprechenden Messen für die Schloßkapelle seiner Schwester nach St. Anna in Liefering bei Salzburg stiftet. Ein Jahr später erscheint sein Name dann wieder mehrfach in den Hofratsakten, als es im Februar um sein Testament geht, welches in den Salzburger Archiven zwar mehrfach genannt, aber leider verschollen ist. Wie gesagt, der fromme und sparsame Kemptener Hofzwerg ist am Ende seines Lebens ein steinreicher Mann gewesen, und so dürften sich viele geistliche und weltliche »Erben« um ein Erbteil bemüht haben. Am 22. März vormittags ist der Baron von Meichelböck, zweifellos versehen mit den heiligen Sterbesakramenten, in der Residenz gestorben. Das vielbeachtete Begräbnis fand am Freitag, dem 25. März, in der wundervollen Franziskaner-Kirche statt. Der Hofzwerg wurde in der Thunschen Familiengruft beigesetzt (!), also unterm Franziskusaltar nahe dem Pacherschen Hochaltar. Sein Onkel, der Abt von St. Peter, schreibt in sein Tagebuch: »Am 22. ds. Monats starb im Palast des Fürsten der vornehme Herr Franz Meichelböck, unter 3 Erzbischöfen, Ernst, Franz Anton und Eleutherius, ja sogar – und zwar schon das zweite Jahr unter dem neuen Erhabenen – Hofzwerg, ein Mann, obwohl von Wuchs zart und klein, so doch an Geist und Verstand hochragend und deshalb dem ganzen Hofe höchst wert.« So endete ein Zwergenleben in Dankbarkeit und Anerkennung. Die »ewigen Messen« wurden für ihn bis ins ausgehende 19. Jahrhundert gelesen. Nur wenige Menschen können auf ein so reiches und bewegtes, aber würdig und angesehen beendetes Leben zurückblicken. Das »Franzl Zwergl« hatte mit Fleiß und Intelligenz, mit Frömmigkeit und Geschick in Salzburg sein Glück gemacht.   G.G.B.

Über Meichelböcks Größe ist nichts bekannt, aber wir wissen, daß sein Vater auch kleinwüchsig gewesen ist. Auf dem Bild erscheint er proportioniert. Das pastöse und etwas kindliche Gesicht weist auf einen **hypophysären Minderwuchs** *hin.*

89
Unbekannter (Münchener?)
Kupferstecher
Peter Prosch vor
Kaiserin Maria Theresia 1757

Abbildung auf Seite 257

Kupferstich 130 x 85 mm
Illustration zu »Leben und Ereignisse des
Peter Prosch«
München 1789, von Anton Franz
Kurfürstlicher Hof-, Akademie- und
Landschaftsdrucker

Wie klein der berühmte Hoftiroler und Handschuhhändler Peter Prosch aus Ried im Zillertal tatsächlich gewesen ist, wird wohl nie mehr festzustellen sein. In seiner bekannten
Sammlung selbsterlebter Abenteuer »Leben und Ereignisse des Peter Prosch, eines Tyro-
lers von Ried im Zillerthal, oder das wunderbare Schicksal, geschrieben in den Zeiten der
Aufklärung, München 1789« (Reprint W. Ludwig Verlag Pfaffenhofen 1984) gibt der »König
der Spaßmacher« darüber keine Auskunft. Auf den seiner Biographie beigebundenen Kupferstichen eines unbekannten Künstlers sehen wir ihn gleich zu Beginn vor der Kaiserin
Maria Theresia »winzig klein« stehend, obwohl er damals – 1757 – schon zwölf oder drei-
zehn Jahre alt war und mindestens doppelt so groß hätte sein müssen. Die Kaiserin begrüßt
ihn darüber hinaus mit den Worten: »Grüß Dich Gott, Kleiner« und behandelt ihn entsprechend. In seiner Ausdrucksweise und in seinem Anliegen verhält er sich allerdings wie ein
Erwachsener. Auch auf der Darstellung der Sauhatz bei Bamberg – Prosch ist inzwischen
23 Jahre alt – sehen wir einen überraschend kleinen, stämmigen Kerl vor dem Eber flie-
hen. Am Hof zu Bamberg hatte er übrigens seinen Mittagstisch »wie gewöhnlich in der
Pagerie bei den (Edel-)Knaben«, ein weiteres Indiz für seine eher jungenhafte Erscheinung.
Auch auf dem Stich, wo er um Mitternacht splitternackt vor einem angeblichen Bären
flieht, erkennen wir einen knabenhaften Burschen und nicht einen jungen Mann. Auf vielen anderen Darstellungen ist Peter Prosch allerdings als normalgewachsener Tiroler abgebildet, und so liegt die Wahrheit vielleicht in der Mitte, und der Branntweinbrenner und
Handschuhhändler aus dem Zillertal war einfach ein kleiner, fester Tiroler, der in der großen weiten Welt sein Glück zu machen suchte.

Kulturgeschichtlich wichtig und signifikant sind seine Erlebnisse an den verschiedenen
süddeutschen und österreichischen Residenzen. (Ja, er kam sogar bis Paris an den Hof der
unglücklichen Marie Antoinette.) Denn die Possen, die man mit ihm treibt, die Streiche, die
man ihm spielt und die (natürlich meist harmlosen) Abenteuer, in die er verstrickt wird,
sind typisch für die Späße, die man sich mit Hofnarren und Hofzwergen erlaubte. All diese
oft sehr spektakulären »practical jokes« dienten zur unschuldigen Unterhaltung des Hofes,
der Damen und der Fürsten, und je mehr über einen gelungenen Spaß gelacht werden
konnte, desto größer war die Belohnung oder das entsprechende »Schmerzensgeld«. Zum
Beispiel ließ Fürst Friedrich zu Hohenlohe-Bartenstein seinen Hoftiroler (natürlich in der
entsprechenden Kostümierung!) auf eine Stute binden und schickte ihn, der freilich nicht
reiten konnte, dem Fürsten von Schillingsfeld entgegen. Das bekannt wilde Pferd ging mit
ihm durch, und der Hoftiroler verlor bei diesem Abenteuer Peitsche, Zügel, Hut, Stock,
Säbel und – seinen Verstand, das heißt, er wurde vor Schreck ohnmächtig. Zuletzt heißt
es: »Man band mich wieder loß, hob mich herunter und trug mich sogleich ins Wirtshaus,
wo man mir geschwind eine Ader öffnete und ich drei Wochen im Bette liegen mußte. Ich
wurde (Gott sei gedankt) wieder besser und hernach vom Fürsten ehrlich beschenkt.«
Diese »Geschenke« waren meist ein paar Taler oder Dukaten, 1771 sogar nach der »Verlorenen Katzenwette«, wo Prosch durch einen Kanal gezogen wurde und fast ertrank, eine
Leibrente von jährlich zwölf bayerischen Talern. Sein Portrait zeigt ihn auch mit einem
prächtigen Orden, von denen er im Laufe seines Lebens eine Reihe einheimsen konnte.

Wichtig an dem lebendigen Bericht des kleinen Hoftirolers sind aber die detaillierten
Angaben, wie es den Hofnarren, Hofzwergen, Hofriesen, Hoftirolern und Hoftaschenspie-
lern im 18. Jahrhundert ergangen ist. Wie sie an den verschiedenen Fürstenhöfen lebten,
wie sie verkauft, vertauscht, weiterempfohlen und belohnt worden sind, wie sie integraler

Bestandteil einer Hofhaltung und des Hofzeremoniells gewesen sind und wie sie mit den wenigen Künsten, welche sie beherrschten, mit ihrer Schlagfertigkeit, ihrem Witz und wohl auch ihrer grenzenlosen »Frustrationstoleranz« ihr Leben verdienten. Daß dieses Leben immer wieder seine bitteren Kehrseiten hatte, daß Hunger, Not und Tod diese merkwürdigen Existenzen ständig bedrohten, kann man Wort für Wort in Proschs Erinnerungen lesen. An vielen Stellen erfahren wir, daß er immer wieder lange und bitter »rehren« (heftig und laut weinen) mußte, und auf Seite 181 schließt er sein kummervolles Kapitel, »… und rehrte die ganze Nacht«. Wir wissen nicht, wie viel und wie oft diese kleinen Leute ganze Nächte durchgeweint haben, aber daß sie – trotz reicher Geschenke, prachtvoller Kostüme und außerordentlichen Erfolgen an den verschiedenen Höfen – ein letzten Endes »lächerliches«, einsames, unbedanktes und aus der Gesellschaft ausgegrenztes Leben geführt haben, geht eindeutig aus den Lebenserinnerungen des braven Peter Prosch hervor. Am Ende seines Buches dichtet er: »Menschenschicksal ist wunderbar – das hab' ich schon erfahren …«, und die Aufklärung klingt unüberhörbar durch die Zeilen, die Ferdinand Raimunds Hobellied vorwegzunehmen scheinen: » Es ist ein wunderliches Ding / gewiß ums Menschenleben. / Der viel auf Glück und Schicksal baut, / ist wahrlich eine arme Haut, / und muß viel Lehrgeld geben. / Dem setzt das Glück den Lorbeer auf, / Den hebt es auf den Thron hinauf, / Dem gibt es eine Kappe; / dem Haselnüsse, dem ein Reich. / Und doch sind alle Menschen gleich, / der Doktor, wie der Lappe.«

Der Tiroler Hofnarr und Hofzwerg (?) zieht höflich und dankbar seine Narrenkappe vor der großen Welt und verabschiedet sich 1789 mit den Worten: »So muß ich mich mit der göttlichen Vorsehung trösten und denken: überlaß dich fernerhin demjenigen, der dich so lange erhalten und für dich in Glücks- und Unglücksfällen so väterlich gesorgt hat.«   G.G.B.

*Die knabenhafte und wohlproportionierte Gestalt kann jede Art eines proportionierten Kleinwuchses darstellen. Da das runde Gesicht etwas aufgedunsen erscheint und der Tiroler verheiratet war, auch Kinder hatte und damit keine wesentlichen sexuellen Störungen angenommen werden müssen, ist am ehesten ein **isolierter Wachstumshormonmangel** anzunehmen. Aber auch ein primordialer Kleinwuchs käme in Frage.*

90
Johann Georg Dathan
(Mannheim 1703 – um 1764)
Der Heidelberger Hofzwerg
»Perkeo«

Der berühmteste und volkstümlichste Barock- und Hofzwerg war ohne Zweifel der Heidelberger Dreikäsehoch »Perkeo«. Seinen exotischen Namen soll er vom italienischen »Perche no« (»warum nicht?«) hergeleitet haben, denn auf die Frage, ob er trinken wolle, beziehungsweise ob er das Heidelberger Faß aussaufen könne, soll er stets übermütig gerufen haben: »Perche no!« Und so könnte sein Spitzname tatsächlich entstanden sein.

Geheißen hat er tatsächlich Giovanni Clementi oder Clementel. Er dürfte um 1700 in Faedo, südlich von Salurn, geboren worden sein, wo er etwa 13- bis 14jährig vom Kurfürsten Karl Philipp von der Pfalz entdeckt wurde, der ihn zuerst auf das Schloß Ambras bei Innsbruck und 1717 nach Heidelberg mitgenommen haben soll. Über seine ersten Heidelberger Jahre wissen wir fast nichts. Aber schon 1720 verließen der Kurfürst und sein ganzer Hofstaat die Stadt am Neckar und zogen in die neu errichtete Residenz in Schwetzingen. Bei gelegentlichen Besuchen in Heidelberg scheint Perkeo dann eine wichtige Rolle gespielt zu haben, so zum Beispiel 1727 bei der Einweihung des berühmten großen Fasses. 1728 wurde der Südtiroler Hofzwerg in Holz geschnitzt und vor der Riesentonne aufgestellt. Darüber hinaus ließ sein Fürst und Gönner ihn in den folgenden Jahren öfters malen. Wir kennen (mindestens) drei Ölbilder des (angeblich so trinkgewaltigen) Zwerges. Auf dem bekanntesten sehen wir ihn in einem grünen Kavaliersrock mit passender langer Weste. Dazu trägt er Degen und Gehänge und hohe Schaftstiefel. Auf dem Bauch prangt das Kurfürstenkreuz an hellblauer Seidenschärpe, auf der linken Brust aufgesteckt trägt er einen goldenen Kammerherrnschlüssel, den Kopf bedeckt eine leuchtende, rotgefärbte Allongeperücke, und an einer roten Schärpe, welche er unter seinem Kavaliersrock trägt, baumelt ein riesiger Kellermeisterschlüssel. Im Hintergrund sieht man einerseits das neue Schwetzinger Schloß, andererseits ein winziges Fachwerkhaus – wohl seine Zwergenwohnung. Rechts neben dem Eingang ist auf einer Stange eine Eule als Symbol der Weisheit angeleint. Auf dem Boden erkennt man zerschlagenes Hausgerät, vor allem ein Spinnrad, das sonst als Symbol des Fleißes und der Sittsamkeit gilt. Das Gemälde könnte etwa um 1730 entstanden sein und zeigt den etwa 30jährigen Perkeo.

Richtig berühmt ist der Heidelberger Zwerg aber erst durch das bekannte Gedicht Viktor von Scheffels geworden: »Das Lied vom Zwerg Perkeo«. Es beginnt so: »Das war der Zwerg Perkeo vom Heidelberger Schloß / an Wuchse klein und winzig, an Durste riesengroß. / Man schalt ihn einen Narren, er dachte, liebe Leut', / wärt ihr doch alle wie ich feuchtfröhlich und gescheut! / Und als das Faß, das große, mit Wein bestellet war, / da ward sein zünftiger Standpunkt dem Zwerge völlig klar.«

Nun folgt die Schilderung seiner »unbeschreiblichen« Trinkfestigkeit und seines unseligen Endes. Die Legende, daß Perkeo sich zu Tode gesoffen hätte, könnte folgenden einleuchtenden Ursprung haben: Nach Meinung von Maria Tuma, die 1975 alles erreichbare Material über ihn gesammelt hatte, war Perkeo bis zum Tode seines Gönners im Jahre 1742 nicht nur dessen Hofzwerg und Hofnarr, sondern auch sein Kellermeister! Darauf weisen einerseits die großen Kellermeisterschlüssel auf den Gemälden hin, andererseits die Tatsache, daß er ja aus einem Salurner Gasthof stammte, und drittens das bekannte tägliche Weindeputat von 18 bis 20 Flaschen Wein. Tuma meint, daß er damit einen schwunghaften Handel betrieben haben könnte. (Der Wein aus dem großen Faß war zusammengepanschter Abgabewein, den der aus einer Südtiroler Weingegend stammende Zwerg wohl kaum getrunken haben dürfte!) Sein unmäßiger Weingenuß ist also wohl ebenso eine unbewiesene Legende wie das Gerücht, daß er sich »zu Tode gesoffen« hätte. Leider wissen wir aber

um 1730
Öl/Holz
Heidelberg, Kurpfälzisches Museum

258

259

bis heute noch nicht, wann und wo Perkeo tatsächlich gestorben ist. Angeblich soll er in St. Ulrich im Grödner Tal begraben worden sein, und auf Beschluß des Hohen Rates von St. Ulrich soll ihm »ein würdiges Marterl« gesetzt worden sein. Tatsächlich wissen wir über sein Ende so wenig, wie über seine Geburt. Dabei wäre das Leben des Heidelberger Zwerges zweifellos wert, einmal gründlich und wissenschaftlich genau erforscht zu werden. Durch seine Biographie könnte vielleicht auch mehr Licht auf die Hofhaltung und auf die Alltagskultur im Schloß von Schwetzingen geworfen werden. Es wäre ebenso interessant zu erfahren – auch im Vergleich zu den Dresdener, Münchener und Salzburger Hofzwergen –, was Perkeo seinem Herrn und Gönner wert gewesen ist und wieviel er jährlich verdiente. Es wäre auch wichtig herauszufinden, welche Stellung bei Hofe er wirklich eingenommen hat und ob er nicht gar am Ende seines Lebens noch ein »weiser Narr« geworden ist. Dieser Fragenkatalog ließe sich – zum Beispiel anhand der Biographie des Franz von Meichelböck in Salzburg – noch bedeutend erweitern und würde so beitragen zu einer besseren Kenntnis und Erkenntnis der Lebensbedingungen dieser kleinen Leute in der Barockzeit. Vielleicht könnten dann die ersten vier Zeilen des Perkeo-Liedes auch lauten: »Das war der Zwerg Perkeo vom Heidelberger Schloß / An Wuchse klein und winzig, an Ruhme riesengroß. / Man schalt ihn einen Narren, er dachte, liebe Leut' / wärt ihr wie ich doch alle, so fröhlich und gescheit ...«
G.G.B.

Es handelt sich um einen disproportionierten Minderwuchs, wobei allerdings keine allzu kurzen Gliedmaßen bestehen, aber eine gewisse Verkürzung des Rumpfes vorhanden ist. Der Kopf zeigt keine prominente Stirn und eingezogene Nasenwurzel und läßt somit eine Achondroplasie ausschließen. In Frage kommen: eine **Pseudoachondroplasie**, *eine metaphysäre Chondrodysplasie, eine multiple epiphysäre Dysplasie (HODGE 1969). Aber auch an eine spondyloepiphysäre Dysplasie oder Hypochondroplasie muß gedacht werden.*

91
Unbekannter (französischer ?)
Wachsbildner um 1760
**Hofzwerg Nicholas Ferry,
genannt Bébé**

Abbildung auf Seite 263

Wachs, koloriert, Samt und Seide
ca. 80 cm
Braunschweig, Herzog-Anton-Ulrich-
Museum

Von europäischer Bedeutung waren um die Mitte des 18. Jahrhunderts vor allem zwei zwergisch kleine Männer: »Graf Joseph Boruwlaski, genannt Joujou« (siehe Kat. Nr. 98), und »Nicholas Ferry, genannt Bébé«. Das Leben Boruwlaskis kennen wir aus seinen Memoiren. Denn 1789 erschienen in Leipzig (in deutscher Übersetzung) »Die Memoiren des berühmten Zwerges Joseph Boruwlaski, eines polnischen Edelmannes; Enthaltend einen treulichen und denkwürdigen Bericht seiner Geburt, Erziehung, Heirat, seiner Reisen und Abenteuer, geschrieben von ihm selbst«. Das Buch erlebte in Europa eine ganze Reihe von Auflagen in französischer, englischer und deutscher Sprache und war zweifellos ein »Bestseller«. Von dem Zwerg Bébé besitzen wir hingegen kein solches Dokument. Es scheint sogar zweifelhaft, ob er überhaupt lesen und schreiben konnte.

Geboren wurde Nicholas Ferry am 11. November 1749 in Plaisnes im Fürstentum Salins. Karl-Friedrich Flögel beschreibt in seiner bekannten »Geschichte der Hofnarren« von 1789 auf Seite 519ff. den Hofzwerg des in französischem Exil lebenden Königs Stanislaus von Polen (1677–1766). Nicolas Ferry starb in Luneville am 9. Juni 1764. Tatsächlich wurde Nicholas Ferry 1741 geboren und nicht 1749, wie Flögel annimmt, dessen Text hier auszugsweise zitiert sei: »Er war bei Geburt nur acht oder neun Zoll lang und wog zwölf Unzen. Er war sehr schwächlich, und man trug ihn auf einer mit Hanf belegten Schüssel in die Kirche zur Taufe. [...] Ein hölzerner Schuh diente ihm lange Zeit als Wiege. Die Blattern überstand er nach sechs Monaten. Im Alter von 18 Monaten fing er an zu lallen, als er zwei Jahre alt war, stand er auf den Beinen und konnte fast ohne Hilfe gehen. In seinem sechsten Jahr war er ohngefähr 15 Zoll hoch und hatte nicht mehr als 13 Pfund Gewicht. Er war von einer guten Gestalt und alle Theile seines Leibes hatten ein richtiges Verhältnis. Er genoß einer guten Gesundheit; sein Verstand ging aber nicht über die Grenzen des Naturtriebes. Der König von Polen, Stanislaus, ließ ihn nach Lüneville kommen und behielt ihn bei sich. Er gab ihm den Namen Bébé. Bis in das Alter von fünfzehn oder sechszehn Jahren blieb er, ohnerachtet seiner veränderten Lebensart, bei guter Gesundheit. Die Unterweisung seiner Lehrmeister war ihm ganz unnütz [...] seine Fähigkeit überstieg nie die Fähigkeit eines gut abgerichteten Hundes. Er schien an der Musik Geschmack zu finden, und schlug den Takt zuweilen richtig. Man hatte es auch dahin gebracht ihn tanzen zu lehren. [...] Er war einiger Leidenschaften fähig [...] als des Zorns, des Neides, der Eifersucht und einer heftigen Begierde. Alle sinnlichen Werkzeuge hatte er jedoch frei, und alles, was sonst zum Bau des menschlichen Körpers gehört, schien in der gewöhnlichen, natürlichen Ordnung zu sein. Er spazierte auf der Tafel des Königs Stanislaus herum und hatte seinen Sitz auf den Armen seines Lehnstuhls [...] Im fünfzehnten oder sechszehnten Jahr war Bébé 22 Zoll hoch [...] und seine kleine Gestalt war sehr gut und angenehm. Allein, nun schien die Mannbarkeit sich zu entwickeln, und an den Zeugungsgliedern auf einmal eine gar zu große Wirkung hervorzubringen, und diese Regungen der Natur waren ihm nachteilig. [...] Bébé verlor nun alle seine Munterkeit und wurde kränklich, dennoch aber in den vier folgenden Jahren fast noch vier Zoll größer. Der Graf Treßan, welcher den Gang der Natur bei dem Zwerge beobachtete, hatte vorausgesehen, daß Bébé vor dem dreißigsten Jahr, und doch gleichwohl als ein alter Greis sterben würde. Und er geriet wirklich von seinem 21. Jahre an in eine Art Hinfälligkeit und diejenigen, welche Sorge für ihn trugen, bemerkten an ihm Züge einer Kindheit, welche mit der von seinen ersten Jahren keine Ähnlichkeit hatte, sondern vielmehr dem Zustand eines hohen Alters ähnlich war.

In seinen letzten Lebensjahren fiel es ihm schwer sich aufrecht zu halten; er schien von der Last der Jahre gedrückt zu werden, und konnte die äußere Luft nicht ertragen, außer bei warmem Wetter. [...] Im Mai 1764 war er etwas unpäßlich; eine Unverdaulichkeit, worauf ein Husten mit einem geringen Fieber folgte, versetzte ihn in eine Art Schlafsucht, wovon er zuweilen einige Augenblicke erwachte, aber ohne reden zu können. [...] In den letzten vier Tagen seines Lebens bekam er ein deutlicheres Bewußtsein wieder; die schönsten und zusammenhängendsten Gedanken, welche er ausdrückte, setzten alle diejenigen, welche um ihn waren in Erstaunen. Er starb den 9. Junius 1764, in einem Alter von beinahe 23 Jahren. Seine Höhe betrug damals 33 Zoll. Der Graf Treßan erhielt vom König Stanislaus die Erlaubnis, den Körper zergliedern zu lassen. Das Skelett wurde durch Peret, den ersten Wundarzt des Königs, sorgfältig zubereitet, um in der öffentlichen Bibliothek zu Nancy aufgestellt zu werden; und hernach sollte es in das Kabinett des Königs gebracht werden. Auf den ersten Anblick scheint es das Geripppe von einem drei- oder vierjährigen Kind zu sein, bei näherer Betrachtung findet man, daß es von einem ausgewachsenen Menschen ist«. [...]

Das ungewöhnliche Skelett Bébés ist heute noch in Paris im Musée de l'Homme an der Seite eines Riesen zu sehen. Bébé hätte dem Manne zu Lebzeiten gerade bis zu den Fingerspitzen des herabhängenden linken Armes gereicht, war also tatsächlich nicht größer als ein Kind von drei bis vier Jahren. Verglichen mit Joseph Boruwlaski, welcher 1837 im Alter von 98 (!) Jahren in England starb, hatte Bébé ein extrem kurzes Leben. Aber seine außergewöhnliche Erscheinung, die Gunst des polnischen Königs und des lothringischen Hofes, der Bericht des Grafen Treßan an die königliche Akademie in Paris 1760 sowie Morands Akademiebeitrag »Über die Zwerge« von 1764 sorgten für einen gewissen Nachruhm, der ihn – zumindest in Deutschland – berühmter werden ließ als seinen Konkurrenten Boruwlaski (s. Nr. 98), wovon unter anderem die bekannte Braunschweiger Wachsfigur auch heute ein beredtes Zeugnis ablegt. Ein weiterer Wachsabdruck seines Körpers begleitete übrigens den Bericht Morands an die Akademie in Paris. Diese lebensgroße Figur wurde von dem Chirurgen Jeanet in Luneville nach Bébés Tod hergestellt, ihr Aufstellungsort ist aber heute unbekannt. Viele Wachsfiguren sind im Laufe der Jahrhunderte zerbrochen und zerbröckelt oder verstauben in den Depots von Museen. Braunschweig ist da eine Ausnahme.

G.G.B.

Zur medizinischen Analyse vgl. Kat. Nr. 92.

263

92
anonym, Mitte 18. Jahrhundert
**Nicholas Ferry, genannt Bébé,
mit Hund**

Ein unbekannter Künstler schuf dieses Pastellportrait Nicholas Ferrys, Hofzwerg des polnischen Königs Stanislaus (Zur Lebensgeschichte s. Nr. 91).

Bébé, wie Nicholas Ferry genannt wurde, steht in der Ecke eines Raumes frontal zum Betrachter und blickt ihn an. Während er seine linke Hand in die rötliche Weste seines modischen Hofgewandes gesteckt hat, ruht seine Rechte auf dem Kopf eines großen Hundes.
D.M.

Bébé zeigt eine annähernd proportionierte Gestalt. Es gibt schriftliche Zeugnisse, die seine körperliche Entwicklung skizzieren (GEOFFROY SAINT-HILAIRE 1832, WOOD 1868, S. 343). Die Angaben beider Autoren sind jedoch sehr unterschiedlich, so daß wir hier wieder dem bekannten Phänomen begegnen, daß man die zur Schau gestellten Kleinwüchsigen damals meist kleiner machte, als sie waren. Bei der Geburt soll Bébé 22 cm gemessen haben, mit fünf Jahren 61 cm, mit sechs Jahren 38(!) cm, mit 15 Jahren 73 cm, mit 16 Jahren 53(!) cm und bei seinem Tode mit 22 ½ Jahren 89 cm. Damit kann man zumindest davon ausgehen, daß er bis zuletzt gewachsen ist. An seinem heute noch erhaltenen Skelett wurde allerdings festgestellt, daß seine Knochen eine vollständige Ossifikation erreicht haben und die Schädelnähte geschlossen sind, was bedeuten würde, daß er bei seinem Tode ausgewachsen war (GARNIER 1884, S. 160). Er soll keinen Stimmbruch bekommen haben, weshalb MEIGE (1896) von einem Infantilismus mit Rachitis und einem zurückgebliebenen Myxomatösen sprach; letzteres deshalb, weil Bébé geistig nicht sehr rege war, vor allem, wenn man ihn mit seinem Zeitgenossen Graf Boruwlaski vergleicht (s. Nr. 98). Das Interessante ist, daß nach der Pubertät sich nicht nur seine Wirbelsäule verkrümmte (Skoliose), sondern daß er rapide zu altern begann und ein Kräfteverfall mit Lethargie eintrat. Er soll dann an einer syphilitischen Hirnhaut- und Hirnentzündung gestorben sein (PREVOST und D'AMAT 1951). Die Art seines Kleinwuchses ist trotz aller anamnestischer Angaben über ihn schwer einzuschätzen. Am ehesten könnte es sich um eine multiple **Hypophysenvorderlappeninsuffizienz** *gehandelt haben. Ein dyscerebraler Minderwuchs muß wegen seiner geistigen Schwäche ebenfalls erwogen werden.*

Pastell, 100 x 76 cm
Nancy, Musée Historique Lorrain

93
Jean-Honoré Fragonard
(Grasse 1732 – Paris 1806)
Das Gastmahl der Kleopatra

Der dem französischen Rokoko angehörende Künstler kam im Jahre 1756 als Stipendiat der französischen Akademie nach Rom. Die Radierung mit der Geschichte von Antonius und Kleopatra entstand nach einer Vorlage von Giambattista Tiepolo (1696–1770), der bei uns besonders durch seine Fresken im Treppenhaus und im Kaisersaal der Würzburger Residenz bekannt geworden ist. Der venezianische Künstler hatte in den Jahren zwischen 1740 und 1750 in seiner Heimatstadt unter anderem einen ganzen Raum im Palazzo Labia mit Fresken ausgestattet (Levey 1986, S. 143f.). Jean-Honoré Fragonard sah die Ausmalungen bei seinem Aufenthalt in Venedig im Jahre 1761 und schuf danach seine seitenverkehrte Reproduktion.

Im Palast der ägyptischen Königin, der rechts und links durch hohe Säulen angedeutet ist, sitzen auf einer Terrasse, zu der zwei Stufen hinaufführen, Kleopatra und der römische Feldherr Antonius an einem Tisch und halten ein festliches Mahl ab. Der Römer sitzt rechts hinten am Tisch. Er trägt einen Helm auf dem Kopf und ist von seinem Gefolge umgeben. Gespannt blickt er nach links zu Kleopatra hinüber, die gerade im Begriff ist, eine Wette zu gewinnen, die sie mit Antonius abgeschlossen hat und die Plinius d. Ä. in seiner »Naturalis Historia« (9. Buch, Kap. LVII, §§ 119-121) beschreibt (s. Nr. 83). Die Königin, auch sie von mehreren Herren ihres Gefolges begleitet, nimmt mit der Linken ein Glas, das ihr ein Diener auf dem Tablett serviert. In diesem Glas befindet sich Essig, in dem sie sogleich die Perle von unschätzbarem Wert auflösen wird, die sie in ihrer Rechten hält. Zwei rechts von einem Putto begleitete allegorische Personifikationen, vielleicht der Flußgott Nil, der eine Nymphe umschlungen hält, thronen über dem Geschehen auf einer Wolke und schauen aufmerksam zu Kleopatra und ihrer Demonstration königlichen Reichtums und kultivierten Geschmacks herunter.

Ganz vorn im Bild ist ein Hofzwerg, der in Rückenansicht gegeben ist, dabei, die erste der beiden Stufen zu ersteigen, die zu der Terrasse hinaufführen. Auch er ist der Königin zugewendet und scheint ihre Handbewegungen mit Spannung zu verfolgen. D.M.

Trotz der skizzenhaften Darstellung und Ansicht von hinten sind bei der kleinen Gestalt die typischen disproportionierten Merkmale der **Achondroplasie** *zu erkennen.*

Radierung, 150 x 107 mm
Paris, Musée du Louvre
Sammlung Rothschild, Inv. Nr. 17982 LR

94
Jean-Honoré Fragonard
(Grasse 1732 – Paris 1806)
**Baiocco unterhält sich
mit einer jungen Dame**

Jean-Honoré Fragonard reiste 1773 zum zweiten Mal nach Italien (s. Nr. 93). Im Jahr 1774 hielt er sich unter anderem in Rom auf, wo diese Pinselzeichnung in Braun entstand.

Die Zeichnung stellt den Kleinwüchsigen Francesco Ravai dar, der im Rom der zweiten Hälfte des 18. Jahrhunderts als Bettler lebte. Sein Spitzname »Baiocco« bezieht sich auf die kleinen römischen Münzen (Baiocchi), die er mit seinem Hut zu erbetteln pflegte (s. Nr. 95). Links im Bild steht er stolz aufgerichtet. An seiner rechten Hüfte hängt eine große Tasche, in die er seine erbettelten Schnäppchen verstaut. Ein bis zur Schulter reichender Krückstock dient ihm zur Stütze, und auf der linken Schulter trägt er einen lässig übergeworfenen Umhang. Irgendwo in Rom hat er das junge Mädchen getroffen, das vor zwei kuppelartigen Wasserbehältern (?) auf einem Steinblock sitzt und nun mit einem Anflug von Skepsis dem ermunternden Lächeln begegnet, das Baiocco aufgesetzt hat. Der aufs charmanteste flirtende Zwerg will zur Liebe animieren; denn er hat dem Mädchen als Aufforderung seinen Bettelhut auf den Schoß gelegt. Nun hofft er inständig, daß des Hutes Inhalt das Herz des Mädchens erweichen werde.

Fragonard hat die Zeichnung aus dem Blickwinkel Baioccos angefertigt. So erscheinen die im Hintergrund stehenden Wasserbehälter größer, als sie in Wirklichkeit sind, und die Kleinheit des Bettlers fällt so nicht mehr ins Auge. Bei einer zweiten Zeichnung mit dem Titel »Baiocco en face«, die der Franzose von dem Bettler schuf, verwendete er das gleiche gestalterische Mittel.

Über Francesco Ravai's Biographie lassen sich nur geringe Aussagen machen. Ein Höhepunkt im Leben von Baiocco war ein festlicher Umzug durch die Straßen Roms aus Anlaß der Taufe seines Sohnes. Er selbst soll dabei mit seinem Sohn in den Armen in einer pompösen Karosse wie ein Triumphator gesessen haben. Ganz Rom sprach eine Weile von diesem großen Ereignis, das den Kleinwüchsigen noch bekannter machte, als er schon war (Regteren Altena 1965, S. 139).   D.M.

Die kurzen, kräftigen Gliedmaßen mit Rhizomelie weisen auf eine **Achondroplasie** *hin. Dafür spricht auch der typische Kopf mit prominenter Stirn und eingezogener Nasenwurzel. Siehe auch Nr. 95.*

sign. und dat.: Rom 1774
Zeichnung, 366 x 286 mm
Frankfurt, Städelsches Kunstinstitut
Inv. Nr. 1103

95
Bénigne Gagneraux
(Dijon 1756 – Florenz 1795)
Baiocco

Der französische Maler und Radierer Bénigne Gagneraux gewann 1776 den von den Burgundischen Ständen gestifteten Rom-Preis. Seit 1778 hielt sich der Künstler dann in der Stadt auf. Er gewann früh die Gunst des schwedischen Königs Gustav III. (1746–1792), für den er mehrere Bilder ausführte. Gagneraux malte sowohl für die römische und die schwedische Nobilität als auch für die nach Rom geflüchteten französischen Adligen.

Der schon aus Kat. Nr. 94 bekannte, aber hier um zwölf Jahre ältere Baiocco hat sich diesmal für den Künstler in der Küche neben einem Stuhl mit einer Sitzfläche aus Korbgeflecht aufgebaut. Seine lange, durchlöcherte und geflickte Jacke reicht ihm bis zu den Knien, und seine unförmigen Hosen, die nicht für ihn gemacht worden sind, stauchen sich über den nackten Füßen. Der breitkrempige Hut auf seinem Kopf ist nicht besser als eine Ruine.

So schäbig und zerlumpt er auch daherkommen mag – mit dem kräftigen Knüppel, auf den er seine Hände stützt, wird er schon so manches Schnäppchen erobert und verteidigt haben, das in seiner großen Umhängetasche, die er an der rechten Hüfte trägt, Platz gefunden hat. Man lasse sich nicht von seinem langen weißen Bart täuschen – die großen, aufmerksamen Augen, die kräftigen Augenbrauen und die Zornesfalte über der Nasenwurzel deuten auf ein großes Maß an Energie und Kampfbereitschaft, also auf die Eigenschaften, die ihm nicht nur das Überleben gesichert, sondern auch den Ruhm eingebracht haben, der das Interesse des Künstlers an seiner Person weckte (Kat. A. Rom 1983, S. 102).

Baiocco war bei verschiedenen Künstlern, die ihn in der Nähe der spanischen Treppe oder des Café Gréco sahen, in den Jahren zwischen 1770 und 1780 als Modell beliebt. Teilweise ließen die Künstler ihn in verschiedenen Posen nach antiken Figuren auftreten. Jean-Honoré Fragonard stellte Baiocco zweimal in den Mittelpunkt seiner Zeichnungen (s. Nr. 94). Der dänische Künstler Jens Juel benutzte ihn in mehreren Gemälden und Zeichnungen als Akteur, wie zum Beispiel in einem Bild, das den Bettler neben dem Kleinwüchsigen Obligeert zeigt, der in Kopenhagen zu dieser Zeit bekannt war (ausführlich: Regteren Altena 1965).

D.M.

Das Bild zeigt im Verhältnis zum Stuhl die geringe Körpergröße mit allen Zeichen der **Achondroplasie***: prominente Stirn, eingezogene Nasenwurzel, starke Verkürzung der Oberarme gegenüber den Unterarmen (Rhizomelie), kurze Hände mit angedeuteter Dreizackhand rechts und kurze Füße. Siehe auch Kat. Nr. 94.*

1786
Radierung, 288 x 203 mm
Rom, Museo di Roma
Gabinetto comunale delle Stampe
Inv. Nr. 14.737

BAIOCCO.

271

96
Josef Thadäus Stammel
(Graz 1695 – Admont 1765)
**Der Admonter Stiftszwerg
Oswald Eibegger**

Josef Thadäus Stammel stattete vor allem die berühmte Admonter Stiftsbibliothek mit großfigurigen Holzbildwerken aus. Von ihm stammt auch eine kleinfigurige Jahreszeitenserie mit vier bunt gefaßten Zwergen.

Zuletzt war die lebensgroße Lindenholzplastik des Stiftszwerges Oswald Eibegger 1991 im Rahmen der Ausstellung »Salzburg in der Zeit der Mozart« im dortigen Dommuseum zu bewundern. Eibegger wurde dabei ganz bewußt zusammen mit dem Bildnis des Salzburger Hofzwerges Franz von Meichelböck ausgestellt, um zu zeigen, daß die barocke Mode, kleinwüchsige Menschen als Pagen und Vertraute anzustellen, auch vor den geistlichen Fürstenhöfen nicht haltmachte.

Die Plastik stellt Eibegger in der offenbar für die süddeutschen Barockzwerge typischen Husarenuniform dar. »Dieses ungarische, auf die Kuruzzen zurückgehende Kostüm, das in militärischer Form als Husarenuniform seit Beginn des 18. Jahrhunderts in ganz Europa Verbreitung fand, wurde unter Kaiserin Maria Theresia zur Hofuniform. – Der Zwerg steht in kontrapostischer, selbstbewußter Haltung. Sein linker Fuß ist leicht angewinkelt am Plinthenrand aufgesetzt; die rechte Hand ist in die Taille gestützt und hält die Pelzmütze (Kalpak), während der linke Arm ausgestreckt in einem sprechenden Gestus der Finger nach unten weist. Er trägt den Dolman, den Waffenrock mit Posamentrierverschnürung, darüber die Mente, einen kurzen mit Pelz besetzten, offen zu tragenden Mantel, die gestickten Stiefelhosen und den Czismen, den kniehohen Stiefel. An der linken Hüftseite ist am Bandalier ein (krummer) Säbel befestigt. Realistisch ist der mit einer Allongeperücke bedeckte Kopf des Zwerges wiedergegeben, wobei das feiste Gesicht durch eine hohe Stirnglatze, durch weit geöffnete Augen, durch eine fleischige Nase und durch wulstige Lippen individuell charakterisiert ist.« Ziemlich ähnlich muß auch das »hungarische Kleid« des Salzburger Hofzwerges ausgesehen haben, für welches sein Fürst und Gönner 1711 259 Gulden und 5 Kreuzer bezahlen mußte. Die detaillierte Rechnung ist zufällig in den Privatausgaben Harrachs erhalten geblieben, und so erfahren wir, daß allein der blaue Samt 60 Gulden gekostet hatte, die Kürschner 26 Gulden, 30 Kreuzer bekamen und der Goldschmied 31 Gulden, 57 Kreuzer für die Posamentierung verrechnete. Insgesamt war so eine prächtige Zwergenmontur zehnmal so teuer wie eine normale adelige Bekleidung. In Fulda begegnen wir diesem ungewöhnlichen Kostüm wieder beim bekannten »Lustigen Meister Kerz« des letzten Fuldaer Hofmalers Johann Andreas Herrlein (1723–1796). Die glänzende Husarenuniform als typische Zwergenausstattung ist uns aber auch von mehreren Augsburger und Nürnberger Zwergenkarikaturen her vertraut. Am bekanntesten ist dabei wohl der wild dreinblickende und gestikulierende Husarenoberst »Holloka Tschimitschko Buttiam Uram« aus der Garnison Neuhäußl. Die Bildunterschrift dieses wohl um 1710 von Martin Engelbrecht für den »Calotto resuscitato« gestochenen Blattes (nach Vorlagen der sog. Pfeffelblätter von 1706/07) lautet: »I bin I holt Hussar, Kuruzi Offaziar / I bin I Edlimohn, I muiß I Kummadiar / Die Hungrisch sondt Ribell, won kim di teitsch Soldotn / Mir will mir hokn todt, lebendi will mi brotn / Won ober schuissn thuit, Iy ! heyda ! dekdere dek ! / I gib I Rößli spurn, doß laff wi Deiffli wek.«

Und unter dem martialischen Zwergenstich von Johann Friedrich Leizelt (1700–1775) kann man lesen: »Vor mi Husar mein Säbel schneid / und macht groß Loch fünf Ellen weit« und daneben: »Husarus sum – plecto interdum«. Auch auf den beißenden Karikaturen gegen das Spielunwesen von Georg Daniel Heumann (1691–1759) findet man eine ganze Reihe ungarischer Edelleute – natürlich als Zwerge karikiert – in der typischen Husaren-

Lindenholz, Höhe 95 cm
Admont, Steiermark, Stiftssammlungen
des Benediktiner Stiftes

uniform. Das unglaublich dekorative, bunte, exotisch wirkende und gleichzeitig äußerst kostspielige Husarenkleid hatte bei allen Zwergen, besonders aber bei den Hof-, Kammer- und Stiftszwergen, zweifellos die Aufgabe, den unüberbrückbaren, grotesken Gegensatz zwischen den Uniformen der draufgängerischen kaiserlichen Elitetruppen und den sicherlich ängstlichen, körperlich benachteiligten und in dieser Ausstaffierung besonders lächerlichen Hofzwergen hervorzukehren.

Zur Biographie des steirischen Stiftszwerges schreibt der Archivar des Benediktinerstiftes Admont Johann Tomaschek: »Aus zeitgenössischen Quellen war bisher kein einziges erhebbares Datum zu eruieren; das mehrfach genannte Todesjahr (Eibeggers) 1752 läßt sich jedenfalls in den Admonter Pfarrmatrikeln nicht verifizieren. Sollte er etwa anderswo (vielleicht im Admonter Hof in Graz) gestorben sein? Die älteste Erwähnung Eibeggers bzw. der Holzskulptur stammt aus dem Jahre 1859. Damals befand sich das Standbild im Schloß Kaiserau. Dazu heißt es: In einem Zimmer befindet sich das lebensgroße Bild des zierlichen Zwerges, welcher zur Zeit des Abtes Matthäus im Stifte gelebt hat. Aber – Abt Matthäus Offner regierte von 1751 bis 1779, und es erscheint bemerkenswert, daß der Zwerg hier mit dem aus bürgerlichen Verhältnissen stammenden Abt und nicht mit seinem adeligen Vorgänger Antonius II. von Mainersberg (1718–1751) in Zusammenhang gebracht wird.«

Vielleicht können eines Tages einige zufällige Archivfunde mehr Licht in dieses »nur« durch die wundervolle Holzplastik Stammels dokumentierte Zwergenleben bringen. Die Funktionen und Aufgaben Oswald Eibeggers mögen als Page und Kammerdiener (?) zweier Äbte ähnlich gewesen sein wie die Franz von Meichelböcks am Salzburger Hofe. Möglicherweise sind die beiden etwa gleich großen Zwerge einander auch einmal anläßlich einer Visitation begegnet. Das Benediktinerstift Admont hatte weitverzweigte Verbindungen zum Erzbistum Salzburg und dem Salzburger Benediktinerstift St. Peter, und die Salzburger Erzbischöfe (und Äbte?) der Barockzeit scheinen eine besondere Schwäche für Zwerge gehabt zu haben. Darüber legt nicht nur der berühmte »Zwerglgarten« (um 1690) ein beredtes Zeugnis ab, sondern auch der berühmte »Fränzl« (Kat. Nr. 88), der vier verschiedenen Erzbischöfen ein Menschenalter lang dienen durfte.   G.G.B.

Die fast stattlich und gar nicht zwergenhaft wirkende Figur ist proportioniert. Die Hände wirken klein. Das Gesicht ist etwas pastös und leicht gefältelt, so daß man am ehesten einen **hypophysären Kleinwuchs** *annehmen kann.*

97
Anthony Walker (gest. 1765)
nach Sir Peter Lely
(Soest 1618 – London 1680)
**Der Miniaturist Richard Gibson
und seine Frau Anne Shepherd**

Abbildung auf Seite 276

Der englische Kunstschriftsteller und Memoirenschreiber Horace Walpole (1717–1797) schrieb 1773 in seinen »Anecdotes of Painting in England; With some Accounts of the principal Artists« auch über das Leben und Wirken des Miniaturmalers Richard Gibson (Walpole 1773, III, S. 64-65). Neben der Beschreibung Walpoles befindet sich als Textillustration das Portrait des Künstlers zusammen mit dem Brustbild seiner Frau Anne Shepherd. Es handelt sich dabei um einen Kupferstich des Reproduktionsstechers Anthony Walker nach einer Vorlage des englischen Hofmalers Sir Peter Lely (Murdoch 1981, S. 283).

Aus einem hochovalen Rahmen heraus, der in eine Mauer aus Quadersteinen eingelassen scheint, blickt Richard Gibson, genannt »the dwarf« (der Zwerg), der den Oberkörper nach links gewendet hat, den Betrachter an. Über dem Kopf steht auf dem steinernen Rahmen die Beischrift »Mr. Gibson«. Rechts unterhalb des Künstlers befindet sich eine ebenfalls hochovale Portraitminiatur, die an den steinernen Rahmen gelehnt ist. Sie stellt laut Beischrift die Frau des Künstlers, »Mrs. Gibson«, dar. Ihr Portrait ist nach einem Gemälde von Anthon van Dijk (1599–1641) gestochen. Auch sie ist nur als Büste gegeben, aber en face dargestellt. Kopf und Haube der Zwergin Mrs. Gibson sind detailliert wiedergegeben, während die Kleidung skizzenhaft angedeutet ist.

Richard Gibson wurde ca. 1615 in Cumberland geboren. Er war zuerst Page bei einer Dame in Mortlake, die ihn in die königliche Gobelinmanufaktur zu Franz Cleyn brachte, damit er bei ihm zeichnen lerne. Gibson unterrichtete sich aber auch selbst an den Werken von Sir Peter Lely, dessen Manier er imitierte. Gibson hatte die Stellung eines Pagen bei dem englischen König Karl I. inne, der ihn auch wegen seiner Portraitminiaturen schätzte. Er heiratete Anne Shepherd, Hofzwergin der Königin Henrietta Maria (s. Nr. 61), am Valentinstag 1640 bzw. 1641 in der Kirche St. Pancras in Soper Lane (Murdoch 1981, S. 284). Die Hochzeit soll von der Königin, die der Braut einen Diamantring schenkte, ausgerichtet worden sein, und Karl I. war der Brautvater (Wood 1868, S. 275). Edmund Waller hat anläßlich dieser Hochzeit ein Gedicht verfaßt mit dem Titel: Über die Hochzeit der Zwerge (Wood 1868, S. 275). Aus der Ehe von Richard Gibson und Anne Shepherd entsprangen neun Kinder. Walpole beschreibt in seinen »Anecdotes« die beiden Kleinwüchsigen als von gleicher Länge, nämlich circa 117 cm groß. Richard Gibson starb im Alter von 75 Jahren am 23. Juli 1690 und wurde in St. Paul's, Covent-Garden, begraben. Seine Witwe verstarb im Jahre 1709 im Alter von 89 Jahren (Walpole 1773, III, 64-65).   D.M.

Das Brustbild von Mr. Gibson läßt keine körperliche Analyse zu. Wir wissen aber, daß er 117 cm groß und wohlproportioniert war (GARNIER 1884, S. 124). Daraus ist auch unter Einbezug seiner Intelligenz und der Tatsache, daß er Vater von neun normalgewachsenen Kindern war, auf einen **primordialen Minderwuchs** *zu schließen. Außerdem könnte noch ein isolierter Wachstumshormonmangel erwogen werden. Für Mrs. Gibson gilt dasselbe.*

Kupferstich, 190 x 145 mm

98
Anonym, deutsch, 18. Jahrhundert
**Der polnische Hofzwerg
»Graf« Joseph Boruwlaski**

Abbildung auf Seite 279

Öl/Leinwand, Maße unbekannt
Krakau, Muzeum Norodowe

Im 17. Hauptstück »Die Zwerge« seines Werkes »Geschichte der Hofnarren« schreibt Karl-Friedrich Flögel 1789 über den polnischen Zwerg, »Graf« Joseph Boruwlaski, auf Seite 523: »Der Graf Treßan hat in Lüneville noch einen anderen Zwerg gesehen, der, ein polnischer Edelmann namens Borwslavsky, nachher nach Paris gekommen war. Die Eltern desselben waren beide mehr als mittelmäßig groß gewesen und hatten 6 Kinder gehabt, wovon das älteste nur 34 Zoll groß, (…) das andere (= Boruwlaski) nur 28 Zoll lang, ohngeachtet er damals (1760) schon 22 Jahr alt war. (…) Das sechste Kind war ein Mädchen von 20 bis 21 Zoll, das übrigens wohl gebaut, sehr artig war und Geist verrieth. Der Zwerg Borwslavsky war gesund, grade, flüchtig, und vertrug Strapazen; er hatte einen ausgebildeten Geist, sein Gedächtnis war treu und seine Beurtheilung richtig. Er las und schrieb sehr gut, verstand die Rechenkunst, die deutsche und französische Sprache, die er beide mit großer Fertigkeit sprach.«

Der Zwerg Boruwlaski war zur Zeit, als Flögels Werk erschien, schon 50 Jahre alt und lebte damals längst in England, wo er verarmt und vergessen 1837 starb.

Joseph Boruwlaski wurde 1739 in Chaliez, im russischen Teil Polens, geboren und von seinen armen Eltern verschiedenen adeligen Damen in Pflege gegeben. Er erhielt in diesen Kreisen eine ausgezeichnete Erziehung, seinen Spitznamen »Joujou« und später die Möglichkeit zu einer Reihe wichtiger Bildungsreisen. Schließlich beherrschte der Zwerg drei Sprachen in Wort und Schrift, konnte tanzen, Gitarre spielen und hatte das Benehmen eines polnischen Edelmannes. Über seine Größe gibt es divergierende Angaben, er scheint aber als erwachsener Mann über 80 cm groß gewesen zu sein. 1755 und 1756 besuchte seine Gönnerin, Gräfin Humieska, mit ihm die österreichischen und deutschen Fürstenhöfe und kam schließlich an den Hof des früheren polnischen Königs Stanislaus, der natürlich das größte Interesse hatte, die beiden berühmtesten Zwerge, Bébé (s. Nr. 92, 93) und Joujou, miteinander zu vergleichen. Die Begegnung der beiden »Minimenschen« verlief aber anders, als erwartet: Der König war begeistert von Joujou und sagte eines Tages zu seinem Favoriten Bébé: »Siehst du, Bébé, welcher Unterschied zwischen dir und Joujou besteht! Er ist liebenswürdig, lustig, unterhaltsam und belesen, während Du nichts bist als ein kleiner Automat!« Als der König die beiden Zwerge anschließend alleine ließ, versuchte der wütende und eifersüchtige Bébé, den älteren Joujou ins Feuer eines Kamins zu stoßen. Dieser war aber stärker und wehrte sich, der König kam zurück, trennte die beiden und ließ Bébé streng bestrafen. (Vielleicht führte auch diese Demütigung zu den auffälligen Veränderungen in Bébés Entwicklung und schließlich zu seinem so frühen Tode.) 1759 reisten die Gräfin und ihr Zwerg nach München, wo er in Lebensgröße von Georg Desmarées gemalt wurde. Von München ging die Reise weiter nach Paris, wo die Gräfin und ihr kleiner Hofstaat ein ganzes Jahr verbrachten. Der Arzt Dr. Sauveur Morand schrieb 1764 einen ausführlichen Bericht an die Akademie in Paris »Über die Zwerge«, worin er die beiden berühmtesten Zwerge ihrer Zeit miteinander verglich. Joujou war damals in Versailles auch der königlichen Familie vorgestellt worden, traf Voltaire und den Abbé Raynal und wurde praktisch von der ganzen feinen Pariser Gesellschaft eingeladen.

Die folgenden 20 Jahre spielen in seinen Memoiren keine besondere Rolle. Er verbrachte sie meist in Polen und – wuchs ein paar Zentimeter!

In diese Zeit fällt auch der Bruch mit seiner Gönnerin. Joseph Boruwlaski verliebte sich nämlich in eine Hofdame der Gräfin, die schöne Islania Barbouton, und heiratete das normal gewachsene Mädchen trotz des energischen Widerstandes ihrer Herrin. König Stanislaus II. bestätigte die Ehe und setzte dem seltsamen Brautpaar eine Jahresrente von 100 Dukaten aus. 1780 wurde die erste Tochter geboren. Ihr folgten weitere Kinder, deren Schicksal aber unbekannt ist. 1781 beginnt Boruwlaski seine »Europatournee« am Wiener Hof Josefs II., erregt das Interesse des englischen Gesandten, der ihn 1782 nach England empfiehlt, wo er unter anderem vom höchsten britischen Adel und vom König und seinem ganzen Hofstaat empfangen wird. Von nun an trat er überall im englischen Königreich auf, sang, tanzte und spielte Gitarre und Violine und wurde 1785 unter anderem von Philip Reinagle in Lebensgröße gemalt. Aber das Glück drehte ihm bald den Rücken zu, der Geschmack der großen Welt änderte sich, und er mußte die Eintrittspreise seiner Auftritte von Jahr zu Jahr senken. In einer Edinburgher Zeitung wurde 1788 sein Auftritt wie folgt angepriesen: »Nächsten Samstag, den 1. August 1788 um 12 Uhr, findet im Duns Hotel zu Gunsten von Count Boruwlaski ein öffentliches Frühstück statt. Dabei wird der Graf einige ausgewählte Stücke auf der Gitarre spielen. Eintrittskarten (zu 3 Shilling, 6 Pence) gibt es im Hotel oder in des Grafen Wohnung, wo er jeden Tag von 10 Uhr morgens bis 3 Uhr und von 5 bis 9 Uhr Gesellschaft empfängt.«

1798 bildete Samuel Percy den Zwerg in Wachs ab (heute im Metropolitan Museum in New York), und 1802 zeichnete ihn John Kay (1772–1862) an der Hand des riesengroßen Mr. Neil Fergusson. Dieser hatte Joujou im House of Parliament vorgestellt, und so scheint Boruwlaski auch im 19. Jahrhundert noch ein gewisses Interesse gefunden zu haben. Er starb schließlich vergessen und verarmt 1837 in dem für Zwerge ungewöhnlich hohen Alter von 98 Jahren und wurde in der Kapelle zu den Neun Altären in der Kathedrale von Durham begraben.

Seine Autobiographie, zuerst erschienen in London 1788, wurde in zahlreichen Übersetzungen und Neuauflagen nachgedruckt (zuletzt 1820) und hat sicherlich nicht unwesentlich zum Nachruhm des polnischen Zwerg-Grafen beigetragen. Zuletzt erschien 1980 im Journal des Metropolitan Museum ein ausführlicher Artikel von Priscilla Grace, welcher ich einen Gutteil der obigen Daten und Informationen verdanke. G.G.B.

*Bei der Geburt soll Boruwlaski 20 cm groß gewesen sein. Im dritten Lebensjahr 30 cm, im sechsten 43 cm, im zehnten 53 cm, im zwanzigsten 70 cm, im fünfundzwanzigsten 89 cm und im dreißigsten 99 cm (v. WURZBACH 1857, S. 79). Damit wäre er mindestens bis zum dreißigsten Lebensjahr gewachsen. Seine Gestalt ist proportioniert, und er hat ein sehr männliches Gesicht. Er war kraftvoll, intelligent und musisch begabt. Er war verheiratet und hatte drei normalgewachsene Kinder. Dies bedeutet, daß er außer seines Kleinwuchses keine anderen Krankheitszeichen aufwies, und deshalb spricht MEIGE (1896) bei Boruwlaski von einer »menschlichen Miniatur«. Nach KUNZE und NIPPERT (1986) handelt es sich um einen **primordialen Minderwuchs**, was der Auffassung von MEIGE entspricht. Das anhaltende Wachstum mindestens bis zum dreißigsten Lebensjahr muß aber auch an isolierten Wachstumshormonmangel denken lassen.*

279

99
Francisco Goya
(Fuentetodos 1746 – Bordeaux 1828)
Los pobres en la fuente –
(Die Armen am Brunnen)

Francisco Goya y Lucientes, der spanische Maler und Radierer, schuf zwischen Juli 1786, als er zum »Pintor del Rey« (Hofmaler) ernannt wurde, und Dezember 1788, als Karl III. von Spanien starb, diesen Entwurf für einen Wandteppich auf einer großformatigen Leinwand. Er gehört zu einem Zyklus der Vier Jahreszeiten und greift erstmals soziale Themen auf, die neben anderem Goyas späteren Ruhm begründen sollten (s. Nr. 100, 101). Dieser Zyklus, der aus mindestens zehn Entwürfen besteht, spricht die soziale Thematik sowohl mit der hier behandelten Darstellung armer Menschen im Winter an einem Brunnen wie auch mit der Szene »Der verletzte Maurer« an. Die Tapisserien, die nach diesen Kartons angefertigt wurden, entstanden in der 1720 gegründeten Königlichen Gobelin-Manufaktur von Sta. Barbara in Madrid. Sie waren entweder für das Schlafzimmer des frischvermählten Infanten Don Gabriel Anton im Escorial-Palast (Klingender 1954, S. 73, Nordström 1962, S. 29) oder für einen Speisesaal im Schloß El Prado (Gassier/Wilson 1971, S. 97) bestimmt.

Die in kalten Farben gehaltene, hochrechteckige Komposition lenkt den Blick des Betrachters in eine weite, kahle Winterlandschaft, die nach hinten durch Berge begrenzt wird. Im Vordergrund halten sich drei Personen an einem Brunnen auf; dahinter ragt ein entlaubter Baum auf. Im Mittelgrund liegt ein Bauernhaus.

Im Zentrum der Figurengruppe steht eine Bäuerin, die ihr Schultertuch über den Kopf gezogen hat und in ihrer Linken einen Tonkrug hält. Sie blickt auf den gemauerten Brunnen, aus dem Wasser in ein Gefäß läuft. Links neben der Frau steht ein Knabe mit Hut, von schräg hinten gesehen, der einen großen Krug in der Hand hält. Dem Knaben gegenüber steht rechts neben der Frau ein Zwerg. In Frontalansicht gegeben, hat er seine Hände über der Brust in die Jacke gesteckt, um sich zu wärmen.

Der Kleinwüchsige wurde bisher als frierendes Kind interpretiert (Klingender 1954, S. 80, Nordström 1962, S. 54, Held 1964, S. 14f., Gassier/Wilson 1971, S. 97).   D.M.

Das Gesicht der kleinen Person fällt durch eine antimongoloide Lidachse auf. Dies bedeutet, daß die Lidspalte von innen oben nach außen unten verläuft. Außerdem bestehen leicht eingefallene Wangen. Der Kleinwuchs erscheint proportioniert. Ferner muß man einen kurzen Hals vermuten, was die hochgezogenen Schultern allerdings auch vortäuschen können. Die Gesichtsdysmorphie deutet auf eine **mandibulo-faciale Dysostose** *hin. Eine exakte Diagnose ist nicht möglich.*

1786/1787
Öl/Leinwand, 277 x 115 cm
Museo del Prado, Madrid, Inv. Nr. 797

100

Francisco de Goya
(Fuentetodos 1746 – Bordeaux 1828)
Capricho 49:
Kleine Kobolde

Am 26. Februar 1799 annoncierte Francisco de Goya im Diario de Madrid eine Serie von 80 Radierungen: Los Caprichos, was soviel heißt wie launige Einfälle. Er, Goya, sei der Überzeugung, »daß der Tadel menschlicher Irrtümer und Laster, bisher offenbar der Redekunst und der Poesie vorbehalten, auch das Objekt der Malerei sein könne« (die vollständige Anzeige in Kat. A. Göttingen 1976, S. 21f.). Der thematische Bogen der Caprichos reicht von alltäglichen Torheiten bis zu den Schrecken der Inquisition.

Capricho 49 trägt den von Goya gegebenen Titel »Duendecitos«. Das waren den spanischen Lexikographen des 17. und 18. Jahrhunderts zufolge kleine Dämonen, die in Luzifers Gefolge seit dem Sturz der gefallenen Engel die Erde bevölkern. Sie erschrecken die Menschen und treiben üble Scherze mit ihnen; auch sind sie Wächter unterirdischer Schätze (Kat. A. Boston 1989, Nr. 53).

Hier, bei Goya, tragen die Duendecitos klerikale Gewänder: Im Vordergrund sitzen zwei Mönche (auf der Vorzeichnung trägt der linke Tonsur), zwischen ihnen, etwas in die Tiefe gerückt und stehend, ein Kleinwüchsiger im Priesterhabit. Die drei halten Weingläser in den Händen, und ihre Mienen und Gesten spiegeln eindringlich die vom Wein bewirkten Gefühle, nämlich weitere Gier, müde Zufriedenheit sowie lärmende Heiterkeit.

Goya ging es nicht darum, ein Stück spanischen Volks- und Aberglaubens zu illustrieren. Er benutzt vielmehr die Vorstellung leibhaftiger Duendecitos zur Kritik an der Kirche, der seit dem Mittelalter verwerfliches Wohlleben auf Kosten der Gläubigen und entgegen der biblischen Autorität vorgeworfen wurde. Zu Goyas Zeiten verfügte die katholische Kirche in Spanien unter anderem über ein Viertel aller Einkommen aus landwirtschaftlicher Produktion. Die Gelder dienten jedoch nicht barmherzigen Zwecken, sondern kultischer Repräsentation, was von Zeitgenossen als Verstoß gegen das Armutsgebot beklagt wurde. Daß die verkündete Lehre nicht mit der klerikalen Wirklichkeit übereinstimmte, belegt schließlich auch der links sitzende Mönch, der eine zuvor in den Wein getauchte Hostie genußvoll aussaugt und somit das Abendmahl schändet. G.U.

Die Zuordnung dieser entstellten Wesen zu einem bekannten wirklichen Krankheitsbild ist nicht schwierig, aber fragwürdig. Die auffällige Gesichtsdysmorphie alleine könnte vielen Syndromen zugeordnet werden. Im Zusammenhang mit dem Kleinwuchs und dem kurzen Rumpf symbolisiert das Gesicht eine Speicherkrankheit wie **Mukopolysaccharidose** *oder* **Lipidose**.

1799
Radierung und Aquatinta, 215 x 150 mm

283

101
Francisco de Goya
(Fuentetodos 1746 – Bordeaux 1828)
Capricho 74:
Schrei nicht, Dummkopf

Durch eine weit geöffnete Tür (oder ein Fenster ?) schweben von links zwei gnomenhafte Wesen auf die rechts im Vordergrund stehende Frau zu. Sie, deren Körper und Antlitz von der Aquatinta-Tönung des Blattes ausgespart sind und die somit hell erscheint, beugt sich mit abgewandtem Gesicht und erhobenen Armen weit zurück. Die Geste zeigt Erschrecken, doch das erwartungsvolle Lächeln widerspricht diesem Eindruck ebenso wie die scheinbar abwehrend erhobenen Hände, die dennoch fast die Schamgegend des ersten Eindringlings berühren. Ein Mönch ist das, der mit ausgebreiteten Armen und geöffneten Schenkeln jene zwischen Furcht und Verlangen Schwankende bedrängt – oder zu bedrängen scheint. Ein zeitgenössischer Kommentar beschreibt eben diesen Eindruck: »Zu häßlichen vornehmen Frauen kommen die Mönche durch die Fenster herein. Sie (die Frauen) tun so, als ob sie sich erschreckten; aber sie haben nichts Besseres und empfangen sie mit offenen Armen.«

Goya selbst hat das Blatt etwas anders erläutert: »Arme Paquilla, die, als sie einen Diener suchen geht, auf den Zwerg trifft. Aber es gibt nichts zu fürchten: Man weiß, daß der Kobold gutmütig ist und ihr nichts Böses antun wird« (die Zitate nach Kat. A. München 1981, Nr. 88). Wird jedoch bedacht, daß die Kobolde zur Gattung der Duendecitos zählen (vgl. Kat. Nr. 100), dann verbinden sich Bild und Kommentar zu einer satirischen Attacke gegen die Geilheit der Mönche und den Leichtsinn der Frauen.   G.U.

Eine exakte medizinische Zuordnung ist fragwürdig, siehe auch Kat. Nr. 100.

1799
Radierung und Aquatinta, 215 x 150 mm

102
James Gillray
(London 1757 – London 1815)
A Peep at Christies; … or …
Tally-ho, & his Nimeney-pimmeney
taking the Morning Lounge

James Gillray war der wohl einfalls- und einflußreichste Karikaturist in den erregenden Jahren zwischen Französischer Revolution und Napoleons Ende. Seine oft rücksichtslose Schärfe auch im Umgang mit englischen Nobilitäten wurde durch ein liberales Pressegesetz begünstigt (zu Gillray vgl. Kat. A. Hannover 1986).

Hier führt er den Earl of Derby und dessen Mätresse Mrs. Farren vor. Er ist als wohlbeleibter Kleinwüchsiger dargestellt, der um doppelte Haupteslänge von Mrs. Farren überragt wird. Gemeinsam betrachten sie im Auktionshaus Christie's ausgestellte Gemälde, doch mit unterschiedlichem Interesse. Sie widmet sich »Xenokrates und Phryne«, er – ein begeisterter Jäger – dem Ende einer Fuchsjagd mit dem Titel »Der Tod«. Doch nicht satirische Kunstkritik ist Gillrays Thema, sondern ein bitterer persönlicher Angriff gegen das Paar.

Lord Derby, ein führender Politiker der Opposition und Gillray schon deswegen verhaßt, und die Schauspielerin Mrs. Farren hatten seit 1781 ein allgemein als platonisch angesehenes Verhältnis. Nach schwerer und langer Krankheit starb Lord Derbys Frau am 14. März 1797. Ein halbes Jahr zuvor enthüllte Gillray mit dieser Karikatur die vermeintlichen Gedanken des Lords und der Schauspielerin: Er schaut auf den Tod – nämlich den seiner Frau; Mrs. Farren sieht sich in der Rolle der Phryne, einer berühmten griechischen Hetäre.

Mrs. Farren und Lord Derby heirateten am 1. Mai 1797, nur wenige Wochen nach dem Tod seiner ersten Frau. Wie die betrachteten Bilder, so enthalten auch die im Titel genannten Namen persönliche Anspielungen: Als Nimeney-Pimmeney hatte Mrs. Farren in Burgoynes Komödie »The Heiress« (1786) ihren größten Bühnenerfolg gefeiert, und mit dem Ruf »Tally-Ho« werden englische Jagdhunde angefeuert – ein Hinweis auf die Jagdleidenschaft des Lords.

G.U.

*In komisch übertriebener Weise sind die klassischen Zeichen der **Achondroplasie** karikiert: die halbkugelförmig vorgewölbte Stirn mit eingezogener Nasenwurzel und die allzu kurzen Gliedmaßen. Die übertriebene Bauchesfülle ist ein zusätzliches karikierendes Merkmal, das mit der Kleinwuchsform nichts zu tun hat.*

J.G. ad vivam fecit
Pub. Sept. 14. 1796 by
H. Humphrey New Bond Street
Radierung, koloriert, 358 x 254 mm
Staatsgalerie Stuttgart

103
George Cruikshank
(London 1792 – London 1878)
Die vier Herren Preis

George Cruikshank setzte in seinen jungen Jahren den von James Gillray (vgl. Kat. Nr. 102) entwickelten Stil englischer Bildsatire fort. Seit 1826 arbeitete er vor allem als Illustrator zeitgenössischer englischer Autoren.

»Die vier Herren Preis« von 1825 gehören zu seinen letzten Werken in karikierender, das heißt stark übertreibender Manier. Vier Männer unterschiedlichen Standes sind hier vorgestellt: ein übergroßer, ein überkleiner, ein überdicker und ein überdünner. Sie heißen mit Nachnamen allesamt Price (Preis), so sagt die Unterschrift, und weiter ist da zu lesen, daß sie ihrer Statur wegen die Beinamen hoch, niedrig, voll und halb erhielten.

Ungeklärt ist bisher, ob Cruikshank lediglich ein zeitloses Wortspiel ins amüsante Bild übersetzte, ob er er die wirre englische Wirtschaftspolitik aufs Korn nahm oder aber mit Stephen Price eine seinerzeit bekannte Persönlichkeit, den als »Half Price« verspotteten Manager des Drury-Lane-Theaters (Kat. A. Hannover 1983, Nr. 139).   G.U.

Die karikaturistische Übertreibung der Personen läßt in der minderwüchsigen Figur kein definiertes Krankheitsbild erkennen. Deskriptiv besteht ein proportionierter Kleinwuchs mit einer Gesichtsdysmorphie, wie man sie zum Beispiel bei einer Mucopolysaccharidose finden würde. Die übrige Statur entbehrt jedoch dieser Zuordnung. Eine nosologische Einordnung ist nicht möglich.

5. Januar 1825
Radierung, koloriert, 274 x 388 mm
London, British Museum

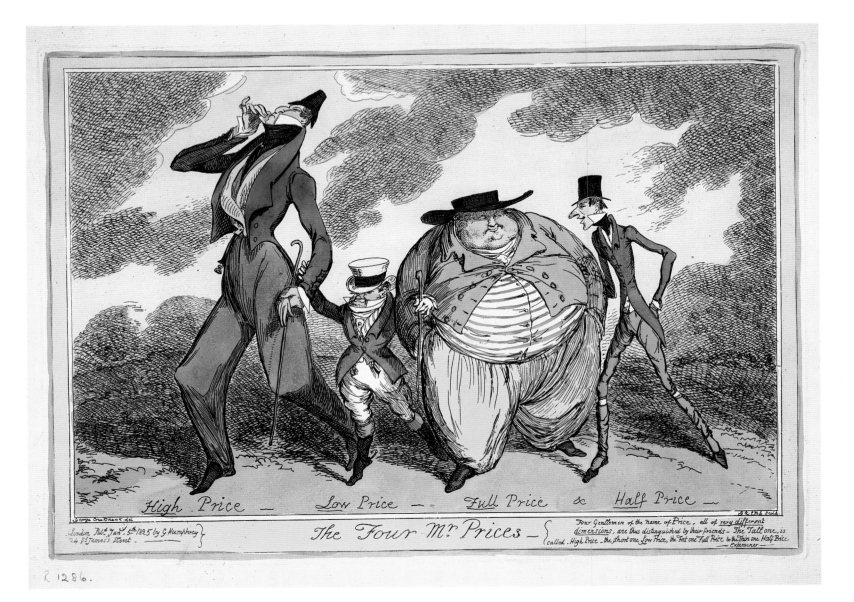

High Price — Low Price — Full Price & Half Price —

The Four Mr. Prices —

George Cruikshank del.

London, Pub.d Jan.y 5.th 1825 by G Humphrey
24 S.t James's Street.

JR & IML Sculp.

Four Gentlemen of the name of Price, all of very different dimensions, are thus distinguished by their friends — The Tall one, is called High Price — the short one Low Price, the Fat one Full Price & the thin one Half Price.
— Examiner —

R 1286.

289

104
Eugène Devéria
(Paris 1805 – Pau 1865)
**Die Geburt des französischen Königs
Heinrich IV.**

Eugène Devéria, der den Romantikern zuzurechnen ist, trat bereits im Alter von 13 Jahren in die Pariser École des Beaux-Arts ein. 1824 debütierte er im Pariser Salon. Sein berühmtestes Gemälde, das hier vorgestellt wird, wurde dort 1827 ausgestellt. Der französische König Karl X. (1757–1836) ließ das Bild im Jahre 1828 für das Palais Luxembourg für die hohe Summe von 6000 Francs durch den Grafen de Forbin ankaufen, und der Verleger Gaugain erwarb für 6500 Francs die Exklusivrechte für die Veröffentlichung des Bildes als Lithographie. Im gleichen Jahr veranstaltete Devéria ein großes Fest im Stil der Zeit des venezianischen Künstlers Veronese, da das Gemälde in der Art dieses Meisters von ihm gemalt worden war (Gauthier 1925, S. 45f.). Eine vorbereitende Skizze befindet sich im Musée Fabre in Montpellier.

In dem mit Reliefs und prächtigen Draperien geschmückten Saal eines gotischen Palastes hat sich eine gewaltige Menschenmenge versammelt. Im Zentrum ihrer Aufmerksamkeit steht, in der Bildmitte leicht erhöht, ein alter Herr, der über seinem Kopf ein neugeborenes Kind hält und es der Menge zeigt. Der Alte, gekleidet in einen würdevoll dunklen, pelzverbrämten Mantel, ist Heinrich von Albret, König von Navarra, und die Szene spielt in seinem Schloß im südfranzösischen Pau am 13. Dezember 1553. Rechts neben ihm liegt, wie hingegossen, auf schweren Kissen eine erschöpfte junge Frau in prachtvoller Gewandung, und drei Hofdamen stehen am Kopfende ihres Lagers. Es ist Heinrichs Tochter Johanna (1528–1572), die mit dem Herzog von Bourbon verheiratet und soeben von dem neugeborenen Kind entbunden worden ist. Kaum war das Kind zur Welt gekommen, hatte der überglückliche Großvater befohlen, Wein von Jurançon herbeizuschaffen – links neben Albret erkennt man einen goldgewandeten Pagen, der auf dem Tablett ein Glas Rotwein trägt –, um dem Kind davon zu trinken zu geben. Nun hält der König seinen Enkel in die Höhe und fragt die Versammlung, auf welchen Namen das Knäblein getauft werden solle. Und alle rufen wie aus einem Munde: »Es soll Heinrich heißen, wie sein Großvater!« (Gauthier 1925, S. 43). Dieser Heinrich sollte 1594 als Heinrich IV. (gest. 1610) den Thron Frankreichs besteigen.

In der Mitte des Bildvordergrundes spielen, am Hauptgeschehen völlig unbeteiligt, ein Jagdhund und ein Hofzwerg miteinander. Der bärtige Zwerg ist prächtig in Rot und Gold gekleidet, hat ein kurzes Schwert am Gürtel und muß, urteilt man nach der Größe der daranhängenden Geldkatze, nicht unbemittelt sein. Sein Kopf ist mit einer weißen, rotumrandeten Narrenkappe geschmückt, an der eine Feder steckt. Auf der Faust trägt er, als ob es ein Jagdfalke wäre, einen bunten, flatternden Papagei.

D.M.

*Als erstes fallen die kurzen Beine mit den besonders verkürzten Oberschenkeln (Rhizomelie) ins Auge. Die Unterschenkel sind O-förmig gebogen und die Füße leicht einwärts gekippt. Der Rumpf erscheint relativ lang. Obwohl die Stirnhöcker sichtbar sind, ist die Nasenwurzel nicht eingezogen, und das faunenhafte Gesicht, durch den Spitzbart noch betont, spricht eher für eine **Pseudoachondroplasie** als für eine Achondroplasie.*

Öl/Leinwand, 484 x 392 cm
Paris, Musée du Louvre, Inv. Nr. 4070

105
Adolph von Menzel
(Breslau 1815 – Berlin 1905)
Abendgesellschaft

Adolph von Menzel wurde besonders durch seine Bilder bekannt, die Friedrich den Großen und seine Hofgesellschaft darstellen, so etwa die Gemälde »Tafelrunde Friedrichs II. in Sanssouci« von 1850 oder »Das Flötenkonzert von Sanssouci« von 1852. Für König Wilhelm I., den späteren Kaiser, malte er in den Jahren 1861 bis 1865 dessen »Krönung in Königsberg«. Ein weiteres Hauptwerk ist »Das Eisenwalzwerk« von 1875. Ferner lieferte er ungefähr 400 Zeichnungen, die als Vorlagen für die Holzstiche dienten, mit denen Franz Theodor Kuglers (1808–1858) »Geschichte Friedrichs des Großen«, erstmals 1841 erschienen, illustriert wurde.

Die »Abendgesellschaft« ist eine der Studien Adolph von Menzels, die bis zu seinem Tode in seinem persönlichen Besitz blieben. Die Szene spielt in der Berliner Wohnung des Künstlers in der Schöneberger Str. 18. Um einen runden Tisch mit weißer Tischdecke sind insgesamt fünf Personen versammelt. Auf dem Tisch steht als einzige Lichtquelle eine Petroleumlampe. Auf dem roten Sofa, über dem drei Portraits hängen, unterhält sich Menzels Schwester Emilie, die sich weit zurückgelehnt hat, mit Frau Maercker. Links haben ihr Gatte, der spätere Justizminister Dr. Maercker, und ein Professor der Rechte aus Freiburg Platz genommen (Kat. S. Berlin 1976, S. 260). Auffällig isoliert sitzt der zwergenhafte Menzel, von dem es keine weiteren Selbstportraits gibt und der sich hier nur in Rückenfigur darstellt, im Vordergrund auf einem Stuhl.

Adolph von Menzel war königlicher Professor und Kanzler der Friedensklasse des Ordens Pour le mérite für Wissenschaften und Künste. Aus Anlaß seines 70. Geburtstages wurde eine Stiftung von jährlich 800 Reichsmark für Schüler der Berliner Akademie errichtet, und bei seinem 80. Geburtstag wurde er zum »Wirklichen Geheimen Rat mit dem Prädikat Exzellenz« und zum Ehrenbürger der Stadt Berlin ernannt. An diesem Tag veranstaltete der Kaiserliche Hof in Potsdam zu seinen Ehren ein Kostümfest und stellte das »Flötenkonzert in Sanssouci« als lebendes Bild nach (s. Nr. 106). 1898 wurde er durch Verleihung des Schwarzen-Adler-Ordens mit dem persönlichen Adel ausgezeichnet. D.M.

*Auf seinem Selbstbildnis ist die kleine Statur Menzels wohl zu ahnen, aber nicht sicher zu beurteilen. Man kann vermuten, daß bei dem Sitzenden, den man von hinten sieht, ein sehr kurzer Rumpf besteht. Auf der Fotografie (Kat. Nr. 106) bestätigt sich dies; sie zeigt aber auch, daß die Gliedmaßen in gleichem Maße verkürzt sind. Es handelt sich also um einen proportionierten Kleinwuchs. Adolph von Menzel soll 1,40 m groß gewesen sein und in der Kindheit an epileptischen Krämpfen gelitten haben (HERMAND 1986, S. 9). Danach könnte man davon ausgehen, daß dem Kleinwuchs vielleicht eine Geburtsschädigung zugrunde liegt. Beim **hypophysären Minderwuchs** besteht nicht selten ein solches Geburtstrauma, und dies könnte auch zu den Krämpfen geführt haben. Natürlich müssen auch andere proportionierte Kleinwuchsformen in Betracht gezogen werden.*

um 1847
Öl/Papier auf Malpappe, 25 x 40 cm
Staatliche Museen Preussischer
Kulturbesitz
Nationalgalerie, Berlin, Inv. Nr. 976

106
M. Ziesler
**Adolph von Menzel mit dem
Kaiser und seinem Hof vor
Schloß Sanssouci**

Anläßlich des 80. Geburtstages von Adolph von Menzel im Jahre 1895, bei dem er unter anderem zum »Wirklichen Geheimen Rat mit dem Prädikat Exzellenz« ernannt wurde, veranstaltete der Kaiserliche Hof ein Kostümfest in Potsdam (Schnabel 1978, o. S.). Kaiser Wilhelm II. (1859–1941) und sein Hofstaat überrraschten den Künstler damit, daß sie eines seiner berühmtesten Gemälde, das »Flötenkonzert zu Sanssouci« aus dem Jahre 1852, als lebendes Bild in historischen Kostümen nachstellten. Der Kaiser stellte hierbei die Person Friedrichs des Großen, des Preußischen Königs, vor. Adolph von Menzel, der nur zu einem Hoffest eingeladen worden war, wurde völlig überrascht. Die Photographie muß nach dem Ereignis aufgenommen worden sein. Der Betrachter blickt auf die versammelte Hofgesellschaft in ihren historischen Kostümen auf einer der Terrassen von Schloß Sanssouci. Etwas aus der Bildmitte gerückt, steht neben Wilhem II. der Künstler Menzel in schwarzem Frack und weißen Handschuhen vor einer der Säulen der Terrasse, zu der vom Garten aus vier Stufen hinaufführen.

D.M.

Zur medizinischen Analyse vgl. Kat. Nr. 105.

107
Johan Fredrik Höckert
(Jönköping 1826 – Göteborg 1866)
Der Schloßbrand von Stockholm

Der schwedische Maler Johan Fredrik Höckert gehört zu den bedeutendsten Vertretern der Historienmalerei des 19. Jahrhunderts in seinem Land. Eine erste Ausbildung erfuhr der Künstler von 1846 bis 1849 in München. Seit 1857 war Höckert Lehrer an der Stockholmer Akademie der Schönen Künste. Neben der Historienmalerei ist er durch seine Genreszenen, in denen sich das schwedische Volksleben widerspiegelt, berühmt geworden.

Das Historiengemälde, das von Höckert hier vorgestellt wird, war für den Maler ein durchschlagender Erfolg. Es zählt wegen seiner phantasievollen Darstellung und seiner Komposition zu den besten Werken der schwedischen Malerei des 19. Jahrhunderts. Eine vorbereitende Skizze befindet sich im Museum zu Göteborg.

Mitten in der Nacht des 7. Mai 1697 ist im Stockholmer Stadtschloß der Könige von Schweden eine Feuersbrunst ausgebrochen. Der Widerschein der Flammen durchzuckt das schaurige Dunkel und hüllt die Szene im Treppenhaus in ein ungewisses Licht. Jeder rettet, was ihm als das Liebste und Wertvollste erscheint: die beiden Herren rechts, die ins nächste Stockwerk hinunterstürzen – sich selbst; die Männer über der Balustrade gleichen Plünderern; links im Hintergrund kümmert man sich um eine rote Truhe. Eine junge Frau fällt, von der Situation überwältigt, neben einem auf der Balustrade hockenden, skulptierten Löwen, der das schwedische Wappen in seinen Pranken hält, in Ohnmacht. Auf der raucherfüllten Treppe aber helfen der junge König Karl XII. von Schweden (1682–1718) und seine ältere Schwester Hedvig Sofia einer Greisin, der Großmutter des Königs, Hedvig Eleonora, die sich an ihren Stock klammert, die Treppe herunter (Kat. S. Stockholm 1942, S. 282).

Vor diesen dreien ist im Laufschritt eine Hofzwergin, deren Frisur sich gelöst hat, die Treppe hinuntergekommen; begleitet von einem kleinen Hündchen, das den Ernst der Lage nicht begriffen hat, drückt sie dessen Spielkameraden mit beiden Händen an ihren Körper, über den sie in aller Eile einen dunklen Umhang geworfen hat.   D.M.

*Von der flüchtenden, kleinwüchsigen weiblichen Person im Vordergrund kann nur das Gesicht zur Einschätzung verwendet werden, der Körper ist durch die Kleidung verdeckt. Trotzdem kann man die Kürze der Oberschenkel ahnen (Rhizomelie). Das Gesicht mit der prominenten Stirn und der eingezogenen Nasenwurzel deutet auf eine **Achondroplasie** hin.*

Öl/Leinwand, 214 x 284 cm
Stockholm, Nationalmuseum
Inv. Nr. NM 1355

108
Frank Dadd
(London 1851 – Teignmouth/Devon.
1929)
Die Zwerge im Picadilly:
Lucia Zarate und General Mite,
mit dem Schausteller Frank Uffner

bezeichnet: l.u. W.I.Mosses sc., r.u. FD.
Holzstich, 267 x 214 mm
in: The Illustrated London News
No. 2165, Vol. LXXVII
Saturday, 27. November 1880, S. 517/518

In der Wochenzeitschrift »The Illustrated London News« wurde am 27. November 1880 auf Seite 517 über eine Attraktion berichtet, die im Londoner Picadilly, gegenüber der St. James-Kirche, zu sehen war. Die sogenannten »Amerikanischen Zwerge« wurden der Londoner Öffentlichkeit von dem Schausteller Frank Uffner vorgeführt; es handelt sich um den schnauzbärtigen Mann rechts. Das Publikum konnte die beiden Kleinwüchsigen, die als die kleinsten je in London gesehenen Menschen bezeichnet wurden, täglich von 14 Uhr bis 19.30 Uhr bestaunen. Fräulein Lucia Zarate und General Mite werden in einer Art Boxring vorgeführt. Links neben ihnen steht zum Vergleich General Tom Thumb, ein den Londonern bereits bekannter Zwerg, um die Kleinheit der beiden Amerikaner hervorzuheben. Die Vorlage zu dem Holzstich, den W.I. Mosses ausgeführt hat, zeichnete Frank Dadd.

Die am 2. Januar 1863 geborene Lucia Zarate war zu diesem Zeitpunkt etwa 50 cm groß und wog, wie in dem Artikel mitgeteilt wird, »viel weniger als ein normales, neugeborenes Baby«. Sie stammte aus San Carlos in Mexiko. Ihre Eltern waren dunkelhäutige Indios oder indianisch-spanische Mischlinge von normaler Größe, die auch noch weitere, normalwüchsige Kinder hatten. Nach dem Bericht sah Lucia eher einem Affen ähnlich; ihre äußere Erscheinung war mehr dunkel, dem sogenannten aztekischen Typus verwandt. Sie wurde als lebhaft, schnell und intelligent beschrieben und konnte sogar einige Worte Englisch sprechen. Bevor Lucia in London gezeigt wurde, war sie schon zehn Jahre lang in den Vereinigten Staaten von Amerika vorgeführt worden.

Der am 2. Oktober 1864 in Shenandoah County im Staate New York geborene Frank J. Flynn, der sich »General Mite« nannte, wird als ein blonder, wohlerzogener, intelligenter, gutaussehender, würdevoller, kleiner »Bursche« beschrieben. Bei seiner Geburt soll er nur 22,9 cm groß gewesen und dann nur bis zu seinem achten Lebensjahr gewachsen sein. Bevor er in London zu sehen war, wurde er schon sechs Jahre in den USA gezeigt.

Neben den beiden Genannten wurden noch zwei weitere Zwerge vorgeführt. Zum einen handelte es sich um Jenny Quigley aus Glasgow, zum anderen um Commodore Foot aus den USA, der als doppelt so dick wie lang beschrieben wird.

General Tom Thumb, der mit richtigem Namen Charles S. Stratton hieß, wurde am 11. Januar 1832 im amerikanischen Bridgeport, Connecticut, geboren. Er starb 51jährig im Jahre 1883. Helen Reeder Cross schrieb 1980 einen Roman über den General mit dem Titel »The real Tom Thumb«. Wood beschreibt sein Leben sehr ausführlich. In seinem Buch von 1866, S. 411ff., heißt es: »Charles S. Stratton, besser bekannt als ›General Tom Thumb‹ (zu dessen Name ›junior‹ hinzugefügt wurde, als dieser ihn zuerst angenommen hatte) oder als ›Der amerikanische Mann in Miniaturausführung‹, wurde wahrscheinlich am 11. Januar 1832 im amerikanischen Bridgeport, Connecticut, geboren. Er wog bei seiner Geburt 3400 Gramm, etwas mehr als das Normalgewicht eines Neugeborenen. Als er fünf Monate alt war, wog er 5600 Gramm und maß 63,5 cm; ab diesem Zeitpunkt bis ins Jahr 1845 veränderten sich weder seine Größe noch sein Gewicht, bis auf 60 Gramm. Der General wurde zuerst in Barnum's altem ›Amerikanischen Museum‹ in New York ausgestellt, wo ihn mehr als 30000 Menschen bewundert haben sollen; Herren der Gesellschaft luden ihn ein, um mit ihm zu dinieren; Damen kamen in ihren Kutschen, um ihn zu sehen und ihm wertvolle Geschenke zu überreichen; er war für sechs Wochen ›der Löwe von New York‹. Als nächstes besuchte er Philadelphia, Boston, Baltimore und Charleston, er machte in der Tat eine Tournee durch die Vereinigten Staaten, wo er mit seinen Miniaturmöbeln und seiner Equipage beträchtliches Aufsehen erregte.

Im Januar 1844 verließ er New York in Richtung England und wurde von mehr als 10000 Menschen zu seinem Segelschiff ›Yorkshire‹ begleitet. Sofort nach seiner Ankunft in London verständigte er die am Strand gelegene Redaktion der London Illustrated News, und das erste Portrait, das in diesem Land von ihm gemacht wurde, erschien in dieser Zeitschrift am 24. Januar 1844, auf dem er auf einem Stuhl stehend und nochmals in der Rolle des Napoleon auf der Bühne des Princess' Theaters abgebildet ist. (...) Der Kopf des Generals reichte gerade bis zum Knie einer Person normaler Statur und war ungefähr auf der Höhe einer gewöhnlichen Stuhllehne. Er hatte helles Haar und eine helle, frische Gesichtsfarbe, dunkle Augen, einen gutgeformten Vorderkopf, gute Zähne, große Lebhaftigkeit im Ausdruck und eine kindliche Sopranstimme. Er war insgesamt fröhlich.

Am 23. März 1844 besuchte der General in Begleitung von Barnum die Königin, Prinz Albert und die Herzogin von Kent im Buckingham Palast, wo er seine Aufführungen machte. (...) Im August 1844 ließ sich dieser ›kleine, große, schmale Mann‹ bei einem Londoner Kutschenmacher einen elegant ausstaffierten Wagen, auf seine Maße zugeschnitten, anfertigen. (...) Er ist in der London Illustrated News vom 31. August 1844 abgebildet worden. Im Februar 1845 besuchte der General mit seiner Equipage Paris, und er machte wiederholte Besuche in den Tuilerien, wo er viele wertvolle Geschenke von König Louis Philippe, der Königin, der Prinzessin Adelaide und dem Herzog von Paris erhielt. (...)

Nachdem er die Provinzen von England, Irland und Schottland besucht hatte, kehrte Tom Thumb schließlich nach Amerika zurück. Eine Londoner Zeitung berichtet am 18. September 1847: ›Tom Thumb's Sekretär lieferte eine Aufstellung der Einnahmen in Europa ab, in der gesagt wird, daß sie sich über 150000 Pfund Sterling belaufen würden.‹ Der General besuchte England wieder und kehrte dann in sein Heimatland zurück, wo er eine Zwergin heiratete. (...) Bald wurde eine Tochter geboren, die Minnie Tom Thumb genannt wurde und im September 1866 an einer Hirnhautentzündung im Norfolk Hotel, Norwich, starb, während ihre Eltern eine Tournee durch die östlichen Provinzen machten.«   D.M.

*Frank Flynn, auch als »General Mite« bekannt, und seine Partnerin erscheinen als wohlproportioniert, und man muß von ihnen annehmen, daß es sich bei beiden um eine **multiple hypophysäre Vorderlappeninsuffizienz** handelt, bei der auch die Sexualdrüsen mit einbezogen sind. Denn wir wissen von RANKE und VOIT (1885), die General Mite anläßlich eines Asthmaanfalls in München genau untersuchen konnten, daß dieser keine Schambehaarung besaß und bei ihm wahrscheinlich kein Geschlechtstrieb vorhanden war. Von beiden medizinischen Autoren haben wir auch eine Größenangabe mit 82,4 cm im Alter von 16 Jahren, wobei der General für das große Publikum allerdings immer als älter (19 Jahre) hingestellt und kleiner (63 cm) angegeben wurde. Daß auf Abbildungen damals die Angaben verfälscht wurden, um den Werbeeffekt im Schaugeschäft zu erhöhen, zeigt auch unsere Abbildung. Denn über General Thumb, der hier zum Vergleich abgebildet ist, wissen wir, daß auch er unterschiedlich zwischen 55 und 78 cm angegeben wurde. Dies würde bedeuten, daß er also kleiner wäre als General Mite. Auf der vorliegenden Darstellung ist er aber sicher als doppelt so groß zu erachten. General Thumb besaß ein Geburtsgewicht von 4566 g, also mehr als normal (MOREAU 1885, S.131, GARNIER 1884, S. 206). Ab dem 5. Monat soll er nicht mehr gewachsen sein. Deshalb muß er mit seinem etwas großen Kopf auch als **hypophysärer Minderwüchsiger** eingeschätzt werden.*

109
Fernand Pelez
(Paris 1843 – Paris 1913)
Grimaces et misères

Abbildung auf Seite 302

Fernand Pelez malte ab den 1880er Jahren nicht mehr Historien- und Genrebilder, sondern seine Gemälde zeigen die grausame Wirklichkeit der Pariser Arbeiterklasse. Nach 1885 wandelt sich sein Interesse und wendet sich der Welt der Bühne zu (Rosenblum 1981, S. 707f.). Eines dieser Bilder, das 1888 im Pariser Salon ausgestellt wurde und allein schon wegen seiner enormen Größe für Aufsehen sorgte, wird hier vorgestellt (rechts beschnitten).

Eine Schaustellertruppe – zehn arme, vom Leben geschlagene Menschen – hat sich auf einer Jahrmarktsbühne versammelt, um das hoffentlich zahlende Publikum zu unterhalten. Ganz rechts sitzen unter dem bitter ironischen Schriftzug »Orchestre français« drei müde Greise mit Musikinstrumenten in den Händen. Links stehen drei halbwüchsige Mädchen, die als Nummerngirls fungieren. Das Mädchen links blickt mitleidig auf einen Knaben herab, der sich ganz außen an eine Stange lehnt, an der ein Ring mit einem Papagei befestigt ist, und sein Unglück beweint. Das größte Mädchen versucht gelangweilt eine Pose und hält ein Schild mit der Inschrift »30 Sekunden« hoch. Denn schon seit 30 Sekunden hält mit aufgerissenem Mund der Clown in der Bildmitte, dem eine große Kröte auf sein Gewand gemalt ist, den Ton. Fast wohlgefällig lächelnd, steht neben ihm, mit über der Brust gefalteten Händen, ein energisch aussehender Spaßmacher, der wohl der Direktor der Truppe ist. Links vor dem singenden Clown wendet sich, auf der Treppe sitzend, ein Zwerg zum Betrachter und wirft ihm einen Kuß zu (Rosenblum 1981, S. 711). Er scheint um des Kontrasts willen zum Beherrscher der großen Trommel ernannt worden zu sein, die links neben ihm auf einem Gestell steht.

Das Bild wurde zusammen mit »La Parade de Cirque« des Pointillisten George Seurat (1859–1891) ausgestellt. Dieses Gemälde befindet sich heute im New Yorker Metropolitan Museum of Art. Während Seurat seinen Akteuren anonyme idealisierte Gesichter und Formen gibt, zeigt Pelez die realistische Grausamkeit und Armut des Schaustellerlebens. Seine Personen spielen ihre Rollen, aber in ihren Gesichtern und Posen zeichnet sich ihr Elend ab.
D.M.

Durch die sitzende Haltung auf der Treppe ist nur der relativ lange Rumpf des Kleinwüchsigen zu erkennen. Die Gliedmaßen sind als kurz zu erahnen. Der Kopf scheint bei leicht prominenter Stirn eine eingezogene Nasenwurzel aufzuweisen. Damit ist eine **Achondroplasie** *zu diagnostizieren.*

1888
Öl/Leinwand, 221 x 635 cm
Paris, Musée du Petit Palais
Inv. Nr. P.P.P.594

302

110
Henri de Toulouse-Lautrec
(Albi 1864 – Gironde,
Schloß Malromé 1901)
Im Moulin Rouge

Abbildung auf Seite 305

Das Photo zeigt Toulouse-Lautrec mit Maurice Guibert und Gabriel Tapié de Cáleyrant, ähnlich Lautrec's Gemälde mit dem Größenunterschied zwischen dem Maler (links) und seinem Cousin Gabriel, dem Chrirurgen (rechts).

1892 bis 1893
Öl/Leinwand, 123 x 141 cm
Chicago, The Art Institute of Chicago
Helen Birch Bartlett Memorial Collection
(1928. 610)

Henri de Toulouse-Lautrec war einer der genialsten und bedeutendsten Maler und Grafiker Ende des vorigen Jahrhunderts. Von der Vergnügungswelt des Montmartre in Paris fasziniert, hielt er dieses Genre in den Cafés, Cabarets, Tanzlokalen und Bordellen in unzähligen Gemälden, Lithographien und Plakaten fest. Als letzter Sproß einer alten, angesehenen adligen Familie mußte er tief hinabtauchen in das exaltierte Treiben der Vergnügungssüchtigen, um seinen unstillbaren Beobachtungsdrang zu befriedigen – in ein Milieu, geprägt von Prostitution und Alkoholismus, in welchem die Syphilis grassierte. Dabei war er wie kaum ein anderer Maler imstande, das Beobachtete zu analysieren und zu einem Bild menschlichen Daseins mit all seinen Stärken und Schwächen zu synthetisieren.

Unter den zahlreichen Bildern, die Szenen aus dem Tanzlokal Moulin Rouge auf dem Montmartre darstellen, gilt das Gemälde »Im Moulin Rouge« als eines der am gründlichsten ausgearbeiteten Werke des Künstlers (Arnold 1987, S. 52). Es stellt ausnahmsweise nicht den Tanzsaal selbst, sondern die Wandelhalle dar, in deren Vordergrund das Auge des Betrachters auf eine Gruppe von Gästen fällt, die hinter einer diagonal verlaufenden Balustrade sitzen. Es sind Bekannte von Toulouse-Lautrec, deren Namen man kennt (Thomson 1991, S. 266). Sie sitzen sich ohne Blickkontakt gegenüber, scheinen in Gedanken mit sich selbst beschäftigt und stellen alles andere als eine lustige Gesellschaft dar. Rechts im Vordergrund wird das Gesicht einer dunkel gekleideten Frau von grellem Licht beschienen.

Unser besonderes Interesse soll dem ungleichen Paar gelten, das eben an der sich das Haar hochsteckenden Tänzerin La Goulue vorbei im Hintergrund die Wandelhalle durchquert. Es ist Toulouse-Lautrec selbst, begleitet von seinem Vetter Gabriel Tapié de Céleyrant. Der Künstler reicht trotz schwarzer Melone auf dem Kopf dem Vetter nicht einmal bis zur Schulter. Daß diese Differenz in der Körpergröße beider nicht sehr übertrieben ist, bestätigt eine Fotografie, auf der Toulouse-Lautrec im Spital St. Louis neben Maurice Guibert und seinem Vetter steht, der dort bei dem berühmten Professor Péan als Chirurg tätig war (s. Abbildung am Rand, Dortu Bd. 1, Ic. 162). Damit ist der Maler als kleinwüchsig zu bezeichnen.

A.E.

Die Körpergröße von Toulouse-Lautrec betrug 152 cm, und ein Wachstum fand nach dem 14. Lebensjahr kaum noch statt (SEJOURNET 1955). Des öfteren wurde versucht, Lautrecs Kleinwuchs zu analysieren, wobei unterschiedliche Erkrankungen als Ursache zur Diskussion standen: So wurde eine Osteogenesis imperfecta, die sogenannte Glasknochenkrankheit, von SEEDORFF vermutet oder eine Achondroplasie von SEJOURNET angenommen beziehungsweise eine Pseudoachondroplasie von KRABBE diagnostiziert und schließlich eine polyepiphysäre Dysplasie von LEVY favorisiert (MAROTEAUX und LAMY 1965). Die beiden letzteren Autoren haben anhand einer genauen Analyse und im Lichte neuerer Erkenntnisse die Diagnose einer **Pyknodysostose** *gestellt.*

Dieses Krankheitsbild ist gekennzeichnet durch einen Kleinwuchs, kurze Hände und Füße, einen großen Kopf, ein zurücktretendes Kinn mit einem wenig ausgebildeten Unterkieferwinkel. Ferner schließen sich die Schädelknochennähte nicht, und es besteht eine erhöhte Knochenbrüchigkeit.

Wieweit passen diese Krankheitssymptome nun zum Erscheinungsbild von Toulouse-Lautrec? Seine kleine Statur ist unzweifelhaft. Auf einigen Fotografien ist durchaus zu erkennen, daß er breite Hände mit etwas kurzen Fingern hatte (z.B. DORTU, Bd. 1: Ic. 185).

Das fliehende Kinn mit dem abgeflachten Unterkieferwinkel ist weniger gut beweisbar, da Toulouse-Lautrec auf den meisten Fotos – und nur diese sind im Vergleich zu den vielen Selbstkarikaturen beweiskräftig – bärtig ist. Zur Bestätigung könnte das Foto »Lautrec im Zylinderhut« (DORTU, Bd. 1: Ic. 169) dienen. Sein einziges Selbstportrait (DORTU, Bd. 2, P 76), das ihn von vorne zeigt, weist ebenfalls auf einen abgeflachten Kieferwinkel hin, obwohl der Lichteinfall von rechts dies auch vortäuschen könnte. Auch sein Leib ist zu kurz, was man an zwei Fotografien ablesen kann (DORTU, Bd. 1: Ic. 202 und Ic. 150). Schließlich hat sich Toulouse-Lautrec im Alter von 14 und 15 Jahren jeweils den linken und rechten Oberschenkelknochen ohne heftige äußere Gewalteinwirkung gebrochen. Dies ist eine sogenannte pathologische Fraktur aufgrund der krankhaften Veränderung seiner Knochen, was typisch für dieses Leiden ist. Später erfolgte noch ein Schlüsselbeinbruch (PERRUCHOT 1958, S. 334). Die autosomal-rezessive Vererbung dieser Erkrankung findet ihre Bestätigung darin, daß Mutter und Vater von Toulouse-Lautrec Cousinen ersten Grades und die Großmütter Schwestern waren. In diesem Zusammenhang ist noch interessant, daß die Schwester seines Vaters den Bruder seiner Mutter geheiratet hat. Beide hatten 14 Kinder, die Totgeburten nicht mitgerechnet. Drei Kinder hatten Mißbildungen, und mindestens eines von ihnen war ein Zwerg (FREY 1985, S. 19).

III
Maurice Guibert (1856–1913)
Monsieur Toulouse malt
Monsieur Lautrec – Monfa

Die Fotomontage von Toulouse-Lautrecs Freund Maurice Guibert, einem Amateurmaler und Vertreter einer Champagnerfirma, wurde um 1890 angefertigt. Dabei sitzt Toulouse-Lautrec auf einem Stuhl vor der Staffelei. Sein Gegenüber ist ebenfalls Lautrec, wie er sich selbst Portrait sitzt. In Hemdsärmeln mit schwarzer Weste und karierter Hose trägt er einen breitrandigen Hut. Es ziert ihn ein schwarzer Kinn-Backenbart. Auf der Leinwand erkennt man eine wenig schmeichelhafte Selbstkarikatur.

In diesem Bild besitzen wir neben vielen anderen Fotografien, die von Toulouse-Lautrec erhalten sind, eine objektive Darstellung seiner Gestalt. Sie ist nicht verzerrt wie in seinen meist karikierten Selbstportraits, die eine medizinische Analyse seines Körpers nicht gestatten. Zu einer solchen sind einige Fotografien ganz besonders geeignet, die den Maler auf Schnappschüssen beim Baden unbekleidet zeigen. Auf einem der Fotos (Dortu, Ic. 223: »Lautrec mit Viaud im Boot« um 1899) ist eine geringe Verbiegung besonders des rechten Oberschenkels zu sehen, was als Folge seines erlittenen Knochenbruches gedeutet werden kann.

Trotz seiner Körperbehinderung muß Toulouse-Lautrec über beträchtliche physische Kräfte verfügt haben (Lassaigne 1953, S. 11). Obwohl ein Handstock (Le crochet à bottine) sein ständiger Begleiter war, weil er nur langsam gehen konnte und einen watschelnden Gang hatte, soll er ein ausgezeichneter Schwimmer gewesen sein. Er soll tüchtig gerudert und gesegelt haben. Für eine gute physische Kondition spricht auch seine ungeheure Schaffenskraft. Sie gipfelte in einem Lebenswerk von 737 Gemälden, 275 Aquarellen, 368 Drukken und Plakaten, 5084 Zeichnungen und anderem mehr (Frey 1985, S. 19).   A.E.

Auf dem Foto kommt die zu kleine Gestalt Toulouse-Lautrecs deutlich zum Ausdruck. Ober- und Unterschenkel sind zu kurz, um vom Stuhl aus den Boden zu erreichen. Die Hände sind wohl kräftig, aber relativ kurz, was genau dem entspricht, wovon Yvette Guilbert, der Pariser Chanson-Star, sagt: »Seine drollige kleine Hand (...) seine total vierkantige Hand« (MAROTEAUX und LAMY 1965). All dies sind Merkmale der Erkrankung des Malers, der **Pyknodysostose***.*

Daß Toulouse-Lautrec auf fast allen Bildern, die von ihm selbst, aber auch von anderen stammen, einschließlich auf den vorhandenen Fotografien, den obligatorischen Hut trägt, könnte eine medizinische Bewandtnis haben. Abgesehen von der damaligen Mode, daß man (Mann) einen Hut trug, ist anzunehmen, daß die offene Fontanelle am Kopf Toulouse-Lautrecs eines Schutzes bedurfte (MAROTEAUX und LAMY 1965). An dieser Stelle schließen sich während der kindlichen Entwicklung die Schädelnähte nicht – auch ein Zeichen seiner möglichen Erkrankung der Pyknodysostose –, und es bleibt zeitlebens am Kopf eine empfindliche und verwundbare Stelle zurück.

um 1890
Fotomontage
Albi, Musée Toulouse-Lautrec

112
Edouard Vuillard
(Cuiseaux 1868 – La Baule 1940)
Toulouse-Lautrec bei Natansons in Villeneuve-sur-Yonne

Der Maler Vuillard gehörte zu den führenden Persönlichkeiten des mondänen und intellektuellen Pariser Kulturlebens. Er arbeitete als Illustrator für die Zeitschrift »La Revue Blanche«, die Thadée Natanson mit seinen Brüdern gegründet hatte. In Natanson's gastfreundlichem Hause, in dem die berühmtesten Schriftsteller, Maler, Kunstkritiker und Politiker verkehrten, waren auch Vuillard und Toulouse-Lautrec häufig zu Gast. Bei einem solchen Anlaß ist das Portrait von Toulouse-Lautrec entstanden.

Wir haben damit neben den Fotografien in diesem Portrait und denen anderer befreundeter Maler wieder eine objektive Darstellung von Toulouse-Lautrec. Die von seinen Malerfreunden geschaffenen Portraits sind zwar weniger erniedrigend als seine Selbstkarikaturen, beschönigen aber auch nicht sein Gebrechen.

Die farbenfrohe Kleidung mit rotem Hemd und gelber Hose kann nicht über die trostlose Situation des Malers hinwegtäuschen. Er steht an einem runden Tisch, auf dem sich die Flasche befindet, die ihn zu dieser Zeit unweigerlich in den Tod treiben sollte. Sein Blick, den er uns über die linke Schulter zuwirft, ist leidend. Der damals 33jährige ist ein vorgealteter, gebrochener Mann.
A.E.

Der auf dem Bild erkennbare körperliche Zustand ist das Resultat jahrelanger Ausschweifungen. Seine Lebenskraft versprühte Toulouse-Lautrec in nächtelangen Studien der Amüsements, wobei er an ihnen selbst auch aktiv beteiligt gewesen ist. Im Jahre 1888 infizierte er sich mit der Syphilis bei einem seiner weiblichen Modelle (ARNOLD 1989, S. 77). Unter zunehmendem Alkoholmißbrauch, von dem ihn seine Freunde trotz mancher Bemühung nicht abhalten konnten, entwickelten sich immer häufiger Depressionen mit suizidalen Äußerungen und Wünschen. In lange hinsiechendem Todeskampf endete das schöpferische Leben des 36jährigen Künstlers, eines »kleinen großen Mannes«.

Man kann nun aber der Erkrankung Toulouse-Lautrecs auch einen positiven Aspekt abgewinnen. Er besaß schon als Kind eine schwächliche Konstitution. Die verzögerte Heilung seiner Knochenbrüche, was eigentlich nicht als typisches Merkmal seiner Erkrankung gilt, sondern eher in einer der damaligen Zeit entsprechenden und für heute als unzureichend geltenden Behandlung seine Ursache hat, führte zu häufiger Bettlägerigkeit. Während dieser Zeit hatte er sich zwangsläufig mit Zeichnen und Schreiben beschäftigen müssen und sein in ihm schlummerndes Talent gleichsam durch fleißige Übung gefördert. Dies mag nicht zuletzt den Ausschlag gegeben haben, warum Toulouse-Lautrec Maler geworden ist.

1897
Öl/Karton, 39 x 30 cm
Musée Toulouse-Lautrec, Albi

309

113
Henri de Toulouse-Lautrec
(Albi 1864 – Gironde,
Schloß Malromé 1901)
Das Krokodil

Toulouse-Lautrec: »Parodie auf den heiligen
Hain«, nach Puvis de Chavannes (1884, Philadel-
phia, Museum of Fine Arts). Lautrecs kleine
Figur mit gebeugten und gespreizten Beinen
kehrt den Musen und dem Betrachter den
Rücken zu.

1896
Lithographie, 323 x 226 mm
Hamburg, Hamburger Kunsthalle

Es handelt sich um eine der vielen ironischen Selbstkarikaturen. Die Menükarte hat Toulouse-Lautrec anläßlich eines Essens mit seinen Freunden entworfen. Dabei sind seine
Freunde Maurice Joyant als Krokodil, Maurice Guibert als Verführer von Königinnen – eine
Anspielung auf die Entführung und Flucht Marias de Medici aus Blois – und sein Vetter
Gabriel Tapié de Céleyrant als ein Hokusai-Monster dargestellt (Adriani 1976, S. 166). Guibert flüchtet in Nachthemd und Schlafmütze mit seiner nackten Mätresse im Arm vor
einem Krokodil, und über allem schwebt der japanische Drachen. Toulouse-Lautrec selbst
sitzt in der linken unteren Ecke mit Malutensilien auf einem kleinen Dreifuß mit dem Rük-
ken zum Beschauer. Obwohl nur mit Hemd und Hose bekleidet, trägt er den obligatorischen
Hut.

Im Nachruf der Zeitung Lyon Républicain vom 15. September 1901 wird Toulouse-Lautrec als »bizarres und mißgestaltetes Wesen« bezeichnet (Adriani 1986, S. 14). Bei Betrachtung seiner zahlreichen Selbstkarikaturen muß genau dieser Eindruck entstehen. Gleichermaßen spiegelt dies seine kleine, leicht nach vorne gebeugte und O-beinige Gestalt, obwohl
nur von hinten gesehen, in seiner »Parodie auf den heiligen Hain« wider (s. Abbildung am
Rand). Betrachtet man jedoch die zahlreichen Fotos von ihm, erscheint der Maler zwar
klein, aber durchaus nicht so grotesk, wie er sich selbst darzustellen pflegte. Er machte
sich in der Selbstdarstellung »kleiner als das Leben selbst« (Frey 1985, S. 19).

Dieser schonungslose Umgang mit sich selbst spricht dafür, daß Toulouse-Lautrec wohl
ein Leben lang unter seinem Aussehen gelitten hat. Die in Wort – er sagt von sich selbst:
»Seht ihn euch einmal an, wie ihm jede Eleganz abgeht, seinen dicken Hintern, die Kartof-
felnase, schön ist es nicht« (Adriani 1986, S.89) – und Bild auferlegte Selbstironie kann nur
bedeuten, daß er sich schützen wollte, indem er dem Spott der anderen zuvorkam und dem
Mitleid entging. Wohl aus dieser Sicht bezeichnet Frey (1985, S. 19) Toulouse-Lautrecs
Selbstironie einerseits als majestätisch stolz und andererseits als symbolisch selbstzerstö-
rend.

A.E.

Was die Krokodil-Szene anlangt, will HERBERT (1972, S. 49) darin einen Hinweis auf einen
Kastrationskomplex und aus der Darstellung des malenden Chronisten Toulouse-Lautrec
auf dieser Karikatur Zeichen eines Voyeurismus erkennen. Dies sei Folge eines Ödipus-
komplexes des Malers, der dem ambivalenten Verhältnis seinem Vater gegenüber ent-
springe. Ist doch die Hoffnung seines Vaters, daß sein Sohn Henri auch ein großer Jäger,
Reiter und Sportsmann werde, durch sein Gebrechen nicht in Erfüllung gegangen.

Toulouse-Lautrec war deshalb nicht geisteskrank, doch er hatte zweifellos eine kompli-
zierte Persönlichkeitsstruktur. Ob diese anhand seiner Werke aufgeklärt werden kann,
bleibt dahingestellt, so reizvoll dies auch sein mag.

114
Max Beckmann
(Leipzig 1884 – New York 1950)
Der Zirkuswagen

Max Beckmann malte das Bild »Der Zirkuswagen« 1940 in Amsterdam. Er war am 19. Juli 1937, dem Tag der Eröffnung der Ausstellung »Entartete Kunst« in München, auf der zehn Gemälde von ihm gezeigt wurden, nach Holland emigriert. Er siedelte 1947 in die USA über, wo er 1950 starb.

Werner Haftmann beschreibt das Bild sehr treffend: »Unter der niedrigen Decke des Wohnwagens sitzt der Zirkusdirektor – Beckmann – zeitungslesend hinter der Petroleumlampe. Vor ihm liegt eine etwas fragliche Venus, die passende Gefährtin dieser flüchtigen Behaglichkeit. Rechts ein Löwenkäfig, zugegittert, davor der Dresseur. 'Knurrt ihr Leidenschaften in der Ecke!' Unheimlich diese vergitterte Behaglichkeit im Käfig dieses Interieurs. Und das hält der eine, der Junge, nicht mehr aus. Er stellt die Leiter an die Wand, stemmt und rüttelt an der Luke, um hinauszukommen. Welch würdelose Hoffnung in einer hoffnungslos verschlossenen Welt! Rechtens widmet der zeitungslesende Direktor diesen Toren keines Blickes, da er weiß: auch der kommt nicht hinaus« (Haftmann 1979, S. 273). Der Zwerg in seinem blauen Kittelchen und roten Hosen links im Vordergrund hält eine Laterne mit brennender Kerze darin. Lenz bezeichnet ihn 1973 (S. 225) über seine Körpergröße hinaus als den Harmlosen, da in seinem Lampion nur ein kleines Licht brennt, im Gegensatz zu der Petroleumlampe des Direktors, die die Szene im Hinter- und Mittelgrund ausleuchtet und damit beherrscht. Alle Figuren, sogar das Licht, sind auf den Zirkusdirektor Beckmann bezogen, der seiner Umgebung aber keine Aufmerksamkeit schenkt, da er sie ohnehin unter Kontrolle hat. Beckmann schreibt am 4. Mai 1940 in sein Tagebuch: »Das Eine ist sicher, Stolz und Trotz den unsichtbaren Gewalten gegenüber soll nicht aufhören, möge das Allerschlimmste kommen.« (Fischer 1972, S. 43)

Mit dem »Zirkuswagen« behandelt der Maler das Thema der Schausteller, das ihn immer wieder beschäftigt hat. Beckmann stellt sowohl in der Graphik, wie zum Beispiel im 1921 geschaffenen, zehn Radierungen umfassenden Jahrmarkts-Zyklus, als auch in Gemälden, wie etwa der 1937 entstandenen, ebenfalls in einem Schaustellerwagen spielenden »Geburt« oder in dem Triptychon »Akrobaten« aus dem Jahre 1939, das Treiben der Artisten dar. Der Künstler betrachtet hierbei das Leben als einen Zirkus, und diesem Zirkus gibt er den Namen »Circus Beckmann«, wie auf dem Titelblatt der oben angesprochenen Radierfolge von 1921 zu lesen ist.

D.M.

Trotz der abstrahierenden, stilisierten Darstellung erkennt man einen Kleinwuchs mit sehr kurzen Armen. Der Rumpf ist unter dem blauen Hemd, welches bis unter die Hüften reicht, als verkürzt zu ahnen. Die Stirn ist stark prominent. Die unteren Gliedmaßen sind relativ lang. Es vereinigen sich hiermit Zeichen unterschiedlicher Kleinwuchsformen, die keiner nosologisch einheitlichen Form zuzuordnen sind.

sign. und dat.: Beckmann A 40
Öl/Leinwand, 86,3 x 118,5 cm
Frankfurt a.M., Städtische Galerie im
Städelschen Kunstinstitut
Inv. Nr. SG 1127

115
Max Radler
(Daten unbekannt)
Mutationen

Ob der Zeichner der »Mutationen« mit dem 1904 in Breslau geborenen, gleichnamigen Figuren- und Landschaftsmaler identisch ist, konnte nicht geklärt werden. Jedenfalls erschien seine grauenhafte Vision im »Simplizissimus« vom 18. 8. 1956.

Das Bild an sich hat nichts Erschreckendes. Ein kleiner Zirkus ist gezeigt, ein Artistenpaar im Gespräch vor geöffnetem Wohnwagen; im rechten Vordergrund ein struppiger und abgemagerter Hund, der die Armseligkeit des Ganzen unterstreicht; links ein kleinwüchsiger Gewichtheber, der die alltäglich anmutende Szene gerade verläßt.

Erst die unter der Zeichnung mitgeteilten Worte der Frau lassen den in die Rolle des heimlichen Zuhörers gerückten Betrachter schaudern: Dienten die als siamesische Zwillinge geborenen Kinder der Artisten – wie auch der Kleinwüchsigen – bisher als geldbringende Schaustücke, so droht in der Zukunft durch radioaktiv verursachte Mutationen eine existenzgefährdende Konkurrenz.

Radler zielt nicht nur auf die sensationshungrigen Zirkusbesucher. Die hier ausgedrückten Befürchtungen drohten durch den »Fall out« der seit 1954 sich häufenden Kernwaffentests der USA und der UdSSR Wirklichkeit zu werden. Nur wenige Wochen nach Erscheinen der Zeichnung, am 17. 10. 1958, wurde in Calder Hall das erste industriell nutzbare Kernkraftwerk angefahren. Auch hierzulande war das Atomzeitalter eingeleitet worden, und zwar durch die Pariser Verträge vom Mai 1955, mit denen der Bundesrepublik die friedliche Nutzung der Kernenergie zugestanden wurde. Die Sorgen der Artistenfrau, und wohl auch die Radlers, gründen sich mithin auf die Wirklichkeit einer neuen und als bedrohlich empfundenen Technik.

G.U.

*Trotz des Karikaturhaften ist der Kopf des Kleinwüchsigen mit vorspringender Stirn und eingesunkener Nasenwurzel klassischerweise der einer **Achondroplasie**. Bei den kleinen Gliedmaßen ist der Rumpf allerdings etwas zu kurz getroffen.*

Offsetlitho, 165 x 215 mm

116
Juan Muñoz (geb. Madrid 1953)
Zwerg mit drei Säulen

Der »Raumkünstler« Juan Muñoz, der 1953 in Madrid geboren wurde, lebt und arbeitet in Torrelodones und in seinem Geburtsort.

In der 1988 entstandenen Arbeit »Zwerg mit drei Säulen« stellt Muñoz einen nicht näher definierten dreidimensionalen Raum dar. Er benutzt dazu »Bruchstücke« seiner eigenen Heimat: die sechseckige geschraubte Säule, die er in der iberischen Architektur des 15. Jahrhunderts findet, und die Figur des Zwergs, den der Künstler in den Museen seiner Heimatstadt Madrid zum Beispiel in den Gemälden von Diego Velázquez immer wieder sehen kann (vgl. z.B. Nr. 62-65). Es handelt sich hierbei um »Versatzstücke aus einer kulturellen Tradition, die wir (die Betrachter, Anm. d. Verf.) mit dem Süden, mit Spanien verbinden. Es sind Kurzformeln, die ganze Bilder und Szenen wachrufen, die sich durch die Vermittlung von Kunst und Literatur, Film, Musik, Tourismus und Vorurteil in uns eingenistet haben.« (Kat. A. Krefeld 1991, S. 40)

Der Künstler nimmt diese Versatzstücke seiner spanischen Realität und schafft einen temporären Raum, der in sich immer beweglich bleiben soll. Keiner der vier Bestandteile hat einen feststehenden Platz, sondern dieser ist durch die jeweilige umstehende Raumkonstellation bedingt. Mit der Figur des Kleinwüchsigen – sie mißt ungefähr 110 cm – will Muñoz wahrscheinlich bewirken, daß sich der Betrachter auf dessen Augenpunkt begibt, um auf die Mächtigkeit und die Höhe der drei Säulen, also des Raumes (ca. 235 cm), aufmerksam zu machen.

Juan Muñoz verwendete die gleiche Figur des Kleinwüchsigen noch dreimal in seinem Werk, zum einen in der Plastik »Zwerg mit Parallelen«, zum anderen in der Skulptur »Doppelter Zwerg«, beide aus dem Jahre 1989. Auch hier benutzt der Künstler wieder Bruchstücke seiner eigenen Tradition, um Raumbilder in befremdlich andersartigen Verbindungen zusammenzufügen.
D.M.

Die neuzeitliche Darstellung ist sehr realistisch und entspricht klassischerweise einer **Achondroplasie.** *Kopf, Rumpf und Gliedmaßen repräsentieren geradezu lehrbuchmäßig dieses Krankheitsbild.*

Terrakotta, ca. 235 x 150 x 200 cm
Düsseldorf, Kunsthandel

LITERATURLISTE:

Adriani 1976
Götz Adriani, Toulouse-Lautrec, Das gesamte graphische Werk, Köln 1976

Adriani 1986
Götz Adriani, Toulouse-Lautrec, Gemälde und Bildstudien, Köln 1986

Aldrovandi 1642
Ulyssis Aldrovandi, Monstrorum historia, Bononiae 1642

Allanson et al. 1986
Judith E. Allanson, Judith G. Hall, Obstetric and gynecologic problems in women with chondrodystrophies, in: Obstet. Gynecol. 67/1986, S. 74ff.

Allegri 1980
Ettore Allegri, Alessandro Cecchi, Palazzo Vecchio e i Medici, Guida storica, Florenz 1980

Alvin 1866
L. Alvin, Catalogue raisonné de l'œuvre des trois frères Jean, Jérome & Antoine Wierix, Brüssel 1866

Andree u. a. 1961
Rolf Andree, Helmut R. Leppien, Horst Vey, Nachlese der Ausstellung »Kölner Maler der Spätgotik«, in: Wallraf-Richartz-Jahrbuch XXIII (1961), S. 327ff.

Arendes 1886
Adolf Arendes, Über Zwergbildung, Inaug. Diss., Göttingen 1886

Arnold 1987
Matthias Arnold, Henri de Toulouse-Lautrec, 1864–1901, Das Theater des Lebens, Köln 1987

Arnold 1989
Matthias Arnold, Henri de Toulouse-Lautrec, Reinbek/Hamburg 1989

Arroyo 1988
Eduardo Arroyo, Wut auf die blinden Maler, in: art 2/1988, S. 89ff.

Aschner 1909
B. Aschner, Demonstration von Hunden nach Extirpation der Hypophyse, in: Münchner Med.

Wochenschr. 51/1909, S. 2668

Aterman 1965
Kurt Aterman, Why did Hephaestus limp?, in: Amer. J. Dis. Child. 109/1965, S. 381ff.

Avery 1987
Charles Avery, Giambologna, The complete sculpture, Oxford 1987

Ballod 1913
Franz Ballod, Prolegomena zur Geschichte der zwerghaften Götter in Ägypten, Moskau 1913

Balss 1928
H. Balss, Albertus Magnus als Zoologe, München 1928, S. 15

Banyai 1969
Andrew L. Banyai, Midgets, dwarfs and their fickle lot, in: Dis. Chest. 56/1969, S. 404

Bartsocas 1985
Christos S. Bartsocas, Goiters, dwarfs, giants and hermaphrodites, in: Endocrine Genetics and Genetics of Growth, New York 1985, S. 1ff.

Bauer 1972
Veit Harold Bauer, Die Darstellung des Antonius-Feuers im Werk von Hieronymus Bosch, in: Roger H. Marijnissen, Jheronimus Bosch, Genf 1972, S. 225ff.

Bauer 1989,1
Günther Georg Bauer, Der Hochfürstliche Salzburger Hof- und Kammerzwerg Johann Franz von Meichelböck (1695–1746), in: Mitteilungen der Gesellschaft für Salzburger Landeskunde 1989, S. 227ff.

Bauer 1989,2
Günther G. Bauer, Salzburger Barockzwerge, Das barocke Zwergentheater des Fischer von Erlach im Mirabellgarten zu Salzburg, Salzburg 1989

Bauer und Verfondern 1991
Günther G. Bauer und Heinz Verfondern, Barocke Zwergenkarikaturen von Callot bis Chodowiecki, Kat. A. Salzburg 1991

Ber 1973
Artur Ber, War Bes, die ägyptische Gottheit, ein hypothyreotischer Zwerg?, in: Organorama 4/1973, S. 24ff.

Berger 1970
Ernst Berger, Das Basler Arztrelief, Basel 1970

Bergner 1984
Felicitas Bergner, Der Wandel der interethnischen Beziehungen in Ruanda (MA), Göttingen 1984

Berkowitz et al. 1990
Ivor D. Berkowitz, Srinivasa N. Raja et al. Dwarfs: Pathophysiology and anesthetic implications, in: Anesthesiology 73/1990, S. 739ff.

Bernau 1978
A. Bernau, Kleinwuchsprobleme, in: Z. Orthob., 116, 3, 1978, S. 347-355

Blunt 1967
Anthony Blunt, A series of paintings illustrating the history of the Medici family executed for Maria de Médicis, in: The Burlington Magazine, 109, September 1967, S. 492-498 and Oktober 1967, S. 562-566

Boardman 1981
J. Boardman, Rotfigurige Vasen an Athen, Die archaische Zeit, Mainz 1981

Bol 1986
P.C. Bol, Bildwerke aus Terrakotta aus mykenischer bis römischer Zeit, Liebieghaus- Antike Bildwerke III, Melsungen 1986

Bologna 1980
Giulia Bologna, Libri per un'educazione rinascimentale, Grammatica del Donato, Liber Iesus, Mailand 1980 (Faksimile und Kommentar)

Boon 1978
Karel G. Boon, Netherlandish Drawings of the Fifteenth and Sixteenth Centuries in the Rijksmuseum, Den Haag 1978, Nr. 20

Boullet 1958
Jean Boullet, Les nains, in: Aesculape 41/1958, S. 1ff.

Boullet 1959
Jean Boullet, Les nains

célèbres, in: Aesculape 42/1959, S. 1ff.

Braun 1954
Edmund W. Braun, Callotfiguren, in: Reallexikon zur Deutschen Kunstgeschichte, III. Bd, Sp. 312-320, Stuttgart 1954

Brissaud 1904
Brissaud, Über medizinischartistische Studien, Münchner Med. Wochenschr. 18/1904, S. 802ff.

Brown 1978
Dale Brown, Velázquez und seine Zeit 1599–1660, Time-Life (Nederland) 1978

Brown 1988
Jonathan Brown, Velázquez, Maler und Höfling, München 1988

Burchard 1963
Ludwig Burchard und Roger A. d' Hulst, Rubens Drawings, 2 Bde., Brüssel 1963 (= Monographs of the »Nationaal Centrum voor de Plastische Kunsten van de XVIde en XVIIde Eeuw«, Bd. II)

Campbell 1990
Lorne Campbell, Renaissance Portraits, European Portrait-Painting in the 14th, 15th and 16th Centuries, New Haven CT, London 1990

Castillo de Lucas 1952/53
Antonio Castillo de Lucas, Algunos temas médicos en el Museo del Prado, in: Arte Espanol 19/1952-53, S. 26ff.

Coomaraswamy 1928
Ananda K. Coomaraswamy, Yaksas, Washington 1928 (Smithsonian Miscellaneous Collection, 80.6)

Corbett 1964
Margery Corbett & Michael Norton, Engraving in England in the sixteenth & seventeenth centuries, a descriptive catalogue with introductions, Part III, The reign of Charles I, Cambridge 1964

Dapper 1670
Olfert Dapper, Umbständliche und eigendliche Beschreibung von Africa, u.s.w., Amsterdam 1670

Dasen 1988
Veronique Dasen, Dwarfism in Egypt and classical antiquity: iconography and medical history, in: Medical History 32/1988, S. 253ff.

Dawson 1938
Warren R. Dawson, Pygmies and dwarfs in ancient Egypt, in: J. Egypt. Archaeol. 24/1938 S. 185ff.

De Pauw – De Veen 1979
Lydia De Pauw – De Veen, Das Brüsseler Blatt mit Bettlern und Krüppeln: Bosch oder Bruegel ?, in: Pieter Bruegel und seine Welt, hrsg. von Otto von Simson und Matthias Winner, Berlin 1979

De Quervain et al. 1936
F. De Quervain und C. Wegelin, Der endemische Kretinismus, Berlin-Wien 1936

Diekmeier 1955
Lothar Diekmeier, Zwerge, Idioten und kranke Kinder in Darstellungen von Velázquez, in: Therapeutische Berichte 27/1955, S. 298ff.

Dimand 1928
M.S. Dimand: Two Indian Reliefs of the Amaravati School, in: Bulletin of the Metropolitan Museum of Art 23 (1928), S. 238-244

Dobson 1955
Jessie Dobson, The Story of Caroline Crachami-»Sicilian Dwarf«, in: Ann. Roy. Coll. Surg. 16/1955, S. 268ff.

Dortu 1971
M.G. Dortu, Toulouse-Lautrec et son œuvre, Bd. 1-6, New York 1971

Enderle et al. 1984
Alfred Enderle, Hans-Georg Willert, Ludwig Zichner, Angeborene und erworbene Skelettsystemerkrankungen in: Orthopädie in Praxis und Klinik, Hrsg. A.N. Witt et al., Band III, Teil I, S. 1.1-1.363, Stuttgart, New York 1984

Enderle et al. 1990
Alfred Enderle, Hans-Georg Willert, Systemerkrankungen der Wirbelsäule, in: Orthopädie in Praxis und Klinik, Band V, Teil 1, S. 5.1-

5.36, Hrsg. A. N. Witt et al., Stuttgart, New York 1990

Evans 1986
Mark L. Evans, A newly discovered leaf of »The Sforza Hours«, in: The British Library Journal 12 (1986), S. 21ff.

Evans et al. 1922
H.M. Evans und J.A. Long, Characteristic effects upon growth, oestrous and ovulation by the intraperitoneal administration of fresh anterior hypophyseal substance, in: Proc. Natl. Acad. Sci. 8/1922, S. 38ff.

Ferrari 1966
Oreste Ferrari, Giuseppe Scavizzi, Luca Giordano, 3 Bde., Rom 1966

Fiedler 1978
Leslie Fiedler, Freaks, Myths and Images of the Secret Self, New York 1978

Fischer 1972
Wilhelm Friedrich Fischer, Max Beckmann, Symbol und Weltbild, Grundriß zu einer Deutung des Gesamtwerkes, München 1972

Fleischhauer 1975
H. Fleischhauer, Die Anthropologie der Bewohner Afrikas, in: H. Baumann, Die Völker Afrikas und ihre traditionellen Kulturen, Wiesbaden 1975

Flögel 1789
Karl-Friedrich Flögel, Geschichte der Hofnarren, Liegnitz und Leipzig 1789

Foerster 1922
Richard Foerster, Wiederherstellung antiker Gemälde durch Künstler der Renaissance, in: Jahrbuch der preußischen Kunstsammlungen, Bd. 43, 1922, S. 126ff.

Frayer et al 1988
D.W. Frayer, R. Macchiarelli, M. Mussi, A Case of chondrodystrophic dwarfism in the Italian late upper paleolithic, in: Am. J. Phys. Anthropol. 75/1988, S. 549ff.

Frey 1985
Julia Frey, Henri de Toulouse-Lautrec: A Biography of the Artist, in: Henri de Toulouse-Lautrec, Images of the 1890's, ed.: R. Castleman and W. Wittrock, Boston 1985

Freyer-Schauenburg 1975
B. Freyer-Schauenburg, in: Wandlungen, Festschrift für E. Homann-Wedeking, Waldsassen-Bayern 1975

Friedländer 1921
Max J. Friedländer, Von Eyck bis Bruegel, Studien zur Geschichte der Niederländischen Malerei, Berlin 1921[2]

Friese 1990
Franz Friese, Das Rätsel um den Zwerg Romito, in: Ärztliches Reise- und Kulturjournal 4/1990, S. 29

Fuchs 1963
Werner Fuchs, Der Schiffsfund von Mahdia, Tübingen 1963

Gallego 1990
Julian Gallego, Catalogo, in: Velázquez, Hrsg. S. Saavedra, Kat. A. Museo del Prado, Madrid 1990

Gallego y Burin 1960
Antonio Gallego y Burin, Varia Velazquena, Bd. 2, Abb. 93, Madrid 1960

Garnier 1884
Edouard Garnier, Les nains et les géants, Paris 1884

Gassier/Wilson 1971
Pierre Gassier, Juliet Wilson, Francisco Goya, Leben und Werk, hrsg. von François Lachenal, Frankfurt/Main, Berlin, Wien 1971

Gauthier 1925
Maximilien Gauthier, Achille et Eugène Devéria, Paris 1925 (= La vie et l'art romantiques)

Geoffroy Saint-Hilaire 1832
Isidore Geoffroy Saint-Hilaire, Histoire générale et particulière des anomalies de l'organisation, Band 1, Paris 1832, S. 140ff.

Geoffroy Saint-Hilaire 1836
Isidore Geoffroy Saint-Hilaire, Nain de Bréda en Illyrie, in: Comptes Rendus de l'Académie des Seiences 3/1836, S. 480

Gould und Pyle 1896
George M. Gould, Walter L. Pyle, Anomalies and Curiosities of Medicine, New York 1896, 3. Aufl. 1962

Goya 1981
Goya-Zeichnungen und Druckgraphik, Kat. A. Städt. Galerie Städelsches Kunstinstitut, Frankfurt/M. 1981

Grace 1980
Priscilla Grace, A wax miniature of Joseph Boruwlaski, in: Metropolitan Museum J. 15/1980, S. 175ff.

Grebe 1953
Hans Grebe, Los enanos del museo del Prado, in: Folia Clinica Internacional 3/1953, S. 32ff.

Grebe 1955
Hans Grebe, Chondrodysplasie, Rom 1955

Grosshans 1982
Rainald Grosshans, Jacob van Utrecht, Der Altar von 1513, Berlin-Dahlem 1982 (= Bilder im Blickpunkt)

Guinness 1991
Guinness Buch der Rekorde 1992, S. 68-71, Frankfurt/M.-Berlin 1991

Gusinde
Martin Gusinde, Das Wirtschaftsleben der Ituri-Pygmäen, Leipzig o.J.

Gusinde 1962
Martin Gusinde, Kenntnisse und Urteile über Pygmäen in Antike und Mittelalter, in: Nova Acta Leopoldina N.F. 25/1962, S. 5ff.

Hadeln 1978
Detlev von Hadeln, Paolo Veronese, a.d. Nachl. d. Verf. hrsg. v. Kunsthist. Inst. in Florenz, redigiert von Gunter Schweikhart, Florenz 1978

Haftmann 1979
Werner Haftmann, Malerei im 20. Jahrhundert, Eine Entwicklungsgeschichte, 6. durchgesehene Aufl., München 1979

Harris 1976
Enriqueta Harris, Velázquez' portrait of prince Baltasar Carlos in the riding school, in: Burlington Magazine 118/1976, S. 266ff.

Hecht 1990
Frederick Hecht, Bes, Aesop and Morgante: reflections of achondroplasia, in: Klin. Genet. 37/1990, S. 279ff.

Hecker 1846
Hecker, Der Zwerg Margarethe Leonhard von Villmar, in: Med. Jahrb. Herzogthum Nassau V/1846, S. 48ff.

Hedberg 1980
Gregory Scott Hedberg, Antoniazzo Romano and his school, 2 Bde., Ann Arbor, London 1980

Heger 1916
F. Heger, Drei merkwürdige Metallfiguren von Benin, in: Mitteilungen der Anthropologischen Gesellschaft in Wien, Wien 1916

Heilmeier 1990
Ursula Heilmeier, Die Folge der Regenwaldzerstörung für die Pygmäen von Zaire, Kultureller Wandel im Ituri-Gebiet, (MA), Göttingen 1990

Heinz 1963
Günther Heinz, Studien zur Portraitmalerei an den Höfen der Österreichischen Erblande, in: Jahrbuch der kunsthistorischen Sammlungen in Wien, Bd.59 (N.F. Bd. XXIII) 1963, S. 99f.

Held 1964
Jutta Held, Farbe und Licht in Goyas Malerei, Berlin 1964

Herbert 1972
J. J. Herbert, Toulouse-Lautrec, A tragic life, an inspired work, a difficult diagnosis, in: Clin. Orthop. 89/1972, S. 37ff.

Hermand 1986
Jost Hermand, Adolph Menzel, Reinbek 1986

Hermanussen 1991
Michael Hermanussen, Von Zwergen und Riesen, in: Med. Welt 42/1991, S. 603ff.

Higgins 1954
R.A. Higgins, Catalogue of the Terracottas in the Department of Greek and Roman Antiquities, British Museum I, Oxford 1954

Himmelmann 1983
Nikolaus Himmelmann, Alexandria und der Realismus in der griechischen Kunst, Tübingen 1983

Hind 1948
Arthur M. Hind, Early Italian Engravings, Washington/London 1948

Hind 1955
Arthur M. Hind, Engraving in England in the sixteenth & seventeenth centuries, a descriptive catalogue with introductions, Part II, The reign of James I, Cambridge 1955

Hodge 1969
Gerald P. Hodge, Perkeo, the dwarf-jester of Heidelberg, in: J. Am. Med. Assoc. 209/1969, S. 403ff.

Hodge und Ravin 1969
Gerald P. Hodge, James G. Ravin, Spanish art, A contribution to medicine, in: J. Am. Med. Assoc. 207/1969, S. 1693ff.

Holländer 1912
Eugen Holländer, Plastik und Medizin, Stuttgart 1912

Holländer 1913
Eugen Holländer, Die Medizin in der klassischen Malerei, Stuttgart 1913

Holländer 1921
Eugen Holländer, Wunder, Wundergeburt und Wundergestalt in Einblattdrucken des 15.-18. Jahrhunderts, Stuttgart 1921

Hollstein, F.W.H., Dutch and Flemish Etchings, Engravings and Woodcuts, ca. 1450–1700, Amsterdam 1949ff.

Hollstein, F.W.H., German Etchings, Engravings and Woodcuts, ca. 1450–1700, Amsterdam 1954ff.

Hornbostel 1980
Wilhelm Hornbostel, Aus Gräbern und Heiligtümern, Mainz 1980

Huemer 1977
Frances Huemer, Portraits I, Brüssel 1977 (= Corpus Rubenianum Ludwig Burchard, Bd. 19,1)

Humphry 1891
George Murray Humphry, Dwarfs, true dwarfs and dwarfs from rickets, in:

Brit. Med. J. 2/1891,
S. 1187ff.

Huntington 1985
Susan L. Huntington: The Art of Ancient India, Buddhist, Hindu, Jain, New York 1985

Hutchinson 1889
Jonathan Hutchinson, An account of the skeleton of the Norwich Dwarf, in: Trans. Path. Soc. 40/1889, S. 229ff.

Immenroth 1933
Wilhelm Immenroth, Kultur und Umwelt der Kleinwüchsigen in Afrika, Leipzig 1933

Jackson 1988
Ralph Jackson, Doctors and Diseases in the Roman Empire, London 1988

Janson 1952
H.W. Janson, Apes and Ape Lore in the Middle Ages and the Renaissance, London 1952

Joachimsthal 1899
Joachimsthal, Über Zwergwuchs und verwandte Wachstumsstörungen, in: Deutsche Med. Wochenschr. 25/1899, S. 269ff. und 288ff.

Johannessen 1898
Axel Johannessen, Chondrodystrophia foetalis hyperplastica, in: Beitr. path. Anat. 23/1898, S. 351ff.

Johnston 1963
Francis E. Johnston, Some observations on the roles of achondroplastic dwarfs through history, in: Klin. Pediat. 2/1963, S. 703ff.

Junker 1941
Hermann Junker, Giza Band V. Die Mastaba des Snb (Seneb) und die umliegenden Gräber, Wien und Leipzig 1941

Justi 1933
Carl Justi, Diego Velázquez und sein Jahrhundert, Zürich 1933

Kat. A. Boston 1989
Museum of Fine Arts, Goya and the Spirit of Enlightenment, Boston 1989

Kat. A. Essen 1973
Villa Hügel, Pompeji, Leben und Kunst in den Vesuv-

städten, Recklinghausen 1973

Kat. A. Essen 1986
Villa Hügel, Kulturstiftung Ruhr, Barock in Dresden, 1694–1763, hrsg. von Ulli Arnold und Werner Schmidt, Leipzig 1986

Kat. A. Essen 1988
Villa Hügel, Kulturstiftung Ruhr, Prag um 1600, Kunst und Kultur am Hofe Rudolphs II., Freren 1988

Kat. A. Florenz 1980
Palazzo Vecchio, Firenze e la Toscana dei Medici nell'Europa del Cinquecento, Palazzo Vecchio: committenza e collezionismo medici, 1537–1610, Florenz 1980

Kat. A. Göttingen 1976
Kunstsammlung der Universität Göttingen, Francisco de Goya, Radierungen, Göttingen 1976

Kat. A. Göttingen 1979
Kunstsammlung der Universität, Hans Sachs, Katalog zur Ausstellung, Göttingen ²1979

Kat. A. Gripsholm 1988
National Portrait Gallery, Masterpieces from Gripsholm castle: The Swedish National Portrait Collection, hrsg. von Per Bjurström & Ulf G. Johnsson, Stockholm 1988

Kat. A. Hannover 1983
Wilhelm Busch-Museum, George Cruikshank, 1792 bis 1878, Hannover 1983

Kat. A. Hannover 1984
Wilhelm Busch-Museum u.a., Bild als Waffe, Mittel und Motive der Karikatur in fünf Jahrhunderten, München 1984

Kat. A. Hannover 1986
Wilhelm Busch-Museum, James Gillray, Meisterwerke der Karikatur, Hannover 1986

Kat. A. Köln 1961
Wallraf-Richartz-Museum zu Köln, 100 Jahre Wallraf-Richartz-Museum Köln 1861 bis 1961, Der Meister des Bartholomäus-Altares, Der Meister des Aachener

Altares, Kölner Maler der Spätgotik, Köln 1961

Kat. A. Krefeld 1991
Museum Haus Lange Krefeld, Juan Muñoz, Arbeiten 1988 bis 1990, mit einem Kommentar von Julian Heynen, hrsg. von den Krefelder Kunstmuseen, Krefeld 1991

Kat. A. London 1982
Hayward Gallery, In the Image of Man, The Indian perception of the Universe through 2000 years of painting and sculpture, London 1982

Kat. A. Mainz 1954
Mittelrheinische Kunstwerke aus sechs Jahrhunderten im Besitz des Altertumsmuseums und der Gemäldegalerie der Stadt Mainz, Mainz 1954

Kat. A. Malibu 1983
Malibu, Renaissance Painting in Manuscripts – Treasures from the British Library, Malibu 1983

Kat. A. München 1981
Kunstverein, Goya in der Krise seiner Zeit, München 1981

Kat. A. München 1984
Lenbachhaus, Max Beckmann, Retrospektive, hrsg. von Carla Schulz-Hoffmann und Judith C. Weiss, München 1984

Kat. A. Nürnberg 1976
Stadtgeschichtliches Museum, Die Welt des Hans Sachs, 400 Holzschnitte des 16. Jahrhunderts, hrsg. von den Stadtgeschichtlichen Museen, Nürnberg 1976

Kat. A. Paris 1987,1
Galeries nationales du Grand Palais und New York, The Metropolitan Museum of Art (1988), Fragonard, bearb. von Pierre Rosenberg, Paris 1987

Kat. A. Paris 1987,2
Musée du Petit Palais, De Greco à Picasso, Cinq siècles d'art espagnol (1), bearb. von José M. Pita Andrade und Julian Gállego, Paris 1987

Kat. A. Philadelphia 1984
Philadelphia Museum of

Art, u.a., Masters of seventeenth-century Dutch genre painting, Philadelphia 1984

Kat. A. Providence 1971
Rhode Island School of Design, Caricature and its Role in Graphic Satire, Providence R. I. 1971

Kat. A. Recklinghausen 1967
Städtische Kunsthalle, Meisterwerke aus Douai, von Bellegambe bis Bonnard, Recklinghausen 1967

Kat. A. Rom 1983
Galleria Borghese, Bénigne Gagneraux (1756–1795), un pittore francese nella Roma di Pio VI, Rom 1983

Kat. A. Stift Altenburg 1975
Groteskes Barock, Niederösterreichische Landesausstellung, hrsg. vom Amt der Niederösterreichischen Landesregierung Abt.III/2 – Kulturabteilung, Wien 1975 (Katalog des Niederösterreichischen Landesmuseums N.F. Nr. 62)

Kat. A. Washington 1975
National Gallery of Art, Jacques Callot, Prints & Related Drawings, hrsg. von H. Diane Russell, Washington 1975

Kat. A. Washington 1986
National Gallery of Art, u.a., The age of Correggio and the Carracci, Emilian Painting of the sixteenth and seventeenth centuries, Washington 1986

Kat. A. Wien 1978
Kunsthistorisches Museum, Giambologna, 1529–1608. Ein Wendepunkt der europäischen Plastik, hrsg. von Charles Avery, Anthony Radcliffe und Manfred Leithe-Jasper, Wien 1978

Kat. S. Aachen 1972
Ernst Günther Grimme, Der Aachener Domschatz, mit einer Einführung von Erich Stephany, Düsseldorf 1972 (= Aachener Kunstblätter, Bd.42/1972)

Kat. S. Amsterdam 1978
Rijksmuseum, Netherlandish Drawings of the Fifteenth and Sixteenth Centuries, Text von K. G. Boon,

2 Bde., Den Haag 1978 (= Catalogus van de Nederlandse Tekeningen in het Rijksmuseum te Amsterdam, Vol. II)

Kat. S. Berlin 1911
Königliche Museen zu Berlin, Die Gemäldegalerie des Kaiser-Friedrich-Museums, vollst. beschr. Katalog, bearb. von Hans Posse, 2. Abteilung, Die Germanischen Länder (Deutschland, Niederlande, England), Berlin 1911

Kat. S. Berlin 1923
Die Bildwerke in Bronze und in anderen Metallen, Arbeiten in Perlmutt und Wachs, Geschnittene Steine, bearb. von E. F. Bange, Berlin, Leipzig 1923 (= Staatliche Museen zu Berlin, Die Bildwerke des Deutschen Museums, hrsg. von Theodor Demmler, 2. Bd.)

Kat. S. Berlin 1976
Nationalgalerie Berlin, SMPK, Verzeichnis der Gemälde und Skulpturen des 19. Jahrhunderts, bearb. von Barbara Dieterich u.a., Berlin 1976

Kat. S. Bern 1977
Kunstmuseum Bern, Gemälde des 15. und 16. Jahrhunderts, ohne Italien, bearb. von Hugo Wagner, Bern 1977

Kat. S. Bonn 1982
Rheinisches Landesmuseum, Gemälde bis 1900, bearb. von Fritz Goldkuhle u.a., Köln 1982 (= Kunst und Altertum am Rhein, Führer des Rhein. Landesmuseums Bonn, hrsg. i.A. des Landschaftsverbandes Rheinland, Nr. 111)

Kat. S. Coburg 1978
Kunstsammlungen der Veste Coburg, Ausgewählte Werke, hrsg. von Heino Maedebach, 2. überarb. Aufl., Coburg 1978

Kat. S. Den Haag 1985
Mauritshuis, The Royal Picture Gallery, Art treasures of Holland, hrsg. von H. R. Hoe-

tink, Amsterdam, New York, Den Haag 1985

Kat. S. Köln 1990
Wallraf-Richartz-Museum, Katalog der Altkölner Malerei, von Frank Günter Zehnder, Köln 1990 (= Kataloge des Wallraf-Richartz-Museums XI, Köln 1990)

Kat. S. London 1961
National Gallery, The Earlier Italian Schools, bearb. von Martin Davies, 2. überarb. Ausgabe, London 1961

Kat. S. London 1988
Katalog Auktion Sotheby's 12th December 1988, London 1988, S. 50 Nr. 91

Kat. S. Madrid 1990
Museo del Prado, Inventario General de Pinturas, I, La Colección Real, Madrid 1990

Kat. S. München 1983
Bayerische Staatsgemäldesammlungen, Alte Pinakothek München, Erläuterungen zu den ausgestellten Gemälden, München 1983

Kat. S. Neapel 1986
Le Collezioni del Museo Nazionale di Napoli, Neapel 1986

Kat. S. Paris 1913
Musée du Louvre, Description raisonné des peintures du Louvre, I, Écoles étrangères, Italie et Espagne, bearb. von Seymour de Ricci, Paris 1913

Kat. S. Paris 1959
Musée du Louvre, Peintures, École Française, XIX Siècle, 2. Bd., D-G, bearb. von Charles Sterling und Hélène Adhémar, Paris 1959

Kat. S. Rotterdam 1962
Museum Boymans – van Beuningen, Catalogus schilderijen tot 1800, 2 Bde., Rotterdam 1962

Kat. S. Stockholm 1942
Nationalmuseum Gemäldesammlung, Gemälde der nordischen Schulen, Beskrivande Katalog, bearb. von Carl Gunne und Andra Upplagan, Stockholm 1942

Kat. S. Stuttgart 1962
Staatsgalerie, Katalog der Staatsgalerie Stuttgart, Alte Meister, hrsg. vom Stutt-

garter Galerieverein, Stuttgart 1962

Kat. S. Turin 1971
Galleria Sabauda, Maestri Italiani, bearb. von Noemi Gabrielli, Turin 1971

Kat. S. Wien 1892
Kunsthistorisches Museum, Kunsthistorische Sammlungen des Allerhöchsten Kaiserhauses, Gemälde, Beschreibendes Verzeichnis, II. Band, Niederländische Schulen, bearb. von Eduard R. v. Engerth, 2. Aufl., Wien 1892

Kat. S. Yale 1970
Yale University Art Gallery, Early Italian Paintings, bearb. von Charles Seymour Jr., New Haven und London 1970

Kaufmann 1893
Eduard Kaufmann, Die Chondrodystrophia hyperplastica, in: Beitr. path. Anat. 13/1893, S. 32ff.

Klee 1983
E. Klee & B. Liebner, Vorwort, in: O. & E. Schott, Verspottet, S. 7-8, München 1983

Klingender 1954
F. D. Klingender, Goya und die demokratische Tradition Spaniens, Berlin 1954

Koch-Harnack 1983
G. Koch-Harnack, Knabenliebe und Tiergeschenke, Berlin 1983

Krabbe 1930
Knud H. Krabbe, Om Dvaergebilleder i Danske Kunstsamlinger samt Nogle Undersogelser over Danske Hofdvaerge, in: Bibliothek F. Laeger 122 (1930), S. 111ff.

Krabbe 1956
Knut H. Krabbe, La maladie de Henri de Toulouse-Lautrec, in: Acta Psychiat. Neurol. Scand. Suppl. 108/1956, S. 211ff.

Kramer 1989
Karl-S. Kramer, Joachim Kruse, Das Scheibenbuch des Herzogs Johann Casimir von Sachsen-Coburg. Adelig-bürgerliche Bilderwelt auf Schießscheiben im frühen Barock, mit einem

kunsthistorischen Beitrag von Joachim Kruse, Coburg 1989

Lafuente Ferrari 1964
Enrique Lafuente Ferrari, Goya, Sämtliche Radierungen und Lithographien, 2. Aufl., Wien 1964

Lagerkvist 1946
Pär Lagerkvist, Der Zwerg, Stockholm 1946

Langedijk 1981
Karla Langedijk, The Portraits of the Medici, 15th-18th Centuries, 2 Bde., Florenz 1981

Lassaigne 1953
Jacques Lassaigne, Lautrec, Biographisch – kritische Studie, Genève 1953

Launois 1911
P. E. Launois, Esquisse iconographique sur quelques nains, in: Nouvelle Iconographie Salpêtrière 24/1911, S. 116ff.

Lenz 1971
Christian Lenz, »Mann und Frau« im Werke von Beckmann, in: Städel-Jahrbuch, N.F. Bd. 3, München 1971, S. 213f.

Levey 1986
Michael Levey, Giambattista Tiepolo, His Life and Art, New Haven und London 1986

Levy 1957
G. Levy, Reflexions sur la maladie de Toulouse-Lautrec, in: Sem. Hôp. 33/1957, S. 2691ff.

Lexikon 1975
Lexikon der Ägyptologie Band 1, Wiesbaden 1975, S. 720ff.

Lexikon 1977
Lexikon der Ägyptologie Band II, Wiesbaden 1977, S. 823

Lexikon 1986
Lexikon der Ägyptologie Band VI, Wiesbaden 1986, S. 1432ff.

Lieure 1927
J. Lieure, Jacques Callot, Paris 1927

Lightbown 1978
Ronald Lightbown, Sandro Botticelli, 2 Bde., London 1978

Ludwig 1796
Christian Friedrich Ludwig, Grundriss der Naturgeschichte der Menschenspecies, für akademische Vorlesungen entworfen, Leipzig 1796

Maass 1896
Karl Maass, Birmesische Zwerge mit einem Salzburger Riesen, in: Z. Ethnol. 28/1896, S. 524ff.

Major o.J.
Emil Major und Erwin Gradmann, Urs Graf, Basel o.J.

Manouvrier 1897
L. Manouvrier, Observations sur quelques nains, in: Bull. Soc. Anthropol. Ser. 4, 8/1897, S. 654ff.

Maranon 1941
G. Maranon, »La monstrua« de Carreno, in: Correo Erudito, (Madrid) 2/1941, S. 105ff.

Maroteaux und Lamy 1965
Pierre Maroteaux, Maurice Lamy, The malady of Toulouse-Lautrec, in: J. Amer. Med. Assoc. 191/1965, S. 715ff.

Mayer 1857
Mayer, Über die Azteken Liliputaner, in: Verhandl. Naturhist. Vereins Preuss. Rheinl. Westph. 14, N. F. 4/1857, S. 66ff.

Mc Van 1942
Alice Jane Mc Van, Spanish dwarfs, in: Notes Hispanic 2. 1942, S. 97-129

Meige 1896
Henry Meige, Les nains et les bossus dans l'art, in: Nouvelle Iconographie de la Salpêtrière 9/1896, S. 161ff.

Merke 1971
F. Merke, Geschichte und Iconographie des endemischen Kropfes und Kretinismus, Bern, Stuttgart, Wien 1971

Mettenleiter 1922
Theodor Mettenleiter, Über einen chondrodystrophischen, vermutlich aus der Merowinger-Zeit stammenden Zwerg, in: Z. Konstitutionslehre 8/1922, S. 220ff.

Montet 1952
Pierre Montet, Ptah pathè-

que et les orfèvres, in: Revue Archéologique 40/1952, S. 1-11

Moragas 1964
Jeronimo de Moragas, Los bufones de Velázquez, in: Medicina und Historia 6/1964, S. 1ff.

Morch 1941
Ernst Trier Morch, Chondrodystrophic Dwarfs in Denmark, Kopenhagen 1941

Moreau 1885
Paul Moreau, Fous et Buffons, Paris 1885

Moreno Villa 1939
José Moreno Villa, Locos, enanos, negros y ninos palaciegos, Mexiko 1939

Murdoch 1981
John Murdoch, V. J. Murell, The monogramist DG: Dwarf Gibson and his patrons, in: The Burlington Magazine 123 (1981), S. 282-289

Murken 1971
Axel Hinrich Murken, Die Darstellung eines mongoloiden Kindes auf dem Aachener Passionsaltar, in: Wallraf-Richartz-Jahrbuch, Bd. XXXIII/1971, S. 313ff.

Murken 1971
Axel Hinrich Murken, Eine spätmittelalterliche Darstellung des Mongolismus-Syndroms auf dem Aachener Passionsaltar, in: Med. hist. J. 6/1971, S. 103ff.

Nippert 1986
Irmgard Nippert, Genetik und Kunst – Historischer Überblick, in: Genetik und Kunst, Hrsg. J. Kunze und I. Nippert, Berlin 1986

Noehles 1973
Gisela Noehles, Antoniazzo Romano, Studien zur Quattrocentomalerei in Rom, Diss. Münster 1973

Nordström 1962
Folke Nordström, Goya, Saturn and Melancholy, Studies in the Art of Goya, Göteborg, Uppsala 1962 (= FIGURA, Uppsala Studies in the history of Art, New Series 3)

Orioli et al. 1986
Jeda M. Orioli, Eduardo C.

Castilla et al., The birth pre-valence rates for the skeletal dysplasias, in: J. Med. Genet. 23/1986, S. 328ff.

Ornstein 1892
Bernhard Ornstein, Zwerg in Athen, in: Z. Ethnol. 34/1892, S. 541ff.

Ortner und Putschar 1981
D. J. Ortner, W. G. J. Putschar, Identification of Pathological Conditions in Human Skeletal Remains, Washington D.C. 1981

Osiander 1797
Friedrich Benjamin Osiander, Historia partus nanae, Göttingen 1797

Pantorba 1955
Bernardino de Pantorba, La vida y la obra de Velázquez, Estudio biografico y critico, Madrid 1955

Parke 1977
H. W. Parke, Festivals of the Athenians, London 1977

Parker 1972
Kenneth T. Parker, Catalogue of the Collection of Drawings in the Ashmolean Museum, Vol. 2, Oxford 1972

Parrot 1878
J. Parrot, Sur la malformation achondroplasique et le dieu Phtah, in: Bull. Soc. Anthropol. 3. sér. 1/1878, S. 296ff.

Patel 1964
Maurice Patel, Les nains, hommes petits, in: Progrès Médical 92/1964, S. 497ff.

Perruchot 1958
Henri Perruchot, Toulouse-Lautrec, Esslingen 1958

Pfisterer-Haas 1991
Susanne Pfisterer-Haas, Zur »Kopfbedeckung« des Bronzetänzers von Mahdia, in: Archäologischer Anzeiger 1991, Heft 1, S. 99ff.

Physiologus ed. Seel 1960
Der Physiologus, übertragen und erläutert von Otto Seel, Zürich/Stuttgart 1960

Pieper 1953
Paul Pieper, Das Stundenbuch des Bartholomäus-Meisters, in: Wallraf-Richartz-Jahrbuch XXI (1959), S. 97ff.

Pieper 1959
Paul Pieper, Miniaturen des Bartholomäus-Meisters, in: Wallraf-Richartz-Jahrbuch XV (1953), S. 135ff.

Pignatti 1976
Terisio Pignatti, Veronese, Venedig 1976

Pita Andrade 1987
José Manuel Pita Andrade, Catalogue, in: De Greco à Picasso, Kat. A. Musée du Petit Palais, Paris 1987

Platter 1641
Felix Platter, Observationum in hominis affectibus plerisque corpori et animo, functionum laesione, dolore, aliave molestia et vitio infensis, Basel 1641

Porot 1919
A. Porot, L'achondroplasie dans l'art grec., in: Rev. Neurol. 35/1919, S. 833ff.

Posner 1971
Donald Posner, Annibale Carracci, a study in the reform of Italian painting around 1590, 2 Bde., London 1971 (= National Gallery of Art: Kress Foundation, Studies in the History of European Art No. 5)

Prader 1978
Andrea Prader, Störungen des Wachstums, in: Klinik der inneren Sekretion, hrsg. von A. Labhart, Berlin, Heidelberg, New York 1978

Prevost und D'Amat 1951
M. Prevost und R. D'Amat, Bébé, in: Dictionnaire de Biographie Francaise, Paris 1951, S. 1227

Primisser 1819
Alois Primisser, Die Kaiserliche-Königliche Ambraser-Sammlung, Wien 1819 (= Graz Reprint 1972, mit neuen Registern von Manfred Kramer)

Quatrefages 1881
De Quatrefages, Sur Balthazar Zimmermann, dit le prince Balthazar, véritable nain microcephale, in: Bull. Soc. Anthropol. ser. 3, 4/1881, S. 702ff.

Raeck 1981
W. Raeck, Zum Barbarenbild in der Kunst Athens im 6.

und 5. Jahrhundert v. Chr., Diss. Bonn 1981

Ranke und Voit 1885
H. Ranke, Carl von Voit, Über den amerikanischen Zwerg Frank Flynn, genannt General Mite, dessen Körper- und Geistesentwicklung und Nahrungsbedarf, in: Arch. Anthropol. 16/1885, S. 229ff.

Ravin und Fried 1974
James G. Ravin, Ralph I. Fried, Picasso, Velázquez and dwarfs, in: J. Am. Med. Assoc. 228/1974, S. 1671ff.

Regnault 1897
Felix Regnault, Le dieu égyptien Bés était myxoemateux, in: Bull. Soc. Anthropol. ser. 4, 8/1897, S. 434ff.

Regnault 1914
Felix Regnault, Les nains dans l'art égyptien, in: Bull. Soc. franc hist. méd. 13/1914, S. 137ff.

Regteren Altena 1965
J. Q. van Regteren Altena, Baiocco, in: Festschrift Dr. h.c. Eduard Trautscholdt zum siebzigsten Geburtstage am 13. Januar 1963, Hamburg 1965, S. 136ff.

Richer 1901
Paul Richer, L'art et la médecine, Paris 1901

Rieger 1895
K. Rieger, Demonstration des sog. »Vogelkopfknaben« Dobos Janos aus Battonya in Ungarn, in: Sitzungsber. Phys.- med. Ges. Würzburg 8 u/1895, S. 113ff.

Rischbieth und Barrington 1912
H. Rischbieth und Amy Barrington, Treasury of Human Inheritance, Parts VII, VIII, Section XV A, Dwarfism, London 1912, S. 355ff.

Robertson 1979
M. Robertson, in: Festschrift für A.D. Trendall, Sydney 1979

Rollenhagen 1983
Gabriel Rollenhagen, Sinn-Bilder, Ein Tugendspiegel. bearb., mit einem Nachwort versehen und hrsg. von Carsten-Peter Warncke, Düsseldorf 1983 (= Die biblio-

philen Taschenbücher Nr. 378)

Rommel 1952
Otto Rommel, Die Alt-Wiener Volkskomödie, Wien 1952

Rooses 1977
Max Rooses, L'Oeuvre de P. P. Rubens, Histoire et description de ses tableaux et dessins, 5 Bde., Antwerpen 1886–1892 (= Reprint Soest 1977)

Rosenblum 1981
Robert Rosenblum, Fernand Pelez, or The Other Side of the Post-Impressionist Coin, in: Art the Ape of Nature, Studies in Honour of H.W. Janson, hrsg. von Moshe Barasch u.a., New York 1981, S. 707-718

Roth 1903
H. Ling Roth, Great Benin, London 1903

Ruffer 1910
M. A. Ruffer, On dwarfs and other deformed persons, in: Bull. Soc. Arch. Alex. 13/1910, S. 162ff.

Rupp 1965
Alfred Rupp, Der Zwerg in der ägyptischen Gemeinschaft, in: Chronique d'Egypte 40, 1965, 26off.

Sachs 1531
Hans Sachs, Klagred der Welt ob ihrem verderben. Dagegen ein Straffred irer gruntlosen Boßheit, Nürnberg 1531

Salib 1962
Philip Salib, Orthopaedic and traumatic skeletal lesions in ancient Egyptians, in: J. Bone. Jt. Surg. 44-B/1962, S. 944ff.

Salviat 1967
F. Salviat, Bulletin de Correspondance Hellenique 91, 1967, S. 96ff.

Sastri 1959
T. V. G. Sastri: Dwarf in the Indian Sculpture, Arts Asiatiques 6 (1959), S. 33-58

Schaaffhausen 1868 u. 1882
H. Schaaffhausen, Die Sektion eines in Coblenz gestorbenen Zwerges von 61 Jahren, in: Verhandl. natur.-hist. Verein preuss. Rheinl.

u. Westphal. 25/1868, S. 26ff. und 39/1882, S. 10ff.

Schadewaldt 1974
Hans Schadewaldt, Kunst und Medizin, Von der Vorzeit bis zum Ende des 15. Jahrhunderts, in: Kunst und Medizin, Hrsg. H. Schadewaldt et al., Köln 1974

Schebesta 1975
Paul Schebesta, Die Urwald-Pygmäen, in: H. Baumann, Wiesbaden 1975

Scheicher 1979
Elisabeth Scheicher, Die Kunst- und Wunderkammern der Habsburger, hrsg. von Christian Brandstätter, Wien, München, Zürich 1979

Scheugl 1974
Hans Scheugl, Show Freaks and Monster, Köln 1974

Schiedlof 1964
Leo R. Schiedlof, La miniature en Europe aux 16e, 17e, 18e et 19e siècles, 4 Bde., Graz 1964, Vol. I, A-E

Schiller 1968
Gertrud Schiller, Ikonographie der christlichen Kunst, Bd. 2, Gütersloh 1968

Schmidt 1891/92
Alexander Schmidt, Zur Kenntnis des Zwergwuchses, in: Arch. Anthropol. 20/1891-92, S. 43ff.

Schnabel 1978
Barbara Schnabel, Künstlerleben 1850–1910, Luzern und Frankfurt/Main 1978

Schönberger 1968
Philostratos, Die Bilder, hrsg. von Otto Schönberger, München 1968

Schott und Schott 1983
Ortrun Schott und Erhard Schott, Verspottet als Liliputaner, Zwerge, Clowns, München 1983

Schreier 1856
F. Schreier, Die Entbindung einer Zwergin, in: Monatsschr. Geburtsk. Frauenkrankh. 8/1856, S. 116ff.

Schröder 1971
Thomas Schröder, Jacques Callot, Das gesamte Werk, 2 Bde., München 1971

Schrumpf-Pierron 1934
Schrumpf-Pierron, Les

nains achondroplasiques dans l'ancienne égypte, in: Aesculape 24/1934, S. 223ff.

Schumacher 1981
A. Schumacher, Zur Bedeutung der Körperhöhe in der menschlichen Gesellschaft, in: Z. Morph. Anthrop., 72, 1981, S. 233-245

Schwartz 1988
Frithjof Schwartz, Der Narr mit dem Schwert, Überlegungen zur Ikonographie einer Passionstafel des Obersteiner Meisters, in: Mainzer Zeitschrift, Mittelrheinisches Jahrbuch für Archäologie, Kunst und Geschichte 83, 1988, S. 23ff.

Seitz 1970
Stefan Seitz, Die Töpfer-Twa in Ruanda (Diss.), Freiburg i. Brsg. 1970: Die Zentralafrikanischen Wildbeuterkulturen, Wiesbaden 1977

Séjournet 1955
G. Séjournet, La maladie de Toulouse-Lautrec, in: La Presse Medicale 63/1955, S. 1866ff.

Shapiro 1984
H. A. Shapiro, Notes on greek dwarfs, in: Am. J. Archaeol. 88/1984, S. 392ff.

Silverman 1982
Frédéric N. Silverman, De l'art du diagnostic des nanismes et du diagnostic des nanismes dans l'art, in: J. Radiol. (Paris) 63/1982, S. 133ff.

Simmonds 1900/01
M. Simmonds, Untersuchungen von Missbildungen mit Hilfe des Röntgenverfahrens, in: Fortschr. Röntgenstr. 4/1900-01, S. 197ff.

Sinn 1983
Ulrich Sinn, Zur Wirkung des ägyptischen »Bes« auf die griechische Volksreligion, in: Antidoron, Festschrift für Jürgen Thimme, hrsg. von D. Metzler et al., Karlsruhe 1983, S. 87ff.

Sömmerring 1791
Samuel Thomas Sömmerring, Abbildungen und Beschreibungen einiger Misgeburten, die sich ehemals auf dem anatomischen Theater zu Cassel befanden, Mainz 1791

Spies 1986
Werner Spies (Hrsg.), Fernando Botero, Bilder, Zeichnungen, Skulpturen, München 1986

Spranger 1985
Jürgen Spranger, Angeborene Entwicklungsstörungen des Skeletts, in: Lehrbuch der Kinderheilkunde, hrsg. von F. J. Schulte und J. Spranger, Stuttgart-New York 1985

Spranger et al. 1974
Jürgen Spranger, L. O. Langer, H.-R. Wiedemann, Bone Dysplasias, Stuttgart 1974

Stace 1981
L. Stace & D. M. Danks, A social study of dwarfing conditions, III, The social and emotional experiencies of adults with bone dysplasias, in: Aust. Paediatr. J., 17, 1981, S. 177-182

Stange 1969
Alfred Stange, Deutsche Malerei der Gotik, Nendeln (Reprint) 1969

Stange 1970
Alfred Stange, Kritisches Verzeichnis der deutschen Tafelbilder vor Dürer, hrsg. von Norbert Lieb, München 1970

Stegemeier 1970
Henri Stegemeier, The Identification of Fabianus Athyrus and an Analysis of His Emblematic Stechbüchlein, in: Festschrift für Detlev W. Schumann, München 1970, S. 3ff.

Ter Kuile 1969
O. Ter Kuile, Daniel Mijtens, in: Nederlands Kunsthistorisch Jaarboek 20 (1969)

Terlinden 1962
Vicomte Terlinden, Erzherzog Leopold Wilhelm, 1614–1662, Feldherr, Staatsmann und Protektor der Künste, in: Alte und moderne Kunst 1962, (7. Heft 60/61), S. 10ff.

Teutsch-Lateinisches
Teutsch-Lateinisches Wörter Büchlein ..., Nürnberg 1703

Thieme-Becker
Ulrich Thieme, Felix Becker, Allgemeines Lexikon der Bildenden Kunst. Von der Antike bis zur Gegenwart, Leipzig 1907ff.

Thompson 1968
C. J. S. Thompson, The Mystery and Lore of Monsters, New York 1968

Thomson 1991
Richard Thomson, Au Moulin Rouge, in: Toulouse-Lautrec, Kat. A. Hayward Gallery, London 1991, S. 266ff.

Tuma 1975
Maria Gisela Tuma, Widersprüche um Perkeo, in: Bozener Hauskalender 1975, S. 88

Turnbull 1983
Colin Turnbull, The Forest People, London 1984 (1. Ausgabe 1961): Wayward Servants. The two Worlds of African Pygmies, New York 1965: The Mbuti Pygmies. Change and Adaption, New York (u.a.) 1983

Turner 1938
H. H. Turner, A syndrome of infantilism, congenital webbed neck, and cubitus valgus, in: Endocrinology 23/1938, S. 566ff.

Tyson et al 1970
John E. Tyson, Allan C. Barnes et al., Obstetric and gynecologic considerations of dwarfism, in: Am. J. Obst. Gynec. 108/1970, S. 688ff.

Vassal 1956
P. A. Vassal, La physiopathologie dans le panthéon égyptien: les dieux Bes et Phtah, le nain et l'embryon, in: Bull. Mem. Soc. Anthropol. ser. 10, 7/1956, S. 168ff.

Virchow 1882
Rudolf Virchow, Zwergenkind, in: Z. Ethnol. 14/1882, S. 215

Virchow 1883
Rudolf Virchow, Amerikanischer Zwerg, in: Z. Ethnol. 15/1883, S. 300

Virchow 1892
Rudolf Virchow, Vorstellung des Knaben Dobos Janos, in: Berlin. Klin. Wochenschr. 29/1892, S. 517

Vlcek 1972
Emanuel Vlcek, Wachstumsstörungen an vor- und frühgeschichtlichen Menschenresten, in: Anthrop. Anz. 33/1972, S. 239ff.

Vlieghe 1987
Hans Vlieghe, Rubens Portraits of identified sitters painted in Antwerp, London 1987 (= Corpus Rubenianum Ludwig Burchard, Bd. 19)

Vogt 1969
Helmut Vogt, Das Bild des Kranken, Darstellungen von Arzt und Patient aus 5 Jahrhunderten, München 1969

Voragine ed. Benz 1984
Jacobus de Voragine, Die Legenda aurea des ..., aus dem Lateinischen übersetzt von Richard Benz, 10. Aufl., Darmstadt 1984

Wallgren 1957
Arvid Wallgren, Dwarfism in Siblings, Two Case Histories with Comments by Carl von Linné, in: Acta Paed. 46/1957, S. 232ff.

Walpole 1771
Horace Walpole, Anecdotes of Painting in England; With some accounts of the principal Artists, 5 Bde., Strawberry Hill 1771

Warren 1851
J. M. Warren, An account of two remarkable Indian dwarfs exhibited in Boston under the name of Actec children, in: Am. J. Med. Sci. 21/1851, S. 285ff.

Watermann 1958
Rembert Watermann, Bilder aus dem Lande des Ptah und Imhotep, Köln 1958

Weber 1971
A. Weber, Die persönliche Entwicklung hormonal behandelter hypophysärer Zwerge im Kindes- und Jugendalter, in: Supplementum 3 zu Acta Paedopsychatrica, 1971, S. 7-52

Wells 1964
Calvin Wells, Bones, Bodies and Disease, London 1964

Wescher 1968
Paul Wescher, Giovan Pietro Birago, in: Dizionario Biografico degli Italiani Bd. X, Rom 1968, S. 592f.

Wiedemann 1984
Hans-Rudolf Wiedemann, Down-Syndrom und Prader-Willi-Syndrom – je ein Beispiel aus der Malerei, in: Der Kinderarzt 15/1984, S. 1508

Wiedemann et al. 1989
Hans-Rudolf Wiedemann, Jürgen Kunze, Hertha Dibbern, Atlas der klinischen Syndrome, Stuttgart-New York 1989

Wilson 1975
V. Wilson, in: Levant 7, 1975, S. 77ff.

Wolff 1938
Hans F. Wolff, Die kultische Rolle des Zwerges im alten Ägypten, in: Anthropos 33, 1938, S. 445ff.

Wood 1868
Edward J. Wood, Giants and Dwarfs, London 1868

Worringer 1923
Wilhelm Worringer, Urs Graf, Die Holzschnitte zur Passion, mit einer Einführung von ..., München 1923

Wrede 1988
Henning Wrede, Die tanzenden Musikanten von Mahdia und der alexandrinische Götter- und Herrscherkult, in: Mitteilungen des Deutschen Archäologischen Instituts, Römische Abteilung, 95, 1988, S. 97ff.

Wurzbach 1857
Constant von Wurzbach, Boruslawski, in: Biographisches Lexikon des Kaiserthums Oesterreich, Wien 1857, S. 79ff.

Zander 1903/04
Richard Zander, Riesen und Zwerge, in: Naturwissenschaftliche Wochenschrift N. F. III/1903-04, S. 385ff.

Zimmer 1971
Jürgen Zimmer, Joseph Heintz der Ältere als Maler, Weißenhorn 1971